De l'eau pour les éléphants

Sara Gruen

De l'eau
pour les éléphants

ROMAN

Traduit de l'américain
par Valérie Malfoy

Albin Michel

À Bob,
mon arme secrète

C'est comme j'te dis, sans mentir...
Un éléphant, c'est toujours véridique – à cent pour cent !

– THEODOR SEUSS GEISEL,
Horton couve son œuf, 1940

Prologue

Il ne restait plus que trois personnes sous le vélum rouge et blanc de la friterie : Grady, moi et le cuistot. Grady et moi étions assis à une table de bois bancale, face à nos hamburgers dans leurs assiettes cabossées en fer-blanc. Le cuistot, derrière son comptoir, raclait son gril à l'aide d'une spatule. La bassine à friture était éteinte depuis un moment, et pourtant l'odeur de graillon était toujours là.

Dans l'allée centrale – si animée, tantôt – il n'y avait plus personne, excepté une poignée d'employés et un petit groupe d'hommes attendant d'être conduits à la tente de la danseuse orientale. Ils jetaient des coups d'œil furtifs à la ronde, chapeaux enfoncés sur le crâne et mains fourrées dans leurs poches. Ils ne seraient pas déçus : quelque part, au fond, Barbara et ses opulents appâts les attendait.

Les autres clients – les « paysans », comme disait Oncle Al – avaient déjà traversé la tente-ménagerie pour gagner le grand chapiteau, qui vibrait d'une musique frénétique. L'orchestre débitait son répertoire à un volume sonore aussi assourdissant que de coutume. Je connaissais par cœur le programme – en ce moment précis, c'était la fin de la Grande Parade et Lottie, la trapéziste, s'élevait vers ses agrès au-dessus de la piste.

J'ai regardé fixement Grady, tâchant de décoder ses paroles. Il lança des regards aux alentours et se pencha davantage.

– Par ailleurs, dit-il avec un regard entendu, je crois que t'aurais beaucoup à perdre en ce moment...

Pour mieux se faire comprendre, il eut une mimique. Mon cœur se serra.

Un tonnerre d'applaudissements retentit sous le grand chapiteau, et l'orchestre enchaîna aussitôt sur la Valse de Gounod. D'instinct, je me suis tourné vers la ménagerie, car c'était à ce signal que l'éléphante entrait en piste. Soit Marlène s'apprêtait à monter sur la tête de Rosie, soit elle s'y trouvait déjà.

– Il faut que j'y aille, dis-je.

– Reste, dit Grady. Mange ! Si t'as l'intention de filer, t'auras peut-être pas l'occasion de bouffer avant longtemps.

Au même instant, l'orchestre marqua un arrêt discordant. Cuivres, bois et percussions entrèrent dans une horrible collision – trombones et piccolos dérapèrent, un tuba fit un couac, et l'écho d'un éclatant coup de cymbale traversa la toile du grand chapiteau pour aller se perdre dans l'atmosphère.

Grady, qui était penché sur son hamburger – petits doigts en l'air, lèvres étirées – se figea.

Autour de moi, plus personne ne bougeait – tous les regards étaient tournés vers le grand chapiteau. Quelques fétus de paille virevoltèrent paresseusement au-dessus de la terre battue.

– Quoi ? Qu'y a-t-il ? dis-je.

– Chut !

L'orchestre se remit à jouer, cette fois l'hymne national. Grady flanqua son hamburger dans son assiette pour se lever d'un bond, renversant le banc.

– Oh, merde. Merde !

– Quoi ? Quoi ? criai-je, car déjà il partait en courant.

– « La Marche de la Catastrophe » ! hurla-t-il par-dessus son épaule.

Le cuistot, lui, arrachait son tablier.

– Qu'est-ce qu'il raconte ?

– « La Marche de la Catastrophe »... C'est pour signaler que quelque chose tourne mal. Très mal.

– C'est-à-dire ?

– Qu'est-ce que j'en sais ? Le chapiteau a pris feu, les chevaux ont paniqué... Oh, Jésus ! Et ces pauvres « paysans » qui se doutent sûrement de rien...

Il plongea la tête sous le volet supérieur de la porte et décampa.

Les vendeurs de bonbons sautaient par-dessus leurs comptoirs, des manœuvres sortaient en titubant d'une tente, des « tchécos[1] » sprintaient à travers le champ de foire. Tous ceux qui étaient associés aux Frères Benzini – Le Plus Grand Spectacle du Monde – se ruaient vers le grand chapiteau.

Diamond Joe me doubla au grand galop.

– Jacob, c'est la ménagerie ! Les bêtes sont lâchées. Va, va, *va* !

Pas besoin de me le dire deux fois. Marlène était dans cette tente-là.

Un grondement me traversa tandis que j'approchais – horriblement effrayant car ce n'était pas du bruit, à proprement parler. La terre tremblait.

J'entrai en chancelant pour me heurter à un yak massif – large poitrail bouclé, sabots en folie, naseaux dilatés, yeux révulsés. Il passa si près que je fis un bond en arrière pour me plaquer contre la bâche, sur la pointe des pieds, et éviter d'être encorné. Une hyène terrifiée était cramponnée à son dos.

---

1. « Tchéco » : Nom donné au monteur du chapiteau. Traditionnellement, avant 1939, les monteurs étaient d'origine tchèque. (*Toutes les notes sont de la traductrice.*)

Le stand au centre de la tente avait été piétiné, et à la place c'était une mêlée furieuse de taches et zébrures – d'arrière-trains, de pattes, de queues, de griffes – qui rugissaient, hurlaient, beuglaient, ou geignaient. Dominant la scène, un ours polaire balançait à l'aveuglette ses pattes grosses comme des poêles à frire. Il toucha un lama qui tomba, terrassé – BOUM. Ses quatre pattes et sa tête semblaient figurer les cinq branches d'une étoile. Des chimpanzés criaient et jacassaient tout en se balançant à des cordes pour rester au-dessus des fauves. Un zèbre aux yeux hagards zigzagua trop près d'un lion ramassé sur lui-même, qui lui donna un coup de patte, sans l'atteindre, et déguerpit ventre à terre.

Mon regard balaya la tente, dans un effort désespéré pour localiser Marlène. En fait, j'aperçus un félin qui se faufilait par le passage menant au grand chapiteau – c'était une panthère, et je me raidis en voyant son corps noir et souple disparaître par ce tunnel de toile. Si les « paysans » n'avaient pas encore compris, ça allait changer... Au bout de quelques secondes, en effet, éclata un long cri strident, suivi d'un second, puis d'un troisième ; après quoi ce fut le sauve-qui-peut général, chacun s'efforçant de passer devant les autres pour vider les gradins. L'orchestre s'interrompit de nouveau dans la cacophonie et, cette fois, le silence s'éternisa. Mes yeux se fermèrent. *Par pitié, Seigneur, laissez-les s'enfuir par-derrière. Par pitié, Seigneur, qu'ils ne tentent pas de passer par ici...*

Je les rouvris pour survoler du regard la ménagerie, affolé. Une jeune femme et une éléphante, ça devait tout de même se voir !

Lorsque j'aperçus ses paillettes roses, je faillis pousser un cri de soulagement. Peut-être l'ai-je fait. Je ne me rappelle plus.

Rosie était de l'autre côté, debout contre la toile, toute calme. Ses paillettes brillaient comme des diamants – un repère parmi tous ces pelages contrastés. Elle me vit, à son tour, et soutint mon regard pendant une éternité. Elle était

tranquille, indolente. Souriante, même. J'entrepris de me frayer un chemin dans sa direction, mais son expression me glaça.

Ce fumier lui tournait le dos. Écarlate, il hurlait, agitait les bras et balançait sa canne à bout d'argent. Son haut-de-forme en soie était posé sur la paille, à côté de lui.

Elle chercha à atteindre quelque chose. Une girafe passa entre nous – avec de gracieux mouvements du cou, malgré les circonstances – et ensuite je vis que Rosie avait ramassé un pieu d'acier. Elle le tenait mollement, la pointe posée sur le sol en terre battue. Elle me regarda de nouveau, médusée, puis reporta son attention sur cette tête nue.

– Oh, merde ! dis-je, réalisant soudain.

Je m'avançai d'un pas chancelant, criant, tout en sachant que ma voix ne pourrait l'atteindre.

– Non, pas ça ! Non, *pas ça !*

Elle souleva le pieu très haut et l'abattit, lui fendant le crâne comme une pastèque. Sa caboche s'ouvrit en deux, ses yeux s'écarquillèrent, sa bouche s'arrondit. Il tomba à genoux avant de basculer en avant, dans la paille.

J'étais trop stupéfait pour bouger, alors même qu'un jeune orang-outan jetait ses bras élastiques autour de mes jambes.

Il y a si longtemps. Si longtemps. Et pourtant ce souvenir n'a pas cessé de me hanter.

Je parle rarement de cette époque. J'ignore pourquoi. J'ai travaillé dans des cirques pendant presque sept ans, et si ce n'est pas un bon sujet de conversation, ça...

En fait, si, je sais. Je me méfiais de moi-même. J'avais peur de la trahir. Sachant combien il était important de garder le secret, je l'ai gardé – jusqu'à la fin de ses jours, et même après.

Soixante-dix ans ont passé, et je ne l'ai jamais dit à personne.

1

J'AI QUATRE-VINGT-DIX ANS. Ou quatre-vingt-treize. C'est ou l'un ou l'autre.

Quand on a cinq ans, on sait son âge – au mois près. Même à vingt ans, on sait son âge. J'ai vingt-trois ans, dit-on, ou vingt-sept. Puis, à la trentaine, un étrange phénomène se produit. Ce n'est qu'une simple hésitation, au début. Quel âge as-tu ? Oh, j'ai... – dit-on avec assurance, et là on cale. On allait dire : trente-trois, mais on n'a pas trente-trois ans. On en a trente-cinq. Et là, c'est embêtant, car on se demande si c'est le commencement de la fin. C'est le cas, bien sûr, mais il se passera des dizaines d'années avant qu'on ne l'admette.

On se met à oublier des mots : ils sont sur le bout de votre langue – et le hic, c'est qu'ils y restent ! On va chercher quelque chose, et en cours de route, on ne se rappelle pas quoi. On appelle un enfant par le nom de tous ses frères et sœurs et même celui du chien, avant de tomber sur le bon. Parfois on oublie quel jour on est. Et pour finir, l'année.

En fait, le problème n'est pas tant que j'ai oublié. C'est plutôt que j'ai cessé de me tenir au courant. On est au XXIe siècle, ça je sais – tout ce ramdam pour rien, tous ces jeunes se faisant du mouron et stockant des conserves parce qu'un imbécile avait eu la flemme de laisser de la place pour quatre chiffres au lieu de deux – mais c'était il y a un mois ou

17

trois ans ? Quelle importance, puisque tous les jours, c'est : purée de pois, tapioca et couches ?

J'ai quatre-vingt-dix ans. Ou quatre-vingt-treize. C'est ou l'un ou l'autre.

Un accident s'est produit, ou alors on fait des travaux de voirie, car des vieilles dames se sont agglutinées à la fenêtre au fond du couloir, tels des enfants ou des détenus. Elles sont frêles et squelettiques, leurs cheveux forment un halo vaporeux. La plupart ont une bonne dizaine d'années de moins que moi, et cela me sidère. Votre corps a beau vous trahir, votre esprit le nie.

Je suis parqué dans le passage avec mon déambulateur. Je ne me suis pas trop mal remis de ma fracture de la hanche – Dieu soit loué. Pendant quelque temps, on avait bien cru que je ne pourrais plus jamais marcher – c'est comme ça qu'on a réussi à me convaincre de venir ici, à l'origine – mais toutes les deux heures je me lève pour faire quelques pas, et chaque jour je vais un peu plus loin avant d'éprouver le besoin de faire demi-tour. Pas encore foutu, le vieux...

Elles sont cinq à présent – de pauvres choses aux cheveux blancs, serrées les unes contre les autres, à se désigner mutuellement quelque chose de leurs doigts crochus. J'attends, au cas où elles s'en iraient. Non.

Je regarde si mes freins sont bien bloqués et me soulève avec précautions, me tenant aux accoudoirs du fauteuil roulant afin d'opérer le périlleux transfert vers le déambulateur. Une fois en position, je saisis les poignées par leurs coussinets de caoutchouc gris et pousse le déambulateur de façon à avoir les bras complètement tendus, ce qui correspond à un carreau du sol. Je traîne mon pied gauche en avant, m'assure de son aplomb, puis ramène l'autre à son niveau. Pousser, traîner, attendre, traîner. Pousser, traîner, attendre, traîner.

Le couloir est long et mes pieds ne réagissent plus comme jadis. Non que je claudique comme Camel, Dieu merci, mais je suis quand même lent. Pauvre Camel – des années que je n'avais songé à lui. Ses pieds étant devenus inertes, il devait les projeter en avant et, pour ce faire, lever les genoux très haut. Mes pieds traînent comme s'ils étaient lestés et, voûté comme je suis, j'en suis réduit à regarder mes pantoufles encadrées par le déambulateur.

J'ai mis du temps à arriver au bout du couloir, mais j'y suis – et sur mes pinces, encore ! Je suis tout fier de moi, même si, maintenant, se profile l'épreuve du retour...

Elles me font de la place, ces vieilles dames. Ce sont les valides, celles qui peuvent se déplacer toutes seules ou qui ont des amis pour les véhiculer. Ces vieilles ont encore toute leur tête, et elles sont bonnes avec moi. Je suis une rareté par ici – un homme parmi un océan de veuves encore éplorées.

– Oh, par ici ! glousse Hazel. Que Jacob puisse regarder.

Elle recule le fauteuil roulant de Dolly et vient, à pas comptés, se placer à mon côté, les mains jointes. Ses yeux, pourtant laiteux, pétillent.

– Comme c'est excitant ! Ils sont là depuis le début de la matinée...

Je me rapproche de la vitre et relève la tête, louchant à cause du soleil. Compte tenu de la luminosité, il faut du temps pour s'adapter. Puis les formes se dessinent.

Sur le parking, au bout de la rue, se dresse une immense tente à larges rayures blanches et rouges, dont le sommet pointu évoque sans la moindre ambiguïté...

Mon cœur fait une telle embardée que je porte la main à ma poitrine.

– Jacob ! Oh, Jacob ! s'écrie Hazel. Mon Dieu ! Mon Dieu !

Ses mains volent ; elle se retourne :

– Infirmière ! Infirmière ! Vite ! C'est M. Jankowsky !

– Ce n'est rien, dis-je en toussant et me frappant la poitrine.

Voilà l'ennui avec ces vieilles. Elles ont toujours peur qu'on casse sa pipe.

– Hazel, tout va bien !

Trop tard. J'entends couiner des semelles en caoutchouc et, quelques instants plus tard, me voici au milieu d'une nuée d'aides-soignantes. Mon petit doigt me dit que je n'ai plus à me demander comment je réintégrerai mon fauteuil roulant.

– Alors, qu'est-ce qu'on mange, ce soir ? dis-je, bourru, tandis qu'on pousse mon fauteuil dans le réfectoire. Bouillie d'avoine ? Purée de pois ? Bouillie pour bébé ? Non, je sais : du tapioca ! C'est du tapioca ? À moins qu'on n'appelle ça du « pudding », aujourd'hui ?

– Oh, monsieur Jankowsky, vous êtes un drôle de numéro, dit l'aide-soignante sans s'émouvoir.

Il est inutile de me répondre, et elle le sait. Puisqu'on est aujourd'hui vendredi, ce sera l'ordinaire et nutritive, mais insipide, association de pain de viande, crème de maïs, purée mousseline servis avec un jus de viande dans lequel a peut-être baigné un véritable morceau de bœuf. Et on s'étonne que je maigrisse...

Je sais que certains d'entre nous n'ont plus de dents ; moi, si, et je voudrais du pot-au-feu. Le pot-au-feu de ma femme, mijoté avec des feuilles de laurier. Je voudrais des carottes. Des patates cuites dans leurs peaux. Et un bon vin pour arroser tout ça, pas du jus de pomme en canette. Et, surtout : du maïs en épi.

Quelquefois, il m'arrive de penser que, si je devais choisir entre déguster du maïs en épi et faire l'amour, je choisirais le maïs. Certes, je ne serais pas contre une bonne partie de jambes en l'air – je suis encore un homme et certaines choses ont la vie dure – mais rien qu'à imaginer ces petits grains bien sucrés, craquant sous la dent, l'eau me vient à la bouche. Pur fantasme, certes. Rien de tout cela ne risque d'arriver, mais j'aime me confronter à ce dilemme – véritablement cornélien : partie de jambes en l'air contre épi de maïs. Merveilleux dilemme. Parfois, je change pour une pomme.

À table, tout le monde parle du cirque – enfin, ceux qui parlent. Les taciturnes, ceux aux visages figés et aux membres atrophiés, ou qui branlent du chef et dont les mains tremblent trop pour tenir des couverts, restent à l'écart, assistés par des auxiliaires de vie qui les nourrissent à la cuillère et les encouragent à mâcher. On dirait des oisillons – des oisillons dépourvus d'entrain. Ils grincent légèrement des dents, mais sinon leurs traits restent figés et atrocement inexpressifs. Atrocement, car je sais bien ce qui m'attend. Je n'en suis pas encore là, mais ça vient. Il n'y aurait qu'un moyen d'éviter ça, et ce n'est pas une solution plus réjouissante.

L'aide-soignante me laisse devant mon assiette. Le jus sur le pain de viande est déjà figé. Je teste avec ma fourchette. Ça tremblote, comme pour se moquer de moi. Je relève la tête et croise le regard de Joseph McGuinty.

Il me fait face. C'est un nouveau, un intrus – un avocat à la retraite, qui a la mâchoire carrée, un nez vérolé, de grandes oreilles décollées. Ces oreilles me rappellent Rosie, mais c'est bien tout. Elle, c'était une âme d'élite, tandis que lui... eh bien, lui, c'est un avocat à la retraite. Je me demande comment le personnel a pu croire qu'un homme de loi et un vétérinaire auraient des affinités, mais on l'a mis à cette place dès le premier soir, et il s'y est incrusté.

Il me regarde méchamment ; sa mâchoire remue d'avant en arrière comme celle d'une vache qui rumine. Incroyable. Il mange ça... !

Les vieilles dames bavardent telles des écolières, en toute insouciance.

– Ils sont là jusqu'à dimanche, déclare Doris. Mon Billy s'est renseigné...

– Oui, il y aura deux représentations samedi et une dimanche. Randall et ses filles m'y emmèneront demain, dit Norma... Jacob, vous irez ?

J'ouvre la bouche pour répondre, mais aussitôt Doris s'exclame :

— Vous avez vu ces chevaux ? Quelle beauté ! On en avait, dans ma famille. J'adorais les monter.

Son regard se fait vague et, pendant une fraction de seconde, il me semble voir combien elle était jolie, jadis.

— Vous vous rappelez le temps où les cirques se déplaçaient en train ? dit Hazel. Les affiches apparaissaient quelques jours plus tôt – tous les murs de la ville en étaient tapissés ! On ne voyait plus une brique !

— Si je me rappelle ! dit Nora. Une année, ils en ont placardé sur notre grange, disant à mon père qu'ils utilisaient une colle spéciale censée se dissoudre deux jours après le spectacle... Pensez-vous ! Elles sont restées collées pendant des mois et des mois !

Elle glousse, hochant la tête.

— Papa était furax...

— Ensuite, quelques jours plus tard, le train arrivait. Toujours à l'aube.

— Mon père nous emmenait à la voie ferrée assister au déchargement. Quel spectacle ! Ah, et le défilé ! L'odeur de cacahuètes grillées...

— Et du pop-corn !

— Les pommes d'amour, la crème glacée, la citronnade !

— Et la sciure dans les narines !

— Moi, j'apportais de l'eau aux éléphants, déclare McGuinty.

Je lâche ma fourchette, relève la tête. Il déborde positivement de fatuité. Sans doute pense-t-il qu'elles vont s'extasier.

— C'est faux, dis-je.

Silence.

— Pardon ? dit-il.

— Vous n'avez jamais apporté de l'eau aux éléphants.

— Certes, si...

— Non.

22

— Vous me traitez de menteur ?

— Si vous prétendez avoir apporté de l'eau aux éléphants, alors oui, je vous traite de menteur.

Les autres m'observent, bouche bée. Mon cœur bat la chamade. Je sais que je ne devrais pas, mais c'est plus fort que moi.

— Quel culot !

Le bonhomme plaque ses mains noueuses sur la bordure de la table. Je vois saillir les tendons des avant-bras.

— Écoutez, mon vieux, dis-je. Voilà des années que j'entends des vieux schnocks comme vous raconter qu'ils apportaient de l'eau aux éléphants... Ce sont des foutaises.

— Vieux schnock ? *Vieux schnock ?*

Il se dresse de toute sa hauteur, envoyant valser son fauteuil roulant derrière lui, pointe un doigt arthritique sur moi ; puis tombe, comme touché par une charge de dynamite pour disparaître sous la table, l'œil étonné, la bouche en O.

— Infirmière ! Infirmière ! s'écrient les vieilles.

Le couinement familier des semelles se fait entendre et bientôt deux aides-soignantes le hissent par les bras. Il bougonne, fait semblant de vouloir se débrouiller tout seul.

Une troisième, en blouse rose pâle – une jeune Noire gonflée à l'hélium –, est campée à l'extrémité de la table, les mains aux hanches.

— Que se passe-t-il ? dit-elle.

— Ce vieux C-O-N m'a traité de menteur..., lance McGuinty, qui a retrouvé la sécurité de son fauteuil.

Il rectifie le tombé de sa chemise, redresse son menton grisonnant, et se croise les bras :

— ... *et* aussi de vieux schnock !

— Oh, ce n'est sûrement pas ce que M. Jankowsky voulait dire, proteste la jeune Noire.

— Bien sûr que si ! dis-je. C'est un vieux schnock. *Pffffft.* Apporter de l'eau aux éléphants... Vous savez quelles quantités ça boit, un éléphant ?

– Ma parole ! dit Norma, qui pince les lèvres et hoche la tête. Qu'est-ce qui vous prend, monsieur Jankowsky ?

Oh, je vois, je vois. Alors, c'est comme ça...

– C'est un scandale ! s'exclama McGuinty, qui se penche légèrement vers Norma, comprenant que la *vox populi* est en sa faveur. Je ne vois pas pourquoi je devrais supporter d'être traité de menteur...

– ... Et de vieux schnock, dis-je.

– Monsieur Jankowsky ! dit la jeune Noire, haussant la voix.

Elle vient derrière moi débloquer les freins de mon fauteuil roulant.

– Je crois que vous devriez passer un moment dans votre chambre, le temps de vous calmer.

Elle me fait pivoter et me pousse vers la porte.

– Hé, minute ! J'ai pas besoin de me calmer. Et, de plus, j'ai pas mangé !

– Je vous apporterai votre dîner, dit-elle, dans mon dos.

– Je ne veux pas manger dans ma chambre ! Ramenez-moi ! Vous ne pouvez pas me faire ça, à moi !

Visiblement, si. Elle me propulse dans le couloir à la vitesse de l'éclair et s'engage sportivement dans ma chambre, freinant si fort que tout mon fauteuil en vibre.

– Je veux retourner là-bas ! dis-je, alors qu'elle relève le repose-pied.

– Pas question, dit-elle en plaçant mes pieds par terre.

– C'est pas juste ! J'ai toujours eu ma place à cette table. Lui, il n'est là que depuis deux semaines. Pourquoi tout le monde prend son parti ?

– Personne ne prend le parti de personne..., dit-elle en se penchant pour glisser son épaule sous la mienne.

Comme elle me soulève, ma tête repose tout contre la sienne. Ses cheveux ont été chimiquement décrêpés et dégagent un parfum floral. Quand elle me fait asseoir au bord du lit, mes yeux se retrouvent au niveau de sa poitrine – et de son badge.

– Rosemary..., dis-je.
– Oui, monsieur Jankowsky ?
– Il ment, vous savez.
– Bien sûr que non.
– Si. Moi, j'ai travaillé là-bas.

Elle cille, agacée.

– Comment ça ?

J'hésite, puis me ravise.

– Peu importe, dis-je.
– Vous avez travaillé dans un cirque ?
– Aucune importance.

S'ensuit un silence gêné.

– M. McGuinty aurait pu se faire très mal, vous savez..., dit-elle en arrangeant mes jambes.

Elle est rapide, efficace, à la limite de la brusquerie.

– Pensez-vous ! Ces avocats sont indestructibles...

Elle me lance un long coup d'œil, comme si elle voyait en moi l'être humain. L'espace d'un instant, je la sens intriguée. Puis elle se remet en mouvement.

– Votre famille vous emmène au cirque, ce week-end ?
– Oh, oui ! dis-je avec un certain orgueil. Le dimanche, j'ai toujours des visites. C'est réglé comme du papier à musique.

Elle secoue une couverture et la déploie sur mes jambes.

– Je vous apporte votre dîner ?
– Non.

Il y a un silence bizarre. Je m'aperçois que j'aurais dû ajouter « merci » – trop tard.

– Très bien, je reviendrai dans un moment voir si vous n'avez besoin de rien.

Ben voyons. C'est toujours ce qu'elles disent.

Eh bien, ma foi ! La revoilà !

— Ne le dites à personne, fait-elle en glissant ma tablette sur mes genoux.

Elle dépose une serviette en papier, une fourchette en plastique et un bol plein de morceaux de fruits qui m'ont tout l'air appétissants – fraises, melon, pomme...

— C'était mon en-cas. Je suis au régime. Vous aimez les fruits, monsieur Jankowsky ?

Je répondrais, si ma main n'était sur ma bouche, toute tremblante. Bon sang – de la pomme !

Elle me donne une petite tape et s'en va, ignorant mes larmes par délicatesse.

Je glisse un quartier de pomme dans ma bouche – savoureux. Le néon qui bourdonne au plafond jette une lumière crue sur mes doigts noueux qui piochent dans le bol. Je ne les reconnais pas. Ça ne peut pas être les miens.

C'est cruel, l'âge. Au moment où vous commencez à vous débrouiller dans la vie, il vous prive de vos jambes, vous rend bossu. Il vous inflige des douleurs, vous brouille les idées et répand sournoisement le cancer à l'intérieur de votre épouse.

« Métastases », avait dit le médecin. Une question de semaines ou de mois. Ma chérie étant frêle comme un oiseau, elle est morte neuf jours plus tard. Au bout de soixante et une années de vie commune, j'ai senti la pression de sa main sur la mienne, et elle s'est éteinte.

Même si, parfois, je donnerais tout pour la ressusciter, je me félicite qu'elle soit partie la première. Sa mort fut un arrachement. Ce jour-là, ce fut le commencement de la fin pour moi, et je préfère qu'elle n'ait pas personnellement connu cela. Survivre à son conjoint, c'est le pire.

Jadis, je croyais que c'était un privilège de vieillir, mais aujourd'hui... Parfois, le bingo, la chorale, voir ces très vieilles choses rabougries, parquées dans le couloir avec leur fauteuil roulant, me fait aspirer à la mort. Surtout quand je me rappelle que je suis l'une de ces vieilles choses plantées là...

Il n'y a pas de solution. Je ne peux qu'attendre l'inévitable dénouement, tandis que les fantômes du passé s'agitent dans le vide de mon présent. Ils font du vacarme, se mettent à leur aise d'autant plus facilement que rien ne s'oppose à leur intrusion. Je ne lutte plus.

Justement, les voici...

Vous gênez pas, les enfants, faites comme chez vous ! Oh, je vois que c'est déjà le cas.

Maudits fantômes.

2

J'AI VINGT-TROIS ANS et je suis assis à côté de Catherine Hale.
En fait, c'est plutôt elle qui est à côté de moi, puisqu'elle
n'est entrée dans l'amphithéâtre qu'un peu plus tard, glissant
d'un air innocent sur le banc de façon à ce que nos cuisses
se touchent puis s'écartant aussitôt, le feu aux joues, comme
si ce contact avait été involontaire.

Catherine est l'une des quatre jeunes filles de notre promo-
tion – celle de l'année 1931 – et sa cruauté est sans bornes.
Je ne sais plus combien de fois j'ai pensé *Oh, Seigneur, oh
Seigneur, elle va se laisser faire*, pour devoir ensuite me rendre
à l'évidence – *Oh, Doux Jésus, c'est là que je dois m'arrêter ?*

Je suis, à ma connaissance, le seul puceau sur Terre. Ou,
du moins, le seul qui l'avoue. Même Edward, le garçon qui
partage ma chambre, a crié victoire, bien que je sois enclin à
penser qu'il ne s'est jamais frotté intimement qu'aux filles
nues de ses illustrés pornographiques. Il y a quelque temps,
des types de mon équipe de football se sont payé une prosti-
tuée – vingt-cinq *cents* chacun –, dans la grange, à tour de
rôle. Malgré mon vif désir de laisser ma virginité derrière moi
en quittant Cornell, je n'ai pu me résoudre à participer.
C'était au-dessus de mes forces.

C'est ainsi que, dans dix jours, après avoir passé six longues
années à disséquer, castrer, mettre bas, et fourrer mon bras

dans des orifices de vaches, moi et Virginité, ma fidèle compagne, quitterons Ithaca pour rejoindre mon père, vétérinaire à Norwich.

— Et là, vous voyez un épaississement de l'intestin grêle, dit le professeur Willard McGovern, d'une voix monocorde.

De sa longue règle, il sonde mollement les intestins enchevêtrés d'une chèvre aux poils poivre et sel.

— Ceci, avec l'hypertrophie des ganglions lymphatiques mésentériques, indique clairement un cas de...

La porte grince et il se retourne, la règle toujours pointée dans cette panse. M. Wilkins, le doyen, s'avance d'un pas rapide et monte sur l'estrade. Les deux hommes se consultent, si proches l'un de l'autre que leurs fronts semblent se toucher. McGovern écoute les chuchotements fébriles de Wilkins, puis se tourne pour survoler les travées d'un œil soucieux.

Tout autour de moi, les étudiants se trémoussent. Voyant que je la regarde, Catherine croise les jambes et lisse sa jupe avec nonchalance. Je déglutis et détourne la tête.

— Jacob Jankowsky ?

De surprise, j'en lâche mon crayon, qui va rouler sous les pieds de Catherine. Je me racle la gorge et me lève vivement. Une cinquantaine de paires d'yeux convergent sur ma personne.

— Oui, monsieur ?

— Vous pouvez venir ?

Je referme mon cahier et le dépose sur le banc. Catherine ramasse mon crayon et laisse ses doigts s'attarder sur les miens en me le rendant. Je me fraie un chemin vers l'allée, heurtant des genoux et écrasant des orteils. Des murmures naissent dans mon sillage.

M. Wilkins me regarde fixement.

— Venez..., dit-il.

On a quelque chose à me reprocher, c'est clair.

Je le suis dans le couloir. McGovern, qui nous a emboîté

le pas, referme la porte. Pendant un moment, tous deux restent là, les bras croisés, sévères.

Mon esprit s'emballe, dissèque tous mes récents faits et gestes. A-t-on fouillé les chambres, découvert le whisky d'Edward – ses illustrés pornographiques ? Doux Jésus, si on me renvoie aujourd'hui, mon père me tue, à coup sûr ! Quant à ma pauvre mère... Bon, d'accord, peut-être ai-je bu un doigt de whisky, mais je n'ai rien fait dans la grange...

M. Wilkins prend une profonde inspiration, affronte mon regard, pose la main sur mon épaule.

– Mon petit, un accident s'est produit... (légère pause.) Un accident d'automobile. (Autre pause, plus longue cette fois.) Ça concerne vos parents.

Je le dévisage, attendant la suite.

– Sont-ils... ? Sont-ils... ?

– Je suis navré, petit. Ce fut instantané. Ils sont morts sur le coup.

Je l'observe, essayant de maintenir le contact, mais c'est difficile car il prend un air absent, comme s'il se réfugiait au fond d'un long tunnel noir. Des fusées crépitent à la lisière de mon champ visuel.

– Ça va, mon petit ?

– Quoi ?

– Vous vous sentez bien ?

Soudain, il est de nouveau là, devant moi. Je cille – qu'est-ce que ça signifie ? Comment pourrais-je « me sentir bien » ? Puis, je comprends qu'il voudrait savoir si je vais pleurer.

Il s'éclaircit la voix et enchaîne :

– On vous attend là-bas. Pour l'identification. Je vais vous conduire à la gare.

Le commissaire – un membre de notre paroisse – m'attend sur le quai, habillé en civil. Il m'accueille avec un signe de tête embarrassé et une poignée de main formelle. Puis, avec un temps de retard, il me serre brutalement dans ses bras, me donne de grandes tapes dans le dos et me repousse en reniflant. Ensuite, il me conduit à l'hôpital dans sa propre voiture, un Phaéton qui a dû coûter des fortunes. Dans bien des domaines, les gens se seraient conduits autrement, s'ils avaient prévu le krach...

Le coroner nous mène au sous-sol et s'éclipse par une porte, nous laissant dans le couloir. Quelques minutes plus tard, une infirmière arrive, tenant la porte ouverte pour nous inviter à entrer.

Il n'y a pas de fenêtre. Il y a une pendule au mur, mais sinon la pièce est nue. Au sol : du lino vert olive et blanc. Au milieu : deux brancards à roulettes. Sur chacun, un corps recouvert d'un drap. Impossible d'enregistrer cela. Je ne serais même pas capable de dire où se trouvent leurs têtes.

– Vous êtes prêt ? demande le coroner, bougeant entre eux.

Je déglutis et acquiesce. Une main apparaît sur mon épaule. Celle du commissaire.

Le coroner dévoile d'abord mon père, puis ma mère.

Ils ne ressemblent pas à mes parents, et pourtant c'est forcément eux. La Mort est là, partout – dans les marbrures de leurs bustes meurtris, les taches violacées sur la blancheur morbide de la peau ; dans les orbites enfoncées, caves. Ma mère – si jolie et soignée de son vivant – arbore une froide grimace. Ses cheveux sont emmêlés, poisseux de sang, plaqués dans le creux de son crâne défoncé. Sa bouche est ouverte, son menton rentré comme si elle ronflait.

Je me détourne, pris de vomissements. On s'empresse d'apporter un bassin, mais j'entends le contenu de mon estomac gicler par terre, éclabousser le mur. J'entends, car mes yeux sont fermés. Je vomis, vomis, jusqu'à me vider.

32

Après quoi je reste plié en deux et pantelant, me demandant si un estomac est capable de se retourner comme un gant.

On m'emmène quelque part pour me faire asseoir. Une aimable infirmière en blouse amidonnée apporte du café, qui reste sur la table, à côté de moi, à refroidir.

Plus tard, l'aumônier vient. Il me demande s'il y a des proches à contacter. Je marmonne que toute ma parentèle est en Pologne. Il m'interroge sur nos voisins, les membres de notre paroisse, mais pas moyen de citer ne serait-ce qu'un nom. Un seul. Je ne suis même pas sûr de savoir le mien.

Une fois qu'il est parti, je file en douce. La maison est à un peu plus de trois kilomètres, et, au moment où j'arrive, le dernier rayon de soleil disparaît à l'horizon.

L'allée est déserte. Naturellement.

Je m'arrête derrière la maison, ma valise à la main, pour contempler le long bâtiment de plain-pied au fond du jardin. Au-dessus de l'entrée, un nouveau panneau indique en lettres noires et brillantes :

E. JANKOWSKY ET FILS
Docteurs en Médecine Vétérinaire

Quelques instants plus tard, je me tourne vers la maison, monte sur le porche, pousse la porte.

La précieuse radio Philco de mon père trône sur le comptoir de la cuisine. Le chandail bleu de ma mère est suspendu au dossier d'une chaise. Il y a des draps repassés sur la table, des violettes flétries dans un vase. Une terrine retournée, deux assiettes, quelques couverts mis à sécher sur un torchon à carreaux, à côté de l'évier.

Ce matin, j'avais des parents. Ce matin, ils ont pris leur petit déjeuner.

Je tombe à genoux, là sur le porche, et hurle dans mes mains.

Les dames de la paroisse, alertées par l'épouse du commissaire, fondent sur moi dans l'heure.

Je suis toujours sur le porche, la figure dans mes genoux, quand j'entends crisser le gravier, des portières qui claquent, et me voici entouré de chairs blanchâtres, de tissus à fleurs, de mains gantées. Je suis serré contre des poitrines molles, éborgné par des voilettes, soûlé par des parfums de jasmin, de lavande, d'eau de rose. La Mort est une affaire solennelle, et elles se sont endimanchées. Elles échangent de petites tapes, s'affairent, et surtout : elles jacassent.

Quelle tragédie, quelle tragédie. De si braves gens, en plus. Comprendre la signification de tout cela est bien difficile, mais les voies du Seigneur sont impénétrables. Elles s'occuperont de tout. La chambre d'amis de Jim et Mabel Neurateur est déjà prête. Je n'ai aucun souci à me faire.

On prend ma valise et on me pousse vers la voiture, dont le moteur tourne. Un Jim Neurateur lugubre est derrière le volant, qu'il agrippe à deux mains.

Deux jours après l'enterrement, je suis convoqué chez M. Edmund Hyde, pour apprendre en quoi consiste mon héritage. Assis sur un inconfortable fauteuil de cuir, face à ce personnage, je comprends peu à peu qu'il n'y a rien. Au début, je crois à une plaisanterie. Apparemment, mon père acceptait depuis deux ans d'être payé avec des haricots et des œufs.

– Des haricots et des œufs ?

Ma voix se brise, sous le coup de l'incrédulité.

— *Des haricots et des œufs ?*

— Et des poulets. Enfin, en nature...

— Je ne comprends pas.

— Les gens n'ont plus rien. C'est la crise, et votre père était compréhensif. Il ne pouvait pas rester les bras croisés pendant qu'une bête souffrait.

— Je ne comprends pas. Même s'il se faisait payer en... en nature, comment se fait-il que tout revienne à la banque ?

— Ils ont pris du retard sur le remboursement de l'emprunt.

— Ils n'avaient pas emprunté d'argent.

Il paraît mal à l'aise, joint le bout de ses doigts, les coudes sur le bureau.

— Si...

— Non. Ils vivaient ici depuis presque trente ans. La maison leur appartenait et ils n'avaient pas de dettes.

— La banque ayant fait faillite...

Je prends un air soupçonneux.

— Vous venez de dire que tout revenait à la banque...

Il pousse un profond soupir.

— C'est une autre banque. Celle qui a pris le relais quand l'autre a fermé, dit-il.

Je ne saurais dire s'il s'efforce vainement de paraître patient, ou s'il essaie tout bonnement de me faire partir.

Je marque un silence, évaluant la situation.

— Et le contenu de la maison ? Le cabinet ?

— Tout revient à la banque.

— Et si je conteste ?

— Comment cela ?

— Si je reprends la clientèle de mon père et tâche de rembourser le prêt ?

— Ça ne marche pas ainsi. Vous n'êtes rien dans cette affaire.

Je dévisage cet homme, son costume luxueux, son bureau cossu, ses livres reliés. Derrière lui, les rayons du soleil filtrent par les fenêtres à petits carreaux. Le dégoût m'envahit. Je parie qu'il n'a jamais accepté des haricots et des œufs en guise de paiement, lui.

Je me penche pour croiser son regard. Je veux l'asticoter.

— Je suis censé faire quoi ? dis-je, lentement.

— Je l'ignore. Hélas. Les temps sont durs, on ne peut le nier.

Il se renverse dans son fauteuil, mains toujours jointes par le bout des doigts. Il penche la tête sur l'épaule, comme traversé par une idée.

— Vous pourriez tenter votre chance dans l'Ouest...

Comprenant que, si je ne sors pas tout de suite, je vais lui casser la figure, je me lève, remets mon chapeau, et m'en vais.

Une fois sur le trottoir, je comprends autre chose. Il n'y a qu'une seule raison pour laquelle mes parents auraient eu besoin d'un crédit : pour payer mes études à Cornell.

Ce constat est si douloureux que je me plie en deux, me tenant le ventre.

Faute d'avoir une autre idée, je retourne à la fac – c'est une solution temporaire. Ma pension est payée jusqu'à la fin de l'année – soit pour encore six jours.

J'ai raté toute la semaine de révision. Chacun ne demande qu'à m'aider. Catherine me tend ses notes puis me prend dans ses bras avec une fougue qui suggère que, si jamais je repassais à l'action, mon vœu le plus cher serait peut-être exaucé. Je la repousse. Pour la première fois de ma vie, le sexe m'indiffère.

Je ne mange plus. Je ne dors plus. Et quant à étudier... Je passe un quart d'heure sur un simple paragraphe sans réussir à l'assimiler. Comment le pourrais-je, quand, derrière les mots, sur l'écran blanc du papier, j'assiste à la mort de mes parents en boucle ? Leur Buick beige fonce sur le garde-corps et tombe du haut du pont, pour éviter la camionnette rouge de M. McPherson. Le vieux McPherson qui a avoué, tandis qu'on l'entraînait loin de la scène, qu'il ne savait pas avec certitude de quel côté de la route il aurait dû être et qui pense avoir peut-être appuyé sur l'accélérateur au lieu du frein. Le vieux McPherson, qui s'est pointé à l'église, par un dimanche de Pâques demeuré légendaire, sans pantalon...

Le censeur referme la porte et s'installe à sa place. Il jette un coup d'œil à la pendule et attend que l'aiguille des minutes fasse un petit saut.

– Vous pouvez commencer.

Cinquante-deux cahiers d'examen sont retournés. Certains le feuillettent. D'autres se mettent aussitôt à écrire. Je ne fais ni l'un ni l'autre.

Quarante minutes plus tard, je n'ai toujours rien écrit. Désespéré, je contemple cette liasse de feuillets. Il y a des graphiques, des chiffres, des lignes, des diagrammes – des suites de mots s'achevant par un signe de ponctuation – tantôt un simple point, tantôt un point d'interrogation, et rien n'a de sens. Je me demande même si c'est de l'anglais. Je tente de voir si c'est du polonais, mais là non plus, ça ne donne rien. Ce pourrait tout aussi bien être des hiéroglyphes.

Une jeune fille tousse et je sursaute. Une goutte de sueur tombe sur les feuillets. Je m'essuie le front sur ma manche, puis m'empare du cahier.

Peut-être qu'en l'approchant... Ou en l'éloignant – maintenant, je vois que c'est de l'anglais ; ou, du moins que chaque mot est en anglais, mais je ne peux pas progresser de l'un à l'autre de façon logique.

Une seconde goutte de sueur tombe.

Je survole l'amphithéâtre du regard. Catherine écrit rapidement, le visage balayé par ses cheveux châtains. Elle est gauchère, et, comme elle écrit au crayon, son bras gauche est gris du poignet jusqu'au coude. À côté d'elle, Edward fait un bond sur son banc, jette un œil paniqué à la pendule, et s'avachit de nouveau par-dessus son cahier. Je me tourne vers une fenêtre.

Des fragments de ciel apparaissent entre les feuilles, une mosaïque de bleu et de vert qui bouge doucement au gré du vent. Je regarde, plus vaguement, par-delà ces frondaisons. Un écureuil saute lourdement à travers mon champ de vision, la queue en panache.

Repoussant violemment ma chaise qui grince, je me lève. Mon front est luisant, mes doigts tremblent. Cinquante-deux visages se tournent vers moi.

Je devrais connaître ces gens, et il y a encore une semaine je les connaissais. Je savais où vivaient leurs parents, la profession de leur père, s'ils avaient des frères, des sœurs, s'ils avaient de l'affection pour eux. Enfin, tout de même, je me rappelle ceux qui ont dû interrompre leurs études à la suite du krach... Henry Winchester, dont le père a sauté de la corniche de la Chambre de Commerce de Chicago. Alistair Barnes – le sien s'est tiré une balle dans la tête. Reginald Monty, qui a tenté sans succès de dormir dans une voiture quand ses parents n'ont plus été en mesure de payer sa pension. Bucky Hayes... lui, son paternel au chômage a tout simplement pris la clef des champs. Mais eux – ceux qui sont restés ? Rien.

J'observe, l'un après l'autre, ces visages dénués de traits – ces ovales vierges – avec un désespoir grandissant. Quelqu'un émet un gros gargouillis, et il s'avère que c'est moi. Je manque d'air.

– Jacob ?

Le visage le plus proche a une bouche qui remue. La voix est timide, hésitante :

– Ça va ?

Je cille, incapable de focaliser mon regard. Une seconde

plus tard, je traverse la pièce et jette le cahier d'examen sur le bureau du censeur.

– Déjà fini ? dit-il en tendant la main.

J'entends, en m'éloignant, des froissements de papier.

– Attendez ! Vous n'avez pas encore commencé. Je ne peux pas vous laisser sortir. Si vous sortez, je ne pourrai pas...

La porte en se refermant lui coupe la parole. Marchant d'un pas vif à travers le campus, je lève les yeux vers le bureau du doyen, M. Wilkins. Posté à la fenêtre, il me regarde.

Je vais jusqu'à la limite de la ville, puis m'écarte de la route pour longer la voie ferrée. Je marche jusqu'à ce que la nuit tombe et que la lune se montre, et ensuite pendant encore plusieurs heures. Je marche tellement que j'en ai mal aux jambes et que j'attrape des ampoules. Puis je m'arrête, car je suis fatigué, affamé, et complètement paumé. C'est comme si j'avais erré tel un somnambule et que je m'étais soudain réveillé.

Le seul signe de civilisation, c'est la voie ferrée, qui repose sur une couche surélevée de pierres concassées. D'un côté, la forêt, de l'autre une petite clairière. J'entends un clapotis et je me dirige de ce côté-là, guidé par le clair de lune.

Le ruisseau fait soixante centimètres de large, tout au plus. Il court le long des bois, au fond de la clairière, puis s'enfonce dans la forêt. J'ôte chaussures et chaussettes et m'assieds au bord.

Au début, quand je plonge les pieds dans l'eau, elle est si fraîche que je les retire aussitôt. Mais je m'obstine, les trempant pendant des lapses de temps de plus en plus longs, jusqu'à ce que le froid finisse par atténuer mes douleurs dues aux ampoules. Posant les pieds sur le fond caillouteux, je laisse le courant se faufiler entre mes orteils. Finalement, le froid recommençant à être insupportable, je m'allonge sur la berge, la tête sur une pierre plate tandis que mes pieds sèchent.

Au loin, un coyote hurle. C'est un cri à la fois lamentable et familier, et je pousse un soupir en m'autorisant à fermer les yeux. Quand l'un de ses congénères lui répond à quelques mètres seulement de moi, je me redresse d'un coup.

Le premier se remet à hurler, et cette fois une sirène de train lui répond. Je me rechausse et me relève, guettant l'orée de la clairière.

Le train se rapproche, gronde et ferraille : *TCHONK-e-tchonk-e-tchonk-e-tchonk-e, TCHONK-e-tchonk-e-tchonk-e-tchonk-e, TCHONK-e-tchonk-e-tchonk-e-tchonk-e...*

Je m'essuie les mains sur mes cuisses et marche vers la voie ferrée, pour m'arrêter à quelques mètres. L'odeur âcre de gasoil m'irrite les narines. De nouveau la sirène pousse son cri strident...

TOUI-I-I-I-I-I-I-I-I-I...

Une énorme locomotive surgit au détour du virage et passe à toute vitesse, si massive et si proche que c'est comme si je me heurtais à un mur. Sa cheminée vomit des nuages de fumée – une grosse corde noire qui forme des boucles au-dessus des wagons. La vue, le vacarme, l'odeur m'assomment. Je regarde, ahuri, passer une dizaine de plates-formes chargées de gros chariots, dirait-on, quoique je les distingue mal, car la lune est masquée par un nuage.

J'émerge tout à coup de ma stupeur. Il y a des gens dans ce train. Qu'importe où il va, c'est de toute façon loin des coyotes et vers la civilisation, vers un repas, un emploi éventuel – la possibilité de me procurer un billet pour retourner à Ithaca, même si je n'ai pas un sou vaillant et aucune raison de croire qu'on me reprendrait. D'ailleurs, même si on me reprenait, à quoi bon ? Je n'ai plus de foyer, plus de cabinet de vétérinaire qui m'attend...

D'autres plates-formes passent, chargées de poteaux télégraphiques, semble-t-il. Je tâche de voir ce qu'il y a ensuite.

La lune apparaît pendant une fraction de seconde, éclairant d'une lueur bleutée ce qui pourrait être des fourgons.

Je me mets à courir, dans la même direction que le convoi. Mes pieds dérapent sur la pente caillouteuse – c'est comme courir dans le sable, et pour compenser je me penche en avant. Je trébuche, bats des bras et tente de retrouver mon équilibre avant d'être happé par ces roues.

Une fois d'aplomb, j'accélère, cherchant du regard quelque chose à quoi m'accrocher. Trois wagons passent, bien fermés. Leur succèdent des wagons à bestiaux. Les portes sont ouvertes, mais ça déborde de croupes de chevaux – une vision qui me frappe, alors même que je cours à côté de ce train en mouvement, au milieu de nulle part.

Je ralentis au point de trottiner, puis m'arrête. Essoufflé, et sans plus d'illusions, je tourne la tête. Il y a une porte ouverte à trois wagons de distance...

Je me remets à courir, comptant :

Un, deux, trois...

J'empoigne la barre d'acier et je me hisse violemment. Mon pied et mon coude gauches sont les premiers à heurter quelque chose, puis mon menton vient donner contre la bordure métallique. De toutes mes forces, je me cramponne. Le vacarme est assourdissant et ma mâchoire cogne en cadence contre l'acier. Je flaire une odeur de sang, ou de rouille, et me demande fugitivement si je ne me suis pas cassé toutes les dents, mais ce point menace de devenir sans importance, puisque je suis suspendu au bord du vide, en équilibre précaire, ma jambe droite pointée vers la roue. De la main droite, je m'agrippe à la barre. De la gauche, je griffe le plancher si désespérément que le bois s'écaille sous mes ongles. Je perds du terrain – mes semelles n'accrochent à rien et mon pied gauche glisse par à-coups vers le vide. Ma jambe droite est si engagée sous le wagon que je vais sûrement la perdre. Je m'y prépare, fermant les yeux très fort et serrant les dents.

Quelques instants plus tard, toujours intact, je rouvre les yeux pour évaluer la situation. Il n'y a pas trente-six solutions, et comme descendre en marche serait passer sous le train, je compte jusqu'à trois et donne un surhumain coup de reins. Mon genou gauche est passé. Jouant du pied, du genou, du menton, du coude, des ongles, je parviens à ramper à l'intérieur et m'effondre. Complètement crevé, je reste étendu par terre, pantelant.

C'est alors que je prends conscience d'une vague lumière. Vivement, je me redresse sur un coude.

Quatre types sont assis sur des sacs de grosse toile, et jouent aux cartes à la lueur d'une lampe à pétrole. L'un d'eux, un vieillard rabougri et mal rasé, aux joues creuses, a un pichet de terre cuite incliné contre ses lèvres. Sous l'effet de la surprise, il paraît avoir oublié de le reposer. Ce qu'il fait alors, avant de s'essuyer les lèvres sur sa manche.

– Tiens, tiens, dit-il lentement. Qui voilà ?

Deux de ses compagnons me dévisagent par-dessus l'éventail de leurs cartes, sans bouger d'un iota. Le troisième se lève et s'approche.

C'est une grosse brute à la barbe noire et fournie. Ses habits sont crasseux et un morceau de son chapeau semble avoir été emporté d'un coup de dents. Je me relève gauchement et recule en titubant, pour découvrir qu'il n'y a pas d'issue. Un coup d'œil en arrière m'apprend que je suis acculé à une multitude de gros ballots de toile.

Nous sommes face à face, et son haleine empeste l'alcool.

– Pas de place pour les trimardeurs dans ce train, mon gars. Tu peux descendre...

– Du calme, Blackie, dit le vieux au pichet. Pas de geste inconsidéré...

– « Inconsidéré », mon cul ! dit Blackie, qui cherche à m'attraper par le col.

Je lui flanque un coup sur la main. Il essaie de l'autre, et je lève les deux bras en l'air pour me défendre. Nos avant-bras s'entrechoquent.

– Holà ! glousse le vieux. Prends garde, l'ami. Va pas embêter Blackie.

– C'est plutôt lui qui m'embête, il me semble ! dis-je, parant un nouveau coup.

Blackie passe à l'attaque. Je tombe sur un rouleau de toile, et ma tête ne l'a pas encore touché que je suis remis debout. Un instant plus tard, mon bras droit est tordu dans mon dos, mes pieds sont suspendus au-dessus du vide et je fais face à une rangée d'arbres qui défilent trop vite.

– Blackie, aboie le vieux. Blackie ! Lâche-le. Lâche-le, je te dis, et de ce côté-ci, encore... !

Blackie me tord le bras vers la nuque et me secoue.

– Blackie, j'ai dit quoi ? Va pas nous faire des ennuis. Lâche-le !

Blackie me suspend encore un moment au-dessus du vide, puis pivote et me balance sur les rouleaux de toile. Ensuite, il rejoint ses camarades, rafle le pichet et repart en passant juste devant moi, pour enjamber les rouleaux et se retirer au fond du wagon. Je l'observe attentivement, massant mon bras endolori.

– Te vexe pas, môme ! dit le vieil homme. Jeter les gens du train, c'est un des petits plaisirs qui vont avec son boulot, et il en a pas eu l'occasion depuis un moment... Là, ajoute-t-il en tapotant le plancher. Viens par ici.

Je jette un nouveau regard à Blackie.

– Allons, sois pas timide. Blackie va bien se tenir, à présent. Pas vrai, Blackie ?

Blackie grommelle et prend une lampée d'alcool.

Je m'approche avec précaution.

Le vieux me tend la main. Après un temps d'hésitation, j'accepte de la serrer.

– Moi, c'est Camel, dit-il. Lui, Grady. Et voici Bill. Je crois que t'as déjà fait la connaissance de Blackie ?

Il sourit, révélant une dentition très incomplète.

– Enchanté, dis-je.

– Grady, ramène donc c'te pichet, hein ? dit Camel.

Grady pointe ses yeux sur moi, on se dévisage. Au bout d'un moment il se lève et va en silence vers Blackie.

Camel se met debout non sans difficulté, si ankylosé que je lui soutiens le coude. Une fois debout, il soulève la lampe à pétrole et me détaille en plissant les yeux. Mon accoutrement est analysé, on me passe en revue.

– Qu'est-ce que je disais, Blackie... ? lance-t-il sur le ton du reproche. C'est pas un trimardeur... viens donc regarder. Apprends à distinguer...

Blackie râle, prend une dernière gorgée, et rend le pichet à Grady.

Camel me lance un coup d'œil aigu.

– C'est quoi ton nom, déjà ?

– Jacob Jankowsky.

– T'es rouquin...

– Il paraît...

– T'es d'où ?

J'hésite. Faut-il répondre Norwich ou Ithaca ? L'endroit « d'où l'on est », est-ce la dernière adresse en date, ou bien là où sont nos racines ?

– De nulle part.

Ses traits se durcissent. Il oscille légèrement sur ses jambes arquées et sa lampe balancée projette une clarté inégale.

– T'as fait quelque chose, fils ? T'es en cavale ?

– Non. Ce n'est pas ça.

Il me dévisage encore un moment et hoche la tête.

– Bon, d'accord. C'est pas mes oignons. Tu vas où ?

– Je ne sais pas.

– Tu cherches du travail ?

– Oh, ça oui !

– Y a pas de mal à ça. Tu sais faire quoi ?

– Un peu de tout.

Grady apparaît avec le pichet qu'il tend à Camel. Ce dernier s'essuie le cou avec sa manche et me passe le pichet.

– Tiens, bois !

Bon, l'alcool, je connais, mais le whisky de contrebande, c'est autre chose. Ma poitrine et ma tête s'embrasent. Je manque m'étrangler et refoule mes larmes, tout en regardant Camel droit dans les yeux alors que mes poumons menacent d'être réduits en cendres.

Camel observe et acquiesce lentement.

– On arrive à Utica demain matin. Je t'emmènerai voir Oncle Al.

– Qui ?

– Alan Bunkel, le Seul, l'Unique Monsieur Loyal ! Seigneur et Maître des Univers Connus et Inconnus...

Je dois avoir l'air déconcerté, car il éclate d'un rire saccadé qui dévoile ses trop rares dents.

– Petit, me dis pas que t'as pas remarqué !

– Remarqué quoi ?

– Putain, les gars, lance-t-il aux autres. Il sait pas, vraiment !

Grady et Billy ont un sourire affecté. Seul Blackie reste imperturbable. Il se renfrogne, rabat son chapeau sur sa figure.

Camel se tourne vers moi, se racle la gorge et parle lentement, savourant chaque mot.

– T'as pas tout bêtement sauté dans un train ordinaire, fiston. T'es dans l'Escadron Volant du Plus Grand Spectacle du Monde.

– Quoi ?

Camel se tord de rire.

– Ah, c'est impayable, impayable ! dit-il en reniflant, et il s'essuie les yeux du revers de la main. Ah, parole. T'as atterri dans un cirque, fiston !

Je cligne des yeux.

– Ça, c'est le grand chapiteau, dit-il en soulevant sa lampe à pétrole en pointant le doigt sur les grands rouleaux de toile. Un des chariots a mal négocié la rampe et s'est planté dans les grandes largeurs, alors... Trouve-toi donc une place pour pioncer. On arrive dans quelques heures. Seulement, te mets pas trop près du bord. Y a des virages vicieux...

3

L E CRISSEMENT PROLONGÉ des freins me réveille. Dans mon sommeil, j'avais glissé entre des rouleaux de toile et je tarde un peu à reprendre mes esprits.

Le train frémit, s'immobilise et pousse un soupir. Blackie, Bill et Grady se lèvent et descendent en silence. Camel s'approche en clopinant. Il se penche et me tâte.

— Viens, fiston. Faut sortir avant l'arrivée des gars... Je vais essayer de te brancher sur Joe-le-Fou, ce matin.

— Joe-le-Fou ? dis-je, me redressant.

Mes tibias me démangent et j'ai un torticolis infernal.

— C'est le grand manitou pour les chevaux. Enfin, les chevaux de trait. August le laisserait jamais s'approcher de la cavalerie. En fait, c'est probablement Marlène qui le laisserait pas, enfin c'est pareil... Avec Joe-le-Fou, au moins, t'auras du boulot. On a eu beaucoup de mauvais temps, les terrains étaient boueux, un tas de ses gars en ont eu marre de bosser comme des Turcs et se sont barrés. Il manque de bras.

— Pourquoi ce surnom : Joe-le-Fou ?

— Sais pas exactement...

Il se cure l'oreille et inspecte sa récolte.

— J'crois qu'il a fait de la taule, mais je sais pas pourquoi. Et je te conseille pas de lui demander...

S'étant essuyé le doigt à son pantalon, il s'éloigne tranquillement vers la porte.

— Du nerf ! dit-il en se retournant. On a pas que ça à foutre !

Il s'accroupit avec précaution et descend sur le ballast.

M'étant pour la dernière fois gratté à mort les tibias, je relace mes chaussures, et le suis.

Le train s'est arrêté au bord d'un pré immense. Tout au fond, s'élèvent quelques bâtiments en brique, éclairés par un jour grisâtre. Des centaines de types crasseux, pas rasés, se répandent hors du train et l'entourent telles des fourmis sur des bonbons, pestant, s'étirant, allumant des cigarettes. Des rampes et autres plans inclinés sont flanqués par terre, des dispositifs d'attelages de six à huit chevaux ont fait leur apparition, étalés au sol. Des chevaux sortent à la queue leu leu — de lourds percherons à la queue écourtée, qui descendent pesamment, s'ébrouent, renâclent, déjà harnachés. De part et d'autre, des hommes tiennent les portes près des côtés des rampes, pour empêcher les bêtes de s'approcher trop du vide.

Un groupe d'hommes marche vers nous, tête basse.

— Salut, Camel..., dit le chef en grimpant dans le wagon.

Les autres l'imitent. Ils encerclent un ballot de toile et le traînent vers la porte, avec des grognements ; il bouge d'une cinquantaine de centimètres et atterrit dans un nuage de poussière.

— Salut, Will, répond Camel. T'as pas une clope pour un pauvre vieux ?

— Pour sûr...

L'homme se redresse et palpe les poches de sa chemise. Puis il repêche une cigarette gondolée.

— C'est du roulé-main, dit-il en se penchant pour la lui donner. Désolé.

— Ça me va très bien, dit Camel en la prenant. Merci, Will. T'es bien obligeant...

Will me désigne du doigt.

– Lui, c'est qui ?

– Un « Premier Mai ». Jacob Jankowsky, qu'il s'appelle...

Will me regarde, puis se détourne pour cracher par la porte.

– Un novice, hein ? dit-il en continuant à s'adresser à Camel.

– Tout à fait.

– Tu l'as déjà eu en main ?

– Non...

– Ben, bonne chance à toi ! (Il effleure son chapeau à mon adresse.) Dors pas sur tes deux oreilles, petit, si tu vois ce que je veux dire...

Et il disparaît à l'intérieur.

– Qu'est-ce qu'il a voulu dire ? fais-je, mais Camel s'éloigne.

Je trottine pour le rattraper.

Il y a désormais des centaines de chevaux parmi ces hommes. Au premier regard, le chaos semble régner, mais à l'heure où Camel a allumé sa cigarette, plusieurs dizaines d'attelages ont été constitués et s'avancent le long des wagons plats, tirant les gros chariots vers les rampes. Sitôt que leurs roues ont touché les rails en bois inclinés, l'homme guidant le timon s'écarte d'un bond, et heureusement car ces chariots surchargés dévalent le plan incliné pour ne s'arrêter qu'au bout de quelques mètres.

À la lumière du jour, m'apparaît enfin ce que la nuit m'avait caché – les chariots sont d'un rouge éclatant, décorés d'un liseré doré et dotés de roues à rayons. Sur chacun est écrit LES FRÈRES BENZINI – LE PLUS GRAND SPECTACLE DU MONDE. Un peu plus loin, les percherons pèsent sur leur harnais pour tracter ces lourdes charges à travers le pré.

– Attention ! dit Camel, qui m'attrape le bras et me tire vers lui.

D'une main, il retient son chapeau, serre sa cigarette informe entre ses dents.

Trois cavaliers passent au grand galop. Ils dévient de leur trajectoire pour traverser le pré dans sa longueur, puis en font tout le tour avant de revenir. Le meneur tourne la tête de tous côtés, jaugeant le terrain. Tenant ses rênes d'une seule main, il extrait des fléchettes à fanions d'une bourse en cuir et les fiche en terre.

— Qu'est-ce qu'il fabrique ? dis-je.

— Il marque l'emplacement du chapiteau, dit Camel, qui s'arrête devant un fourgon à bestiaux. Joe ! Hé, Joe !

Une tête apparaît par l'ouverture.

— J'ai un « Premier Mai » ici. Tout beau, tout neuf ! T'en veux ?

La silhouette s'avance sur la rampe. Le type repousse le bord de son chapeau cabossé d'une main à laquelle manquent trois doigts. Il me scrute, crache de côté un long jet de tabac brun, et rentre.

Camel me tapote le bras comme pour me féliciter.

— C'est bon, petit !

— Ah... ?

— Ouais ! Maintenant, va donc pelleter un peu de crottin. À tout à l'heure...

Le wagon à bestiaux est dans un état abominable. Je travaille avec un certain Charlie, un jeune au visage glabre comme celui d'une fille. Sa voix n'a pas encore mué. Après avoir pelleté avec lui une tonne de fumier, semble-t-il, je marque une pause pour considérer ce qui nous attend.

— On met combien de chevaux, ici, au fait ?

— Vingt-sept.

— Seigneur ! Ils doivent être serrés à ne plus pouvoir bouger...

— C'est voulu, dit Charlie. Une fois le dernier calé, ils peuvent plus tomber...

La vision de toutes ces croupes, hier, s'explique.

Joe apparaît à la porte.

— Le drapeau est hissé..., bougonne-t-il.

Charlie lâche sa pelle et s'apprête à descendre.

– Qu'est-ce qu'il y a ? Tu vas où ? dis-je.

– Le drapeau de la cantine est hissé...

Je secoue la tête.

– Désolé, je pige pas...

– À la bouffe ! dit-il.

Là, je pige. Moi aussi, je lâche ma pelle.

Des tentes ont poussé comme des champignons, même si la plus grande – le chapiteau – est toujours étalée à terre. Penchés au-dessus de ses coutures, des hommes assemblent les quartiers de toile qu'il faut lacer entre eux. De gigantesques mâts en bois jalonnent sa ligne médiane, et l'on voit déjà flotter la bannière étoilée. Avec les haubans sur les mâts, on dirait un navire.

Tout autour, des équipes de huit individus tapent sur des piquets à une vitesse hallucinante. Au moment où l'un d'eux abat sa masse, les autres sont déjà en mouvement. Le bruit qui en résulte est aussi régulier que celui d'une mitraillette ; il tranche sur le brouhaha.

D'autres équipes sont occupées à dresser d'énormes mâts. Charlie et moi passons devant un groupe d'hommes qui luttent de tous leurs poids réunis contre une simple corde. À côté, un type gueule en cadence : « Ay-roop ! Encore – Ay-roop ! Piquet... ! »

La cantine, on ne peut pas la manquer – même en faisant abstraction du drapeau bleu et orange, de la marmite à l'arrière-plan, du flot humain allant dans cette direction. L'alléchante odeur me frappe comme un boulet de canon. Je n'ai pas mangé depuis avant-hier, et j'en ai des crampes d'estomac.

Les cloisons de toile ont été relevées pour laisser passer l'air, mais l'espace où l'on mange est divisé en son milieu par un rideau. De ce côté-ci, les tables ont des nappes à carreaux rouges et blancs, des couverts en argent, des bouquets de fleurs. Un luxe franchement incongru quand on voit cette file d'individus loqueteux qui serpente derrière les tables chaudes.

– Mon Dieu ! dis-je à Charlie, prenant place dans la queue. Vise-moi ce festin !

Il y a des patates sautées, des saucisses, des corbeilles qui débordent de grosses tranches de pain. Des jambons, des œufs cuits de toutes les manières, des pots de confiture, des saladiers d'oranges.

– Bah, c'est rien. Avec la Grosse Bertha, t'as des serveurs, en plus ! Tu t'assois à ta table et on vient te servir...

– La « Grosse Bertha » ?

– Barnum.

– T'as travaillé pour eux ?

– Euh... non, avoue-t-il, penaud. Mais des amis à moi, oui !

J'attrape une assiette et y entasse patates, œufs, saucisses, en m'efforçant de ne pas avoir l'air trop misérable. Ces bonnes odeurs me font défaillir. J'ouvre la bouche, inspire à fond – c'est comme un don du Bon Dieu. C'*est* un don du Bon Dieu !

Camel surgit de nulle part.

– Tiens, tu donneras ça au type là-bas, au bout..., dit-il, me fourrant un ticket dans la main.

L'homme est assis sur un pliant, au bout de la file, qu'il surveille de dessous son chapeau mou. Je lui tends mon ticket. Il me considère, les bras fermement croisés devant lui.

– Ton rayon ? dit-il.

– ... pardon ?

– C'est quoi ton rayon ?

– Euh... je sais pas trop. J'ai nettoyé des wagons à bestiaux toute la matinée.

– Faut préciser, fait-il, continuant à ignorer mon ticket. C'est soit la cavalerie, soit les chevaux de trait, soit la ménagerie. Alors ?

Je ne réponds pas. Je suis sûr que Camel a fait allusion à

quelque chose dans ce goût-là, mais il ne me vient rien de plus précis à l'esprit.

— Si tu connais pas ton rayon, tu fais pas partie du personnel, dit-il. Alors, qu'est-ce que tu fous là ?

— Tout est O K, Ezra ? dit Camel, qui arrive à ma hauteur.

— Non ! Ce petit paysan essaie de bouffer aux frais de la princesse, dit Ezra, crachant par terre.

— C'est pas un petit paysan, c'est un « Premier Mai » et il est avec moi.

— Ah ouais ?

— Ouais.

Le type soulève le bord de son feutre et me toise de la tête aux pieds. Il attend encore un moment, avant de lâcher :

— Bon, très bien, Camel. Si tu réponds de lui, ça me va...

Sa main se tend, rafle mon ticket.

— Autre chose... Apprends-lui à causer correctement avant qu'il se fasse botter le cul... entendu ?

— Alors, c'est quoi mon rayon ? dis-je en me dirigeant vers une table.

— Non, pas par-là...! dit Camel, qui m'agrippe par le coude. Ces tables-là, c'est pas pour nous autres. Reste auprès de moi, tant que t'es pas au parfum...

Je l'accompagne derrière le rideau. Ici, les tables ont été mises bout à bout. Poivrières et salières agrémentent seules leur surface raboteuse. Il n'y a pas de bouquet.

— Qui s'assoit là-bas... les artistes ?

Camel me lance un regard noir.

— Bon sang, môme ! Ferme-la tant que tu sais pas comment qu'on appelle les gens... !

Il s'assoit et, aussitôt, fourre un morceau de pain dans sa bouche. Ayant mastiqué pendant une bonne minute, il me regarde.

— Oh, voyons, te vexe pas ! C'est pour ton bien. T'as vu Ezra, et, *lui*, c'est une bonne pâte. Allez, ramène-toi...

Je le considère encore un moment, puis m'approche du

banc. Ayant déposé mon assiette, j'examine mes mains dégoûtantes, les essuie sur mon pantalon, et, ne les trouvant pas plus propres, attaque néanmoins mon repas.

– Alors, comment les appelle-t-on... ?

– Des saltimbanques, dit-il, la bouche pleine. Et ton rayon, c'est les chevaux de trait. Jusqu'à nouvel ordre.

– Et où sont-ils, ces saltimbanques... ?

– Ils vont arriver d'un instant à l'autre. Il y a encore deux sections du train qui sont attendues. Ils se couchent tard, se réveillent tard, et arrivent juste à temps pour le petit déj'. Et, au fait, va pas les traiter de « saltimbanques » en face... !

– Comment veulent-ils qu'on les appelle ?

– Des artistes.

– Dans ce cas, pourquoi ne pas les appeler ainsi, entre nous ? dis-je, avec une pointe d'agacement dans la voix.

– Eux c'est eux ; nous, c'est nous ! Te bile pas. T'apprendras...

Au loin, une sirène de train mugit.

– Quand on parle du loup...

– Oncle Al est avec eux ?

– Ouais ! Mais va pas te faire des idées. On l'approchera plus tard. Il est grincheux comme un ours qu'a mal aux dents tant qu'on n'est pas installés. Au fait, comment tu te débrouilles chez Joe ? T'as ton compte de purin ?

– Ça ne me gêne pas...

– Ouais, mais tu vaux mieux que ça. J'ai causé à un pote, dit Camel, broyant un autre morceau de pain entre ses doigts pour saucer son assiette. Bosse avec lui jusqu'à ce soir, et il glissera un mot en ta faveur.

– Je ferai quoi ?

– Tout ce qu'il te demandera. Et quand je dis « tout », c'est tout !

Il prend un air entendu.

L'ami de Camel est un petit homme doté d'une belle bedaine et d'une voix de stentor. Il s'appelle Cecil, et c'est le bonimenteur de la tente des phénomènes. M'ayant examiné, il me déclare apte à l'ouvrage. Moi, Jimmy et Wade – les deux autres garçons jugés assez présentables pour se mêler à la foule, devrons nous placer derrière les badauds pour, à son signal, les rabattre vers l'entrée.

Les phénomènes se trouvent sur l'allée centrale, où règne une certaine effervescence. D'un côté, un groupe de Noirs tâche de fixer les banderoles. De l'autre, des Blancs en veste blanche disposent, au milieu des cris et tintements, des verres de citronnade qui forment des pyramides sur les comptoirs de leurs stands rayés de rouge et de blanc. Dans l'air flottent des odeurs de pop-corn, de cacahuètes grillées, et celle, âcre, des fauves.

Au bout de l'allée, au-delà de la caisse, se dresse une énorme tente sous laquelle sont amenées toutes sortes de bêtes – lamas, chameaux, zèbres, singes, un ours polaire au moins, et une succession de félins en cage.

Cecil et un Noir se démènent avec une banderole qui représente une très grosse femme. Au bout de quelques secondes, Cecil flanque un coup sur la tête de l'autre.

– Active, mon gars ! Les gogos vont débarquer dans une minute. Comment je les fais entrer, moi, s'ils peuvent pas admirer les splendides avantages de Lucinda ?

Coup de sifflet – chacun se fige.

– Portes ! tonne une voix mâle.

C'est le branle-bas de combat. Les vendeurs filent se poster derrière leur stand, finissent d'arranger leur camelote, rectifient leur tenue. À l'exception du pauvre diable qui travaille encore sur la banderole de Lucinda, tous les hommes de couleur disparaissent derrière la bâche.

– Accroche cette satanée banderole et barre-toi ! hurle Cecil.

Ayant procédé à une dernière retouche, le type déguerpit.

Je me retourne. Une vague humaine enfle dans notre direction ; en tête, des enfants piailleurs, qui tirent leurs parents par la main.

Wade me donne un coup de coude.

— *Pssst...* tu veux voir la ménagerie ?

— Quoi ?

Il m'indique la tente entre nous et le grand chapiteau.

— Tu te dévisses la tête depuis que t'es là... Tu veux jeter un coup d'œil ?

— Et lui ? dis-je, braquant mes yeux sur Cecil.

— On sera de retour avant qu'il ait besoin de nous. D'ailleurs, on peut rien faire tant qu'il n'y a pas un attroupement.

Il me conduit à l'entrée. Des vieux tiennent la caisse, assis derrière quatre podiums rouges. Trois d'entre eux nous ignorent. Le quatrième jette un coup d'œil à Wade et opine.

— Allez, va... ! dit Wade. Je surveille Cecil.

Je coule un œil à l'intérieur. La tente est énorme, haute comme la voûte céleste et soutenue par de grands mâts inclinés selon des angles variés. La bâche est tendue et presque translucide – le soleil qui filtre à travers illumine le plus imposant des stands de friandises. Il est là, au milieu de la ménagerie, sous les rayons d'un soleil resplendissant, environné de banderoles faisant de la réclame pour la salsepareille, le pop-corn-cacahuètes grillées, la crème anglaise glacée.

De grandes cages rouge et or s'alignent sur deux des quatre côtés, leurs faces – des plaques métalliques – bloquées en position ouverte révélant des lions, des tigres, des panthères, des jaguars, des ours, des chimpanzés et des singes-araignées – jusqu'à un orang-outang. Chameaux, lamas, zèbres et chevaux se tiennent derrière des cordes basses mollement tendues entre des pieux d'acier, la tête plongée dans des tas de foin. Deux girafes sont dans un enclos entouré d'un grillage.

Je cherche un vain un éléphant quand mes yeux s'arrêtent brusquement sur une femme. Elle ressemble tant à Catherine que j'en ai le souffle coupé – la structure du visage, la coupe de cheveux, les cuisses fines que j'ai toujours vues en imagina-tion sous les jupes de Catherine... Vêtue d'un justaucorps rose à paillettes et d'un collant, chaussée de ballerines en satin, elle se tient devant une rangée de chevaux blancs ou noirs, et parle à un homme portant queue-de-pie et chapeau haut de forme. Sa main caresse le museau d'un cheval blanc, un superbe arabe aux crins argentés. Elle lève la main pour repousser une mèche de cheveux châtains, ajuster son dia-dème, puis se met à lisser la longue frange du cheval, prenant dans son poing l'oreille de l'animal, qu'elle laisse ensuite glis-ser entre ses doigts.

Un énorme fracas se fait entendre, et je fais volte-face pour découvrir qu'une plaque est brutalement retombée. Quand je me retourne, la femme est en train de me regarder. Elle fronce les sourcils, comme si elle me reconnaissait. Quelques secondes plus tard, je comprends que je devrais sourire ou baisser les yeux, faire quelque chose, mais impossible. Enfin, l'homme au haut-de-forme lui touche l'épaule et elle se retourne, mais lentement, à contrecœur. Peu après, elle me jette un nouveau coup d'œil à la dérobée.

Wade est de retour.

– Viens ! dit-il en me donnant une tape entre les omopla-tes. Ça va commencer...

– Mesda-a-a-a-mes et messieu-eu-eu-eu-eurs ! Plus que vin-in-in-ingt-cinq minutes avant le début du spectacle ! Vin-in-in-ingt-cinq ! Un temps amplement suffisant pour profiter des étonnantes, stupéfiantes, sensationnelles merveilles que nous avons dénichées aux quatre coins de la planète, et trou-ver ensuite une bonne place sous le grand chapiteau ! Un temps amplement suffisant pour voir les curiosités, les mons-tres de la nature, les phénomènes ! Nous avons la plus formi-dable collection au monde, mesdames et messieurs ! Au monde, vous dis-je !

Cecil se tient sur une estrade, à côté de l'entrée de la tente des phénomènes. Il se pavane, gesticule. Une cinquantaine de gens se sont arrêtés, très moyennement intéressés.

– Par ici, pour voir la superbe, l'énorme, la magnifique Lucinda – la plus grosse femme du monde ! Quatre cent quarante kilos de perfection dodue, mesdames et messieurs ! Venez voir l'autruche humaine – capable d'avaler et de restituer tout ce que vous lui donnerez. Essayez ! Portefeuilles, montres, et même des ampoules ! N'importe quoi, elle le régurgitera ! Et ne manquez pas Frank Otto, l'homme le plus tatoué du monde ! Capturé par des sauvages dans les ténébreuses jungles de Bornéo, condamné pour un crime qu'il n'a pas commis – et son châtiment ? Eh bien, mes amis, son châtiment se trouve inscrit sur tout son corps, à l'encre indélébile !

La foule est plus dense, l'intérêt se précise. Jimmy, Wade et moi nous mêlons aux gens, vers le fond.

– Et maintenant..., dit Cecil, pivotant sur lui-même.

Il pose un doigt sur ses lèvres et a un clin d'œil grotesque – une mimique exagérée qui lui déforme la joue.

D'une main, il réclame le silence.

– Et maintenant, mes excuses, mesdames, mais ceci concerne uniquement les messieurs – uniquement les messieurs ! Par égard pour le beau sexe, dans un souci de décence, je ne le dirai qu'une seule fois. Messieurs, si vous êtes un homme, un vrai, si ce n'est pas du jus de chaussettes qui coule dans vos veines, voilà quelque chose à ne pas manquer. Si vous suivez ce garçon – là-bas, juste là-bas – vous verrez quelque chose de si étonnant, de si choquant, que je vous assure que...

Il s'interrompt, ferme les yeux, lève la main. Pris de remords, il secoue la tête.

– Non ! Dans l'intérêt des bonnes mœurs, afin de ménager les chastes oreilles, je n'en dirai pas plus. Je n'en dirai pas plus, messieurs. Sachez seulement que c'est à ne pas manquer ! Donnez simplement vingt-cinq *cents* à ce garçon, et il vous y emmène. Vous ne penserez plus jamais à ces vingt-cinq *cents*, alors que vous vous souviendrez toujours de ce que vous aurez vu. Vous en parlerez jusqu'à la fin de vos jours, mes amis. Jusqu'à la fin de vos jours !

Cecil se redresse, ajuste son gilet à carreaux, tirant dessus à deux mains. Son visage arbore une expression déférente et il indique d'un geste auguste une autre entrée, dans la direction opposée.

— Quant à vous, mesdames, si vous voulez vous donner la peine d'aller de ce côté-là, nous avons des merveilles et curiosités adaptées à votre sensibilité délicate. Un monsieur comme il faut n'oublie jamais les dames – surtout quand elles sont aussi charmantes que vous...

Sur ce, il sourit et ferme les yeux. Les femmes présentes jettent des coups d'œil anxieux aux hommes qui s'éclipsent.

Une lutte s'est engagée. D'une main, l'une d'elles retient son époux par la manche et le frappe de l'autre. Il grimace, se renfrogne, esquive ses coups. Parvenu enfin à se libérer, il redresse les revers de son veston et jette un coup d'œil furieux à sa moitié qui s'est mise à bouder. Tandis qu'il va d'un pas dégagé payer ses vingt-cinq *cents*, quelqu'un imite le caquètement d'une poule. Un rire parcourt la foule.

Les autres femmes, peut-être par souci de ne pas faire de scandale, regardent à regret leurs hommes qui vont former là-bas une file d'attente. Voyant cela, Cecil descend de l'estrade. Prévenant, la galanterie en personne, il les attire doucement vers un divertissement plus raffiné.

Il effleure le lobe de son oreille gauche. Je pousse imperceptiblement. Les femmes se rapprochent de lui et je me fais l'effet d'être un chien de berger.

— Si vous venez par ici, poursuit Cecil, je vous montrerai, mesdames, une chose que vous n'avez jamais vue. Une chose si inédite, si extraordinaire, qu'elle dépasse l'entendement, et pourtant vous pourrez en parler à l'église dimanche prochain, ou avec bonne-maman et bon-papa à table. Allez-y et amenez les enfants, car il s'agit d'un authentique divertissement familial. Vous allez voir un cheval qui a la tête là où les autres ont la queue ! Sans mentir, mesdames... Une bête bien vivante, qui a la tête là où les autres ont la queue. Voyez de vos propres yeux. Et quand vous en parlerez à vos époux, ils regretteront peut-être de n'être pas restés auprès de leurs charmantes dames. Oh oui, mesdames, ils regretteront...

À présent, je suis cerné. Les hommes ont presque tous filé et je me laisse entraîner par un courant composé de bons chrétiens, de dames, d'enfants – tous ceux qui ont du jus de chaussettes dans les veines.

Le cheval « qui a la tête là où les autres ont la queue », c'est – à la lettre – cela : un cheval attaché à l'envers devant sa mangeoire.

– Ah, c'est trop fort ! s'exclame une femme.

– Un comble ! dit une autre, mais ce qui domine, ce sont des rires soulagés, car si ceci est le cheval qui a la tête à la place de la queue, le spectacle réservé aux hommes ne doit pas être bien terrible.

Une bousculade se produit à l'extérieur de la tente.

– Salopards ! Pour sûr que je veux mon argent – vous croyez que je vais payer vingt-cinq *cents* pour voir ces bêtises ? Bande de malhonnêtes ! Rendez-moi mon argent !

– Pardon, madame, dis-je, glissant l'épaule entre deux femmes devant moi.

– Hé là, monsieur ! Vous êtes donc si pressé ?

– Pardon, pardon..., dis-je, me faufilant.

Cecil et un type écarlate se mettent en garde. L'homme s'avance, applique les deux mains sur la poitrine de son adversaire, et le pousse violemment. La foule s'écarte, et Cecil s'écrase contre le jupon rayé de l'estrade. Les clients se rapprochent, se dressent sur la pointe des pieds, bouche bée.

Je m'interpose, atteignant Cecil au moment même où l'autre prend son élan et balance son poing – qui frôle le menton de Cecil mais je l'intercepte, après quoi j'immobilise le type en lui tordant le bras dans le dos. Passant le mien autour de sa gorge, je l'entraîne à reculons. Il bredouille, me griffe. Je resserre ma prise, presque à l'étrangler, et le raccompagne *manu militari* jusqu'à la sortie. Puis je le flanque par terre. Il gît dans un nuage de poussière, asphyxié, se tenant le cou.

Quelques secondes plus tard, deux hommes en costume passent à toute allure à côté de moi, le relèvent et l'emmènent, toujours toussant. Ils le serrent de près, lui tapotent le dos, marmonnent des encouragements. Ils redressent son chapeau, qui par miracle est resté en place.

— Bon boulot, déclare Wade, qui me touche l'épaule. Tu t'es bien débrouillé. Viens... ils vont s'occuper de lui.

— Qui est-ce, eux ? dis-je tout en examinant mes égratignures.

— Les « rapiéceurs ». Ils vont le calmer, le réconforter, pour éviter que ça dégénère en bagarre générale avec la population...

Il se tourne pour s'adresser à la foule, frappe dans ses mains, juste une fois – fort – puis se les frotte.

— Bon, tout le monde ! Tout est réglé. Y a plus rien à voir...

La foule répugne à s'en aller. Quand l'homme et son escorte disparaissent derrière un bâtiment de briques rouges, ils commencent à partir au compte-gouttes, non sans jeter des coups d'œil pleins d'espoir par-dessus leur épaule – il ne s'agirait pas de rater quelque chose.

Jimmy se fraie un chemin parmi les traînards.

— Hé ! Cecil veut te voir...

Il me conduit en coulisse. Cecil est assis sur un pliant, sur la pointe des fesses. Ses jambes, aux pieds chaussés de demi-guêtres, sont tendues devant lui. Sa figure est rouge, moite, et il s'évente avec un programme. De sa main libre, il palpe diverses poches puis prospecte sous son gilet. Il en sort une flasque et, retroussant les lèvres, ôte le bouchon avec ses dents. L'ayant craché de côté, il porte la bouteille à ses lèvres, et c'est alors qu'il me voit.

Il reste un moment à me contempler, goulot aux lèvres. Puis, baissant le bras, il pose la flasque sur son ventre rond, pianote dessus avec ses doigts, tout en me jaugeant.

— Tu t'es joliment bien comporté, dit-il enfin.

— Merci, monsieur.

— Où t'as appris ça ?

— Je sais pas. Au foot, à l'école. En discutant avec des taureaux qui ne voulaient pas se laisser castrer.

Il me regarde encore un moment, continuant à pianoter, faisant la moue.

— Camel t'a fait embaucher ?

— Pas officiellement. Non, monsieur.

Il y a encore un long silence ; ses yeux ne sont plus que deux meurtrières.

— Tu sais la boucler ?

— Oui, m'sieur.

Il prend une longue lampée d'alcool, et tout son visage se détend.

— Bon, alors c'est OK, dit-il, hochant lentement la tête.

C'est le soir, et tandis que les saltimbanques divertissent la foule sous le grand chapiteau, je me tiens près du fond d'une tente bien plus petite, qui se trouve en bordure du terrain, derrière une rangée de chariots, et n'est accessible que par le bouche à oreille et moyennant un droit d'entrée de cinquante *cents*. L'intérieur est tamisé, éclairé par une ribambelle d'ampoules rouges qui projettent une lueur chaude sur une femme en train d'ôter avec méthode ses vêtements.

Mon rôle est de maintenir l'ordre et de flanquer de temps en temps des coups de tuyau sur la toile, afin de décourager les voyeurs – ou, plutôt, de les encourager à venir débourser leurs cinquante *cents*. Je suis également censé empêcher le genre de scène de tout à l'heure, même si, à mon avis, le type qui était si contrarié cet après-midi n'aurait aucun motif de se plaindre, ici.

Il y a douze rangées de pliants, et chaque place est occupée. L'alcool de contrebande passe de main en main. Chacun tâtonne après la bouteille, afin de ne pas quitter la scène des yeux.

La femme est une sculpturale rouquine aux cils trop longs pour être authentiques et qui a un grain de beauté peint tout près de ses lèvres pulpeuses. Ses jambes sont fuselées, ses hanches pleines, sa poitrine est stupéfiante. Elle n'a plus sur le corps qu'un cache-sexe, un châle translucide et scintillant, ainsi qu'un soutien-gorge magnifiquement débordant. Elle secoue les épaules, en mesure avec le petit orchestre qui joue à sa droite.

Elle fait quelques pas, glisse à travers la scène sur ses mules à plumes. La caisse claire fait entendre un roulement et elle s'arrête, bouche ouverte pour exprimer une surprise feinte. Elle renverse la tête en arrière, exposant sa gorge et glissant les mains autour des bonnets du soutien-gorge. Elle se penche en avant, les presse de façon à faire gonfler la chair entre ses doigts.

Je balaie la toile du regard. Une paire de souliers dépasse. Je m'approche, rasant la cloison. Juste au niveau des chaussures, je balance mon tuyau et flanque un bon coup sur la toile. J'entends un grognement, et les pieds disparaissent. Je m'arrête, l'oreille collée à la couture, puis retourne à mon poste.

La rouquine se déhanche en musique, caressant son châle de ses doigts aux ongles vernis. Des fils d'or et d'argent le font scintiller tandis qu'elle le passe et repasse sur ses épaules. Soudain, elle se penche profondément en avant, rejette sa tête en arrière, et se trémousse comme une diablesse.

Les hommes braillent. Deux ou trois d'entre eux se lèvent pour secouer leurs poings en guise d'encouragement. Je jette un coup d'œil à Cecil, dont le regard dur m'ordonne de les surveiller.

La femme se redresse, leur tourne le dos et avance à grands pas au milieu de la scène. Elle passe le châle entre ses jambes, le frotte lascivement à cet endroit-là. Des râles s'élèvent dans l'assistance. Elle fait volte-face et continue ; le châle est si tendu qu'on devine la fente.

– À poil, chérie ! À poil !

Les hommes s'enhardissent ; plus de la moitié est debout. D'une main, Cecil me fait signe d'avancer. Je m'approche des chaises.

Le châle tombe à terre et de nouveau la femme se retourne. Elle secoue ses cheveux qui ondulent par-dessus ses omoplates et ses mains se rejoignent au niveau de l'agrafe du soutien-gorge. De la foule, fuse un hourrah. Elle s'arrête pour regarder par-dessus son épaule, et, clignant de l'œil, fait glisser coquettement les bretelles sur ses bras. Puis elle laisse tomber le soutien-gorge et pivote sur elle-même, cachant ses seins dans ses mains. Cela déclenche un hurlement de protestations.

– Oh, allez quoi, mon chou, montre donc comment t'es faite !

Elle secoue la tête, avec une moue farouche.

– Allez, quoi ! J'ai casqué cinquante *cents* !

Elle secoue la tête, battant des paupières et regardant le sol avec une modestie affectée ; soudain ses yeux et sa bouche s'ouvrent tout grands, elle ôte ses mains.

Deux globes majestueux tombent, marquent un arrêt brutal avant de se balancer doucement, alors même qu'elle ne bouge plus.

L'assemblée en a le souffle coupé, il y a un silence religieux, puis c'est l'explosion de joie.

– Bravo, fillette !

– Pitié, Seigneur !

– Sacré nom d'un chien !

Elle se caresse, soulevant et pétrissant, roulant ses mamelons entre ses doigts, abaisse un regard lascif sur les hommes, se pourlèche.

Un roulement de tambour intervient. Prenant fermement chaque pointe durcie entre le pouce et l'index, elle tire sur l'un des seins dont le mamelon pointe alors vers le plafond. Le poids s'étant réparti autrement, sa forme change du tout au tout. Puis elle le lâche – il tombe subitement, presque avec violence. L'autre, qu'elle n'avait pas lâché, est soulevé de la même manière. Elle alterne, prenant de la vitesse. Soulever, lâcher, soulever, lâcher – au moment où le tambour s'arrête et où le trombone prend le relais, ses bras bougent si vite qu'ils sont flous ; la chair n'est plus qu'une masse en action, ondulante.

Les hommes beuglent, hurlent leur approbation.

– Oh, *ouais* !

– Magnifique, bébé, magnifique !

– Louanges à Toi, Seigneur !

Un nouveau roulement de tambour commence. Elle se plie en deux et ces formidables nénés oscillent, si lourds, si bas – ils font bien trente centimètres de long, avec des bouts larges et ronds, de vrais pamplemousses.

Elle roule des épaules ; d'abord l'une, puis l'autre, en sorte que ses seins bougent dans des directions opposées. À mesure que la vitesse augmente, ils décrivent des cercles de plus en plus amples, et la force centrifuge les allonge encore davantage. Bientôt, ils se heurtent avec un *flac !* sonore.

Jésus ! Une émeute pourrait éclater que je ne m'en rendrais pas compte. Je n'ai plus une seule goutte de sang dans la tête.

La femme se redresse, se fend d'une petite révérence. Après quoi, elle soulève un sein vers sa figure et passe la langue autour du mamelon. Puis elle l'avale. Elle se tient là, à se téter sans vergogne tandis que les hommes agitent leurs chapeaux, brandissent le poing et ululent comme des bêtes. Lâchant son mamelon baveux, elle le pince une dernière fois, puis lance un baiser au public. Elle se baisse juste un instant, pour ramasser son châle diaphane, et s'en va en brandissant derrière elle cette chatoyante bannière.

— Et maintenant, les gars..., dit Cecil, qui frappe dans ses mains et monte sur l'estrade. On applaudit bien fort notre Barbara !

Les types poussent des hourras, applaudissent mains en l'air.

— Eh oui, c'est quelque chose, hein ? Quelle femme ! Et c'est votre jour de chance, les gars, car ce soir, exceptionnellement, elle accepte de recevoir un nombre limité de messieurs à l'issue du spectacle. C'est un réel honneur, les amis. C'est une perle, notre Barbara. Une perle !

Les hommes refluent vers la sortie, se donnant mutuellement des claques dans le dos, échangeant déjà des souvenirs.

— T'as vu ces tétons ?

— Mon vieux, quels nibards ! Qu'est-ce que j'aurais pas donné pour jouer avec !

Je suis heureux que rien ne sollicite mon intervention, car j'ai bien du mal à garder une contenance. C'est la première fois que je vois une femme nue, et il me semble que je ne serai plus jamais le même.

4

JE PASSE les quarante-cinq minutes suivantes à monter la garde devant la loge de Barbara qui reçoit ses admirateurs. Seuls cinq d'entre eux sont prêts à débourser les deux dollars exigés et ils forment une file maussade. Le premier entre et, au bout de sept minutes de halètements et grognements, réapparaît, bataillant avec sa braguette. Il s'en va d'un pas chancelant et c'est au tour du suivant.

Le dernier parti, Barbara se montre sur le seuil de sa tente. Elle est nue sous son kimono de soie qu'elle n'a pas pris la peine de ceinturer. Sa coiffure est bouleversée, sa bouche barbouillée de rouge. Elle tient une cigarette qui se consume.

– On ferme, chéri... ! dit-elle en me chassant d'un geste.

Son haleine est avinée, ses yeux vitreux.

– Pas de billet de faveur, ce soir !

Je retourne à la tente de la « danse orientale » pour empiler les chaises et aider à démanteler la scène tandis que Cecil compte la recette. À la fin, je suis à la fois plus riche d'un dollar et complètement raide.

Le grand chapiteau, toujours dressé, a des rougeoiements dantesques et l'orchestre y fait un boucan de tous les diables. Je le contemple, captivé par les réactions du public. Il rit, applaudit, siffle. Tout le monde a le souffle coupé en même temps, parle en même temps, crie en même temps. Je consulte ma montre de gousset : dix heures moins le quart.

J'irais bien assister à la fin du spectacle, mais j'ai peur d'écoper d'une nouvelle corvée en cours de route. Ayant passé le plus clair de la journée à dormir dans un coin, les tchécos démontent la grande cité de toile aussi rapidement qu'ils l'avaient montée. Des tentes s'effondrent, des mâts basculent. Chevaux, chariots et hommes cheminent à travers le pré, ramenant tout vers la voie ferrée.

Je m'écroule par terre, la tête sur mes genoux.

— Jacob, c'est toi ?

Je relève la tête. Camel arrive en clopinant ; il louche sur ma personne.

— Saperlipopette, j'avais pas la berlue ! Avec ma vue qui baisse...

Il s'installe à mon côté et sort un flacon vert, le débouche, prend une gorgée.

— Je me fais trop vieux, Jacob, pour le métier. À la fin de la journée, j'ai mal partout... Hé ! j'ai *déjà* mal partout, et la journée est pas encore finie ! L'Escadron Volant repartira sans doute que dans deux heures, et cinq heures plus tard, faudra remettre ça. C'est pas une vie pour un vieux...

Il me passe le flacon.

— C'est quoi, ce truc ? dis-je, ayant testé ce breuvage amer.

— Du « Jake[1] », dit-il en me raflant le flacon.

— Tu bois ça ?

— Oui et après ?

Nous gardons le silence pendant une minute.

— Foutue Prohibition..., dit-il enfin. Cette gnôle avait bon goût jusqu'au jour où le gouvernement a décidé que ça devait plus être le cas. Ça soûle encore son homme, mais qu'est-ce

_____

1. « Jake » : Nom en argot d'extrait d'alcool tiré du gingembre et mélangé avec d'autres alcools.

que c'est dégueulasse ! Et c'est bien dommage car y a plus que ça pour huiler ma carcasse... Je suis lessivé. Plus bon qu'à vendre des billets d'entrée, et encore, je suis trop laid pour ça...

Difficile de prétendre le contraire.

— Tu ne pourrais pas faire autre chose ? Par exemple, en coulisse ?

— Vendre des tickets, c'est la fin...

— Que se passera-t-il, quand tu ne pourras plus travailler ?

— Sûrement que j'aurai rendez-vous avec Blackie... Hé, dit-il, en se tournant vers moi avec espoir. T'aurais pas une clope ?

— Non, désolé.

— Je m'en doutais..., soupire-t-il.

En silence, nous regardons des attelages haler des équipements, des animaux, et des rouleaux de toile vers la voie ferrée. Des artistes quittant le grand chapiteau par-derrière disparaissent dans les tentes qui servent de loges pour réapparaître en tenue de ville. Formant des groupes, ils rient, bavardent, certains s'essuyant encore le visage. Même sans leurs costumes, ils sont merveilleux. Les mornes travailleurs s'activant autour d'eux occupent le même espace mais semblent vivre dans une tout autre réalité. Il n'y a pas d'interconnexion.

Camel interrompt ma rêverie :

— T'as fait des études supérieures ?

— Oui.

— Je me disais bien...

Il m'offre de nouveau la bouteille, mais je refuse.

— T'es allé jusqu'au diplôme... ?

— Non.

— Pourquoi ?

Je ne réponds pas.

— Quel âge t'as, Jacob ?

— Vingt-trois ans.

– J'ai un fils de ton âge.

La musique s'est interrompue, et les spectateurs commencent à sortir au compte-gouttes du grand chapiteau. Ils s'arrêtent, perplexes, se demandant ce qu'est devenue la ménagerie par laquelle ils étaient entrés. Tandis qu'ils sortent par-devant, une armée d'hommes entrent par-derrière et repartent en emportant des gradins, des sièges et des morceaux de la banquette entourant la piste, qu'ils balancent bruyamment dans les gros chariots. Le chapiteau est démonté avant même le départ du public.

Camel tousse – une toux grasse et déchirante. Je fais mine de lui donner une claque dans le dos, mais d'un geste il m'en empêche. Il renifle fort, graillonne, crache. Puis il vide le flacon, s'essuie la bouche du revers de la main et m'examine de la tête aux pieds.

– Écoute, dit-il, on se connaît pas, mais c'est clair que tu tailles pas la route depuis longtemps. T'es trop propre, trop bien sapé, et t'as rien... Quand on taille la route, on accumule – pas du beau, mais on garde quand même. Je suis peut-être mal placé pour le dire, mais un garçon comme toi devrait pas trimarder. C'est pas une existence, et je sais de quoi je cause...

Ses avant-bras reposent sur ses genoux relevés, sa tête est tournée vers moi.

– Si t'as un foyer quelque part, tu devrais retourner là-bas.

Il s'écoule un moment avant que je puisse parler. Et c'est d'une voix fêlée que je dis :

– Je n'ai pas de foyer.

Il me contemple encore un moment, puis opine.

– Ça me navre d'entendre ça...

La foule se disperse, allant du grand chapiteau au parking et au-delà, vers la petite ville. Derrière le chapiteau, la silhouette d'un ballon s'élève dans le ciel, accompagnée par le long cri plaintif d'un enfant. On entend des rires, des bruits de moteur, des voix émues.

– T'as vu ces contorsions ?

— J'ai cru *mourir* quand ce clown a perdu son froc...

— Où est passé Jimmy... Hank, t'as pas vu Jimmy ?

Soudain, Camel se remet debout.

— Hé ! Le voilà ! Le vieux C-O-N.

— Qui ?

— Oncle Al ! Dépêche ! Faut te faire embaucher.

Il trotte mieux que je ne l'aurais cru possible. Je me lève et le suis.

Oncle Al, on ne peut faire erreur sur sa personne. Il a tout du Monsieur Loyal, depuis la jaquette rouge et la culotte de cheval blanche, jusqu'au chapeau haut de forme et la moustache bien cirée aux pointes recourbées. Tel le meneur d'une fanfare, il traverse le pré à longues enjambées, portant sa grosse bedaine en avant et délivrant ses ordres d'une voix tonitruante. Il s'arrête pour laisser passer la cage d'un lion, longe un groupe d'hommes qui s'escriment à déplacer un rouleau de toile. Sans ralentir, il en gifle un. L'homme pousse un glapissement et se retourne en se frottant l'oreille, mais Oncle Al est déjà loin, suivi de sa cour.

— Au fait, me dit Camel par-dessus son épaule, surtout, cite pas le nom de Barnum en face de lui.

— Pourquoi donc ?

— Faut pas...

Il arrive à sa hauteur et lui coupe la route.

— Euh... enfin vous v'là, dit-il d'une voix artificielle et geignarde. J'pourrais pas vous toucher un mot, patron ?

— Pas maintenant, mon gars. Pas maintenant..., tonne Al, qui passe au pas de l'oie, telles ces Chemises brunes qu'on voit au cinéma, sur les bandes d'actualités.

Camel clopine misérablement derrière lui, tendant le cou, puis, ayant pris du retard, il se met à courir tel un chiot disgracié.

— Ça sera pas long, patron. Je me demandais s'il y avait pas des trous à combler dans certaines branches...

— On envisage un changement de carrière ?

La voix de Camel monte comme une sirène :

— Oh non, patron ! C'est pas pour moi. J'suis très heureux comme je suis. Très heureux. Heureux comme Baptiste, comme je dis toujours...

Il est pris d'un rire hystérique.

L'écart se creuse. Camel bute sur une motte de terre et s'arrête.

— Patron... patron ?

Oncle Al est loin, englouti par des gens, des chevaux, des chariots.

Camel arrache son chapeau et le jette à terre.

— Nom d'un chien ! Nom d'un chien !

— C'est pas grave Camel, c'était gentil d'essayer.

— Si, c'est grave !

— Camel, je...

— La ferme ! J'veux rien entendre. T'es un brave gosse, et je vais pas te laisser te barrer sans broncher, parce que ce gros lard a pas le temps. Ah, non ! Alors, un peu de respect pour tes aînés et écrase...

Il fulmine.

Je ramasse son couvre-chef et en retire la poussière, avant de le lui rendre.

Au bout d'un moment, il le prend.

— Bon, dit-il d'un ton bourru, ça va bien comme ça...

Il me conduit à un wagon et me prie d'attendre dehors. Adossé à une roue, je m'occupe à ôter des échardes logées sous mes ongles quand je ne mâchonne pas de l'herbe, histoire de passer le temps. À un moment donné, ma tête pique en avant, je suis prêt à m'endormir.

Camel ressort une heure plus tard, chancelant, tenant un flacon d'une main et une cigarette tordue de l'autre. Il a les yeux en berne.

— V'là Earl, bafouille-t-il, avec un moulinet du bras. Y va prendre soin de toi...

Un type chauve descend du wagon. C'est un colosse, son cou est plus gros que sa tête. Des tatouages verts et brouillés couvrent ses phalanges et ses bras velus. Il me tend la main.

— Enchanté, dit-il.

— Enchanté, dis-je, perplexe.

Je me retourne, mais Camel est en train de zigzaguer dans la direction approximative de l'Escadron Volant. Et il chante. Faux.

Earl met ses mains en porte-voix :

— La ferme, Camel ! Monte donc dans ce train avant qu'on parte sans toi !

Camel tombe à genoux.

— Ah, merde... ! Bouge pas, je reviens...

Il s'éloigne et soulève le vieil homme dans ses bras aussi facilement que si c'était un enfant. Camel laisse ses bras, ses jambes, sa tête ballotter dans le vide. Il glousse et soupire.

Earl le dépose à l'entrée d'un wagon, discute avec quelqu'un à l'intérieur et revient.

— Cette gnôle le tuera, marmonne-t-il, passant d'un pas martial devant moi. Si ça lui pourrit pas les tripes, il passera un jour sous ce foutu train. Moi, j'y touche pas, à cette saleté..., ajoute-t-il en me regardant par-dessus son épaule.

Je suis cloué au sol.

Il paraît étonné.

— Tu viens, ou quoi ?

Lorsque la dernière section du convoi s'en va, je suis accroupi sous une couchette, dans une voiture-dortoir, calé contre un type. C'est le légitime titulaire de cet espace, qui a toutefois bien voulu m'autoriser à rester là pendant une heure ou deux en échange de mon unique dollar. Cela ne l'empêche pas de râler, et je m'agrippe à mes genoux afin de me rendre le plus compact possible.

L'odeur des corps et des vêtements sales est innommable. Les couchettes superposées – sur trois niveaux – contiennent parfois jusqu'à deux hommes, de même que l'espace au-dessous. Le mec en face de moi boxe une fine couverture grise dans le vain espoir de s'en faire un oreiller.

Une voix se détache du brouhaha :

– *Ojcze nasz któryś jest w niebie, swięć sie imie Twoje, przyjdź królestwo Twoje...*

– Nom de nom ! s'exclame mon hôte.

Il passe la tête dans la ruelle.

– Parle comme tout le monde, foutu Polack !

Puis il se retire sous la couchette, secouant la tête.

– Y en a... Ça descend à peine du bateau.

– *... i nie wódz nasź na pokuszenie ale nas zbaw ode złego. Amen.*

Je me love contre le mur et ferme les yeux, marmonnant un : « *Amen.* »

Le train s'ébranle. La lumière vacille et s'éteint. En tête, retentit un sifflement. Nous nous mettons à rouler et la lumière revient. Ma fatigue est immense et ma tête nue cogne contre la cloison.

Peu après, je me réveille face à une paire de grosses godasses.

– T'es prêt ?

Je secoue la tête, m'efforçant de reprendre mes esprits.

J'entends craquer des articulations. Je vois un genou ; puis, la tête d'Earl.

– Toujours là ? dit-il, regardant sous la couchette.

– Ouais... Pardon...

Je m'extrais de cette niche et me remets debout.

– Alléluia ! dit mon hôte, qui s'étire.

– *Pierdol się*, dis-je.

Un ricanement me parvient d'une autre couchette.

76

– Viens, dit Earl. Avec ce qu'il a éclusé, Al est relax et pas encore méchant. C'est le bon moment...

Il me fait traverser deux autres wagons-lits. Une fois sur la plate-forme du bout, nous voici face à l'arrière d'une voiture d'un genre différent. À travers la vitre, j'aperçois du bois verni et des éclairages luxueux.

Earl se tourne vers moi.

– Prêt ?

– Euh... oui...

Que je croyais ! M'attrapant par la peau du cou, il me colle la figure contre la vitre. Puis il ouvre brutalement la porte coulissante et me pousse à l'intérieur. Je tombe, les mains en avant, me heurte à une barre en laiton et me redresse, avant de le regarder, indigné. Puis je vois le petit groupe.

– Qu'est-ce que c'est... ? lance Oncle Al, du fond de sa bergère.

Il est assis à une table en compagnie de trois hommes. D'une main, il tient un gros cigare entre le pouce et l'index ; de l'autre, cinq cartes en éventail. Il y a un verre de cognac devant lui, à côté d'une grosse pile de jetons.

– Je l'ai trouvé planqué sous une couchette, patron. Passager clandestin...

– Tiens tiens...

L'Oncle Al tire mollement sur son cigare qu'il dépose au bord d'un cendrier sur pied. Il se renverse en arrière pour étudier ses cartes et laisse la fumée sortir par les commissures de ses lèvres.

– Je veux voir ton trois et je relance de cinq, dit-il.

Il se penche en avant pour jeter un tas de jetons dans le pot.

– Je lui montre la sortie ? dit Earl.

Il s'avance et me soulève du sol par les revers de mon veston. Je me raidis et lui saisis les poignets, bien décidé à m'y cramponner s'il tente encore de me jeter à terre. Mon regard va d'Oncle Al à la moitié inférieure du visage d'Earl – seule partie visible pour moi.

Oncle Al replie son jeu et le dépose soigneusement sur la table.

– Pas encore, Earl..., dit-il.

Reprenant son cigare, il s'accorde une nouvelle bouffée.

– Repose-le.

Earl obtempère et fait vaguement mine de défriper ma veste.

– Approche, me dit Oncle Al.

J'obéis, trop heureux d'échapper à Earl.

– Je ne crois pas que nous ayons eu le plaisir..., dit-il en soufflant un rond de fumée. Comment t'appelles-tu ?

– Jacob Jankowsky, m'sieur.

– Et que fabrique Jacob Jankowsky dans mon train ?

– Je cherche du travail...

Oncle Al continue à me dévisager, tout en soufflant avec nonchalance des ronds de fumée. Il pose les mains sur son ventre, pianote lentement sur son gilet.

– Déjà travaillé dans un cirque, Jacob ?

– Non, m'sieur.

– Déjà vu un spectacle, Jacob ?

– Oui, m'sieur. Bien sûr.

– Lequel ?

– Barnum...

Un soupir dans mon dos me fait tourner la tête. Earl ouvre de grands yeux.

– Mais c'était nul – nul ! dis-je aussitôt, me tournant de nouveau vers Oncle Al.

– Tiens tiens ?

– Oui, m'sieur.

– Et tu as vu notre spectacle, Jacob ?

– Oui, m'sieur.

Je sens une rougeur envahir mes joues.

– Et comment le trouves-tu ?

– Euh... génial.

– Quel est ton numéro préféré ?

Je me raccroche aux branches.

– Celui... celui avec les chevaux blancs et noirs. La fille en rose... avec les paillettes.

– T'entends, August ? Notre Marlène est appréciée.

Son vis-à-vis se lève et se retourne – c'est l'homme de la ménagerie, sans le haut-de-forme. Son visage ciselé est impassible, ses cheveux noirs sont brillants de gomina. Lui aussi a une moustache, mais à la différence de celle d'Oncle Al, la longueur de la sienne ne dépasse pas celle de ses lèvres.

– Dans quelle branche te verrais-tu, au juste ? demande Oncle Al.

Il se penche en avant et lève son verre, agite le contenu, qu'il avale d'un trait. Un serveur se matérialise pour le resservir aussitôt.

– Je suis disposé à faire n'importe quoi, mais si c'est possible j'aimerais m'occuper des bêtes.

– Des bêtes... T'entends, August ? Ce jeune homme souhaite s'occuper des bêtes. Tu aimerais porter de l'eau aux éléphants, je suppose ?

Le front d'Earl se plisse.

– Mais, patron, on n'a pas d'él...

– La ferme ! crie Oncle Al, en sautant sur ses pieds.

Sa manche renverse le verre qui tombe sur le tapis. Il le contemple, les poings serrés et la face de plus en plus sombre. Puis il découvre ses dents, pousse un long, un inhumain hurlement, et piétine le verre comme un forcené.

S'ensuit un silence – on n'entend plus que les claquements rythmés des traverses défilant sous les roues. Le serveur se jette à terre pour ramasser les morceaux.

– Je vais te dire la vérité, *Jacob Jankowsky*.

Il crache mon nom comme si c'était répugnant.

– Des types comme toi, j'en ai vu plein ! Crois-tu que je ne vois pas clair en toi ? Qu'est-ce qui s'est passé... on s'est disputé avec maman ? On cherchait une petite aventure avant les examens ?

— Non, m'sieur, pas du tout...

— Je m'en fous ! Même si je te donnais un boulot, tu tiendrais pas. Pas une semaine. Pas un jour. Notre cirque, c'est une machine bien rodée, et seuls les plus forts s'en tirent. Mais t'as pas dû beaucoup te fatiguer dans la vie, monsieur l'Étudiant ?

Il me fusille du regard, comme pour me mettre au défi de réagir.

— Et maintenant, du balai ! ajoute-t-il en me chassant d'un geste. Earl, montre-lui la sortie... Attends de voir un feu rouge avant de le balancer – je voudrais pas avoir des histoires pour avoir fait bobo *au petit chéri à sa maman*.

— Un instant, Al..., dit August.

Il sourit avec affectation, manifestement amusé.

— C'est vrai ? Tu es étudiant ?

Je me fais l'effet d'être une souris que se refilent une paire de chats.

— T'étudies quoi ? Les beaux-arts ?

Son regard pétille.

— Les danses folkloriques roumaines ? La critique littéraire ? Ou peut-être – M. *Jankowsky* – êtes-vous diplômé en accordéon ?

— J'ai étudié les sciences vétérinaires.

Son air change instantanément, du tout au tout.

— Véto ? T'es véto ?

— Pas tout à fait.

— Comment ça : « Pas tout à fait » ?

— Je n'ai pas passé l'examen final.

— Pourquoi ?

— C'est comme ça...

— Quelle fac ?

— Cornell.

August et Oncle Al se regardent.

– D'après Marlène, Silver Star est patraque, dit August. Elle voulait que l'avant-courrier aille chercher un véto, mais il était déjà parti...

– Que suggères-tu ?

– Il n'a qu'à l'examiner demain matin...

– Et où va-t-il dormir ? On est déjà en surcharge...

Oncle Al reprend son cigare, tapote le rebord du cendrier.

– C'est vrai qu'il y a les plates-formes...

– Je pensais plutôt au wagon de la cavalerie, dit August.

Oncle Al sourcille.

– Quoi ? Avec les chevaux de Marlène ?

– Oui...

– Là où étaient les chèvres ? C'est pas là que dort ce petit merdeux – c'est quoi son nom, déjà... ?

Il claque des doigts :

– ... Kinko ! Le clown et sa chienne...

– Tout juste, dit August avec le sourire.

August me fait retraverser dans l'autre sens les voitures-dortoirs et s'arrête sur une petite plate-forme, face à un wagon à bestiaux.

– As-tu le sens de l'équilibre ? s'enquiert-il aimablement.

– Je crois...

– Bien !

Sans plus de façons, il se penche en avant, saisit quelque chose sur le côté du wagon, et grimpe avec agilité sur le toit.

– Seigneur !

Je regarde, effrayé, d'abord l'endroit par où il a disparu, puis le système d'accrochage des wagons et les traverses de la voie qui défilent. Le train amorce un virage assez sec. J'écarte les mains pour garder l'équilibre, le souffle court.

– Arrive ! lance une voix du haut du toit.

– Comment vous avez fait ? Qu'est-ce que vous avez attrapé ?

— Il y a une échelle. Juste au coin. Penche-toi et cherche. Tu peux pas la louper...

— Et dans le cas contraire ?

— Eh bien, nos chemins se sépareront...

Je m'avance avec précaution jusqu'au bord, devine le montant d'une fine échelle en fer. Les yeux dessus, je m'essuie les mains à mes cuisses, puis bascule en avant. Ma main droite touche l'échelle. Je l'empoigne farouchement de la gauche, le temps de passer de l'autre côté, cale mes pieds sur les barreaux et me plaque contre l'échelle, m'efforçant de reprendre haleine.

— Allez, monte !

Je lève les yeux. August me scrute dans l'obscurité, hilare, cheveux au vent.

Je grimpe sur le toit. Il me fait de la place, et, comme je m'assois à côté de lui, me donne une tape sur l'épaule.

— Retourne-toi... J'ai quelque chose à te montrer.

Il me désigne la longueur du train, qui s'étire derrière nous tel un serpent géant. Ses wagons attelés se balancent et se penchent dans la courbe du virage.

— C'est beau, non ? dit-il.

Mon regard se reporte sur lui. Il me dévisage, les yeux brillants.

— Pas autant que ma Marlène... hein ?

Il fait claquer sa langue et m'adresse un clin d'œil.

Avant que je puisse protester, il se relève et se met à faire des claquettes sur le toit. Je tends le cou et compte les wagons à bestiaux. Il y en a six, au moins.

— August ?

— Quoi ? dit-il, s'arrêtant au milieu d'une pirouette.

— Dans quel wagon est Kinko ?

Soudain, il s'accroupit.

— Celui-ci. Une veine, non ?

Il soulève une trappe et disparaît.

Je me précipite à quatre pattes.

— August ?

— Quoi ? répond une voix dans les ténèbres.

— Il y a une échelle ?

— Non, saute...

Je m'engage dans le trou et m'y suspends par le bout des doigts ; puis j'atterris par terre. Un hennissement surpris m'accueille.

Le clair de lune filtre à travers les lattes du wagon. D'un côté, il y a une rangée de chevaux. De l'autre, une cloison qui n'a pas l'air d'origine.

August s'avance et pousse la porte, qui s'en va claquer, révélant une sorte de chambre éclairée par une lampe à pétrole. Cette lampe est posée sur une caisse retournée, à côté d'un lit de camp. Un nain est couché sur le ventre, un gros livre ouvert devant lui. Il a environ mon âge et, tout comme moi, les cheveux roux. Seulement, les siens rebiquent, formant une tignasse indisciplinée. Son visage, son cou, ses bras et ses mains sont parsemés de taches de rousseur.

— Kinko..., dit August, avec dégoût.

— August..., rétorque l'autre, sur le même ton.

— Voici Jacob, dit August en faisant le tour de la minuscule pièce.

Il se penche pour toucher, en passant, des choses.

— Il va crécher chez toi pendant quelque temps.

Je m'avance.

— Comment allez-vous... ?

Kinko considère froidement ma main tendue, puis regarde de nouveau August.

— C'est quoi, lui ?

— Son nom est Jacob.

— M'en fous... Qu'est-ce qu'il fait ?

— Il va aider à la ménagerie.

Kinko saute sur ses pieds.

— La ménagerie ? Pas question. Je suis un artiste. Pas question de crécher avec un manuel !

J'entends grogner derrière lui, et pour la première fois je vois le terrier jack russell. La chienne se tient au bout du lit de camp, dressée sur ses ergots.

– Je suis le directeur équestre et le responsable en chef des animaux, dit lentement August, et c'est par un pur effet de ma bonté qu'on t'a permis de dormir ici. C'est aussi par un pur effet de ma bonté que ce n'est pas plein de tchécos. Bien entendu, ça peut toujours changer... En outre, ce monsieur est notre nouveau vétérinaire – frais émoulu de Cornell, rien de moins ! – ce qui le place nettement au-dessus de toi sur mon échelle des valeurs. Tu pourrais peut-être lui offrir le lit de camp... ?

La flamme de la lampe se reflète doublement dans les yeux d'August. Sa lèvre semble trembler.

Peu après, il se tourne vers moi et s'incline, claque des talons.

– Bonne nuit, Jacob, je suis sûr que Kinko te mettra à ton aise. N'est-ce pas, Kinko ?

L'intéressé le fusille du regard.

August passe lentement les mains sur ses tempes, comme pour lisser ses cheveux, puis s'en va en refermant la porte. Je contemple le bois brut jusqu'à ce que des pas résonnent au-dessus de ma tête. Alors, je me retourne.

Kinko et sa chienne me fixent. La chienne retrousse ses babines et gronde.

Je passe la nuit sur une couverture de paddock chiffonnée, contre la cloison, le plus loin possible du lit de camp. Cette couverture est trempée. Le type qui devait bâcher les lattes quand on a converti cet endroit en chambre a mal fait son boulot, car ce truc a pris la pluie et pue le moisi.

Je me réveille en sursaut. Je me suis gratté les bras et le cou jusqu'au sang. J'ignore si c'est une allergie au poil de cheval ou la vermine, et je ne veux pas le savoir. Le ciel entre les lattes humides est noir, et le train roule toujours.

Je me suis réveillé à cause d'un rêve, dont les détails m'échappent. Je ferme les yeux, fouillant dans mon esprit.

C'est ma mère. Elle se tient dans la cour, en robe bleue, et étend du linge sur un fil. Elle a des pinces à linge en bois aux lèvres ; d'autres gonflent la poche de son tablier. Ses doigts s'activent avec un drap. Je l'entends chanter doucement en polonais.

Flash !

Je suis couché par terre, à contempler en contre-plongée les seins pendillant de l'effeuilleuse. Ses mamelons, bruns et gros comme des petites crêpes, tournent en rond – tournent, tournent, *flac !* Je ressens de l'excitation, puis du remords, et enfin de la nausée.

Et ensuite... ensuite...

5

JE SUIS EN TRAIN DE CHIALER comme le très vieil imbécile que je suis, voilà !

J'ai dû m'endormir. J'aurais juré, il y a seulement quelques secondes, que j'avais vingt-trois ans, et me voilà dans ce pauvre corps misérable, racorni.

Je renifle, essuie ces larmes idiotes, tâche de me ressaisir car cette fille est de retour – la grosse en rose. Soit elle a travaillé toute la nuit, soit c'est déjà dimanche et j'ai tout oublié de la journée d'hier. C'est énervant de ne pas savoir.

En outre, j'aimerais bien me rappeler son prénom, mais rien à faire. C'est ainsi, quand on a quatre-vingt-dix ans. Ou quatre-vingt-treize.

– Bonjour, monsieur Jankowsky ! dit-elle, en allumant.

Elle s'avance vers la fenêtre et arrange les stores pour laisser passer le soleil.

– Il est temps de se lever et de faire sa toilette.

– Pour quoi faire ?

– Parce que le Bon Dieu a cru bon de vous accorder une nouvelle journée, dit-elle en venant à mon côté.

Elle presse un bouton sur le montant du lit, qui se met à bourdonner. Quelques secondes plus tard, je suis sur mon séant.

– D'ailleurs, vous allez au cirque demain...

Le cirque ! Donc, je n'ai pas raté une journée...

Elle adapte un cornet jetable sur un thermomètre qu'elle fourre dans mon oreille. Chaque matin je suis ainsi tâté et sondé. Tel un morceau de viande repêché au fond du frigo, jugé d'une fraîcheur douteuse jusqu'à preuve du contraire.

Le thermomètre ayant émis son bip, elle jette le cornet à la corbeille et note quelque chose dans le cahier. Puis elle décroche le tensiomètre au mur.

– On prend son petit déjeuner dans la salle à manger aujourd'hui, ou je vous l'apporte ? dit-elle, serrant le brassard autour de mon bras avant de le gonfler.

– J'ai pas faim...

– Allons, monsieur Jankowsky, dit-elle, pressant un stéthoscope à la saignée de mon bras, les yeux sur le cadran. Il faut conserver vos forces.

J'essaie d'apercevoir son prénom sur le badge.

– À quoi bon ? Pour pouvoir courir le marathon ?

– Pour ne pas attraper d'infection et alors manquer le cirque, dit-elle.

Une fois le brassard dégonflé, elle le retire de mon bras et le raccroche au mur.

Enfin ! Je vois son nom.

– Je déjeunerai dans ma chambre, Rosemary, dis-je, prouvant ainsi que je me suis souvenu de son nom.

Donner l'impression qu'on a toute sa tête, c'est fatigant mais essentiel. D'ailleurs, je ne suis pas vraiment gâteux. Simplement, j'ai plus de choses en tête que la plupart des gens.

– Je vous déclare fort comme un cheval ! dit-elle en ajoutant une note avant de refermer le cahier. Si vous ne maigrissez pas, vous en avez encore pour dix ans.

– Chouette !

Lorsque Rosemary vient pousser mon fauteuil roulant dans le couloir, je demande à être posté à la fenêtre, afin de voir ce qui se passe sur le parking.

C'est une belle journée, le soleil brille entre les nuages jouf-flus. Tant mieux – je n'ai pas oublié ce que c'était que de travailler sur un champ de foire, par mauvais temps. Non que le boulot soit resté ce qu'il était. Je me demande si on les appelle encore des « tchécos ». Et les conditions de logement se sont bien améliorées – visez un peu ces camping-cars. Certains ont même une parabole.

Peu après le repas de midi, le premier pensionnaire apparaît dans la rue, poussé dans son fauteuil roulant par des membres de sa famille. Dix minutes plus tard, c'est un véritable convoi. Voici Ruthie – oh, et Nellie Compton, aussi, mais à quoi bon ? C'est une innocente, elle ne se souviendra de rien. Et voici Doris – ce doit être son Randall, celui dont elle parle toujours. Et voici cette ordure de McGuinty. L'homme important, entouré de sa famille, un plaid sur les genoux. À débiter des histoires d'éléphant, sans aucun doute.

Il y a de superbes percherons, d'un blanc resplendissant alignés derrière le chapiteau. Peut-être des chevaux pour la voltige ? Les chevaux de voltige sont toujours blancs, pour que la colophane permettant à l'artiste de se maintenir sur leur dos ne se voie pas.

Même si c'est pour un numéro de dressage en liberté, je n'ai aucune raison de penser qu'il pourrait surpasser celui de Marlène. Rien ni personne ne saurait être comparé à Marlène.

Je cherche du regard un éléphant – avec un mélange de crainte et de désappointement progressif.

Le convoi revient plus tard dans l'après-midi avec des ballons attachés aux fauteuils roulants et des chapeaux fantaisie. Certains ont même des sachets de barbe à papa sur les genoux – des *sachets* ! Comment savoir si c'est du frais ? De mon temps, on la filait devant le client, autour d'un bâtonnet.

À cinq heures de l'après-midi, une aide-soignante svelte et aux traits chevalins me rejoint au bout du couloir.

– Prêt à dîner, monsieur Jankowsky ? dit-elle, débloquant mes roues avec le pied et me faisant pivoter.

Je grogne. Elle aurait quand même pu attendre ma réponse !

Une fois dans le réfectoire, elle me conduit à ma table habituelle.

– Non, attendez ! Je ne veux pas m'asseoir ici, ce soir.

– Ne vous en faites pas, monsieur Jankowsky. M. McGuinty vous a certainement pardonné pour hier.

– Eh bien, moi, je ne lui ai pas pardonné. Je veux aller là-bas, dis-je, désignant une autre table.

– Il n'y a personne à cette table...

– Justement !

– Oh, monsieur Jankowsky. Pourquoi ne pas me laisser...

– Faites ce que je vous dis, nom d'une pipe !

Mon fauteuil s'immobilise et, derrière moi, c'est un silence de mort. Au bout de quelques secondes, nous repartons. L'aide-soignante me laisse devant la table choisie par moi et s'en va. À son retour, elle me flanque mon assiette sous le nez, les lèvres pincées.

Le principal inconvénient, quand on est assis tout seul à une table, c'est qu'on entend les conversations. Je n'espionne personne : impossible de faire autrement. La plupart des gens parlent du cirque, ça va. Ce qui ne va pas, c'est que ce Vieux Schnock de McGuinty trône à *ma* table, en compagnie de *mes* amies, tel le roi Arthur au milieu de sa cour. Et ce n'est pas tout – apparemment, il a dit à un employé du cirque que son boulot, jadis, était de porter de l'eau aux éléphants, et *on lui a donné une place au premier rang !* Incroyable ! Il faut l'entendre se vanter haut et fort de ce traitement de faveur, sous l'œil adorateur de Hazel, Doris et Norma.

Je n'y tiens plus. Je considère mon assiette. Machin bouilli sous jus de viande pâlot, avec une part de Jell-O truffée de pustules.

J'aboie :

— Infirmière ! Infirmière !

L'une d'elles relève la tête et croise mon regard. Comme il est clair que je ne suis pas en train d'agoniser, elle prend son temps pour arriver.

— Que puis-je pour vous, monsieur Jankowsky ?

— Et si vous alliez me chercher un truc comestible ?

— Pardon ?

— Comestible. Vous savez – ce qu'on mange, hors d'ici...

— Oh, monsieur Jankowsky...

— Votre politesse, je m'en fous ! C'est de la bouillie pour bébés, et aux dernières nouvelles, je n'ai plus cinq ans. J'en ai quatre-vingt-dix. Ou quatre-vingt-treize.

— Ce n'est pas de la bouillie pour bébés.

— Si ! Aucune consistance. Regardez – dis-je traînant ma fourchette à travers le petit monticule recouvert de jus.

Il se désagrège, laissant ma fourchette toute visqueuse.

— Vous appelez ça de la nourriture ! Je veux pouvoir planter mes dents dans du solide. Du croustillant. Et ça, c'est quoi... ? dis-je en enfonçant le bloc de gelée rouge.

Il tremblote de façon scandaleuse, comme une certaine poitrine que j'ai connue, autrefois.

— C'est de la salade...

— Quelle salade... ? Vous voyez des légumes, vous ? Moi j'en vois pas.

— De la salade de fruits, dit-elle, avec un calme étudié.

— Vous voyez des fruits ?

— Oui. Effectivement, j'en vois, dit-elle en désignant une

90

pustule. Là... et là. Ici, c'est de la banane, là un grain de raisin. Et si vous goûtiez ?

— Goûtez vous-même !

Elle croise les bras sur sa poitrine. La maîtresse d'école est à bout de patience.

— Ce repas est destiné aux pensionnaires. Il a été conçu tout exprès par une nutritionniste spécialisée en gériatrie...

— J'en veux pas. Je veux de vrais aliments.

Silence de mort dans la salle. Je regarde alentour. Tous les regards sont braqués sur moi.

— Quoi ? dis-je, élevant la voix. Est-ce trop demander ? Il n'y a personne ici dans mon cas ? Enfin, vous ne pouvez quand même pas vous satisfaire de cette... cette... *pâtée* ?

Je mets la main sur le bord de mon assiette et la pousse. Doucement.

Si, si, je vous jure !

L'assiette traverse la table comme une fusée et s'écrase par terre.

Le Dr Rachid est appelée. Assise à mon chevet, elle pose des questions auxquelles je m'efforce de répondre avec courtoisie, même si, fatigué comme je suis d'être traité comme une personne déraisonnable, j'ai peine à me contrôler.

Au bout d'une demi-heure, elle prie l'aide-soignante de l'accompagner dans le couloir. Je cherche à écouter, mais mes vieilles oreilles, en dépit de leur taille obscène, ne recueillent que des bribes : « grave, grave dépression » et aussi « prenant une forme agressive, phénomène classique en maison de retraite. »

De mon lit, je crie :

— Je ne suis pas sourd, vous savez ! Seulement âgé !

Le Dr Rachid jette un coup d'œil par la porte et prend l'aide-soignante par le coude. Elles s'éloignent dans le couloir.

Ce soir-là, une nouvelle pilule fait son apparition dans mon gobelet en papier. Les comprimés sont déjà dans ma paume, quand je la remarque.

— Qu'est-ce que c'est ? dis-je en la poussant du doigt.

Je la retourne et examine l'autre face.

— Quoi ? dit l'aide-soignante.

Je touche du doigt la pilule en cause.

— Ceci... là. C'est nouveau.

— C'est de l'Elavil.

— À quoi ça sert ?

— À vous aider à vous sentir mieux.

— À quoi ça sert ?

Elle ne répond pas. Je guette son regard. Il finit par croiser le mien.

— C'est pour la dépression...

— J'en veux pas.

— Monsieur Jankowsky...

— Je ne suis pas déprimé.

— Le Dr Rachid l'a prescrit. Cela va...

— Vous voulez me droguer. Vous voulez me transformer en mouton mangeur de Jell-O. Je ne la prendrai pas, sachez-le...

— Monsieur Jankowsky, j'ai douze autres patients à aller voir. S'il vous plaît, prenez vos cachets.

— Je croyais qu'on était des « pensionnaires ».

Ses traits, déjà pincés, se durcissent encore davantage.

— Les autres, je veux bien, mais pas ça ! dis-je en lançant la pilule, qui fend les airs et atterrit par terre.

Je gobe les autres.

— Où est mon eau ? dis-je, d'une voix changée parce que j'essaie de les garder au milieu de ma langue.

Elle me tend un gobelet en plastique, ramasse la pilule, va dans la salle de bains. J'entends la chasse d'eau. Puis elle revient.

— Monsieur Jankowsky, je vais aller chercher un autre Elavil et, si vous n'en voulez pas, j'appellerai le Dr Rachid qui prescrira une injection. D'une façon ou d'une autre, vous allez prendre cet Elavil. Alors c'est à vous de voir...

Lorsqu'elle m'apporte la pilule, je l'avale. Un quart d'heure plus tard, j'ai droit aussi à une injection – pas d'Elavil, d'autre chose, ce qui est injuste car je l'ai prise, cette foutue pilule !

Quelque minutes plus tard, je suis devenu un mouton mangeur de Jell-O. Enfin, un mouton en tout cas. Et même si je ne cesse de me rappeler l'incident qui a entraîné ce malheur, je réalise que si on m'apportait maintenant de la Jell-O pustuleuse, avec ordre de la manger, je le ferais.

Que m'a-t-on fait ?

Je m'accroche à ma colère avec le peu d'humanité subsistant dans mon corps ruiné, mais c'est inutile. Elle s'en va, comme la mer découvrant le rivage à marée basse. Je médite cette sombre vérité, quand je m'aperçois que les ténèbres du sommeil m'encerclent. Elles étaient là depuis longtemps, prenant leur temps et se rapprochant à chaque révolution. J'abandonne ma rage, qui n'est de toute façon plus que de pure forme, et me jure de me remettre en colère demain. Puis je me laisse aller, car la lutte est par trop inégale.

6

L E TRAIN GÉMIT, s'escrime contre la résistance croissante des
freins. Au bout de quelques minutes, poussant une
ultime plainte, la grande bête d'acier tressaille et expire.

Kinko rejette sa couverture et se lève. Il ne fait pas plus
d'un mètre trente – et encore. Il s'étire, bâille, se lèche les
babines, puis se gratte la tête, les aisselles et les parties intimes.
Sa chienne lui fait fête, remuant furieusement sa queue
minuscule.

– Viens, Queenie ! dit-il en la soulevant. Tu veux sortir ?
Elle veut sortir, Queenie... ?

Lui ayant planté un baiser sur la truffe, il traverse la petite
pièce.

De mon coin, sur ma couverture de paddock, je le suis du
regard.

– Kinko ?

La porte se referme avec violence – sinon, j'aurais pu croire
qu'il ne m'avait pas entendu.

Nous sommes sur une voie de garage, derrière l'Escadron
Volant, qui est manifestement là depuis plusieurs heures. La
cité de toile est déjà montée, à la grande joie de la foule de
citadins venus en curieux. Perchés sur l'Escadron Volant, une

brochette d'enfants surveille les allées et venues, des étoiles plein les yeux. Restés à terre, leurs parents tiennent les plus jeunes par la main et leur désignent les diverses merveilles qui se présentent à eux.

Les manœuvres du train principal descendent des voitures-dortoirs, s'allument une cigarette et se dirigent vers la cantine en plein air. Son drapeau orange et bleu flotte déjà près de la marmite qui crache sa fumée, attestant qu'un petit déjeuner est en route.

Des artistes émergent de voitures qui sont plus près de l'arrière du train et ont bien meilleure allure. La hiérarchie est nette : plus on va vers l'arrière, plus le luxe augmente. Oncle Al lui-même sort d'une voiture qui se trouve juste avant le fourgon de queue. Je ne puis m'empêcher de noter que Kinko et moi sommes les passagers humains les plus proches de la locomotive.

— Jacob !

Je me retourne. August s'avance à grands pas dans ma direction — menton rasé, chemise propre. Ses cheveux gominés portent encore les traces du peigne.

— Comment allons-nous ce matin, mon garçon ?

— Bien. Un peu fatigué.

— Cette petite gargouille ne t'a pas emmerdé ?

— Non. Il n'a rien fait.

— Parfait, parfait...

Il frappe dans ses mains.

— Et si on allait voir ce cheval ? Ça ne doit pas être très grave. Marlène les chouchoute terriblement. Oh, la voici... Par ici, ma chérie ! J'ai quelqu'un à te présenter. Jacob... un de tes admirateurs !

Je sens la rougeur s'étaler sur mes joues.

Elle vient à son côté, me sourit au moment où August s'est tourné vers le fourgon à bestiaux.

— Ravie de faire votre connaissance, dit-elle en me tendant la main.

De près, la ressemblance avec Catherine est toujours là – traits délicats, teint de porcelaine, taches de son sur le nez. Ses yeux sont d'un bleu étincelant, ses cheveux presque blonds.

– Tout le plaisir est pour moi, dis-je, hélas conscient de ne pas m'être rasé depuis deux jours, et d'avoir des vêtements raides de crasse.

Je sais bien, par ailleurs, que le fumier n'est pas la seule odeur déplaisante dégagée par mon corps.

Sa tête s'incline légèrement sur le côté.

– Dites donc, c'est vous que j'ai vu hier, non ? À la ménagerie ?

– Je ne crois pas, dis-je, mentant instinctivement.

– Si, si ! Juste avant le spectacle, quand la plaque de la cage des chimpanzés est retombée subitement...

Je jette un coup d'œil à August, mais il regarde toujours de l'autre côté. Elle suit mon regard et semble comprendre.

– Vous n'êtes pas de Boston, n'est-ce pas ? dit-elle en baissant la voix.

– Non, je n'y suis jamais allé.

– Pourtant, votre visage m'est familier... Enfin, bref, ajoute-t-elle avec entrain, August m'a dit que vous étiez véto ?

Entendant son nom, August fait volte-face.

– Non, dis-je. Pas tout à fait...

– Il fait le modeste..., dit August. Pete ! Hé, Pete !

Un groupe d'hommes se tient devant le wagon à bestiaux, fixant une rampe au pied de la porte. Un grand brun se retourne.

– Oui, chef ?

– Fais descendre les autres et amène Silver Star, d'accord ?

– Compris.

Onze chevaux plus tard – cinq blancs, six noirs –, Pete entre de nouveau dans le fourgon. Peu après, il est de retour.

— Silver Star veut pas bouger, chef.

— Force-le.

— Pas question ! s'exclame Marlène, en regardant August d'un œil mauvais.

Elle monte d'un pas décidé sur la rampe et disparaît.

Nous attendons au-dehors, pendant que se font entendre prières passionnées et claquements de langue. Quelques minutes plus tard, Marlène réapparaît sur le seuil avec l'arabe à la crinière argent.

Elle descend la première, claquant de la langue et chuchotant. Le cheval relève la tête et résiste. Puis il finit par la suivre sur la rampe, encensant avec véhémence à chaque pas. Une fois sur la terre ferme, il s'arrête et résiste tellement qu'il se retrouve presque sur son arrière-train.

— Seigneur, Marlène ! Hier soir, tu prétendais qu'il était juste un peu patraque !

La jeune femme est toute pâle.

— Il n'était pas comme ça... Il boitait depuis quelques jours, mais pas à ce point !

Elle fait claquer sa langue, et tire si bien que le cheval consent à poser le pied sur le gravier. Il a le dos rond, les postérieurs supportent le plus gros de son poids. Mon cœur se serre. C'est ce qu'on appelle la posture du cheval « qui marche sur des œufs ».

— J'en ai pour une minute, dis-je, bien que déjà quasi sûr de mon diagnostic. Vous avez une pince exploratrice ?

— Non, mais le maréchal-ferrant en a une. J'envoie Pete la chercher ?

— Pas encore. Ça ne sera peut-être pas utile.

Je m'accroupis près de l'épaule gauche et passe les mains tout le long de la jambe, jusqu'au boulet. Il ne bronche pas. Puis je touche le devant du sabot. La chaleur irradie. Je place mon pouce et mon index à l'arrière du boulet. Les pulsations sont violentes.

— Zut...

– Quoi ? fait Marlène.

Je me redresse et cherche le pied de Silver Star – il est cloué au sol.

– Allons, mon gars, dis-je, tirant dessus.

Enfin, il le soulève. La sole est bombée, foncée, bordée de rouge. Je la repose aussitôt.

– C'est une fourbure...

– Oh, doux Jésus ! dit Marlène, plaquant sa main sur sa bouche.

– Quoi ? dit August. Quezaco ?

– Une fourbure. C'est quand les tissus conjonctifs entre le sabot et la troisième phalange sont abîmés et que la troisième phalange pivote vers la sole.

– Pas clair... C'est grave ?

Je jette un coup d'œil à Marlène, qui se tient toujours la bouche.

– Oui.

– Tu peux le guérir ?

– On peut augmenter l'épaisseur de sa litière et l'encourager à rester couché. Le nourrir uniquement avec du fourrage, sans aucun apport de grains...

– Mais tu peux le guérir ?

J'hésite, jette un autre coup d'œil rapide à Marlène.

– Je pense que non.

August considère Silver Star et gonfle les joues avant de pousser un gros soupir.

– Tiens, tiens, tiens ! tonne une voix à nulle autre pareille, derrière nous. Ne serait-ce pas notre médecin des bêtes... ?

Oncle Al flotte vers nous, en pantalon à carreaux noir et blanc et gilet écarlate. Il tient une canne à bout d'argent, qu'il balance de façon extravagante à chaque pas, traînant un petit groupe dans son sillage.

– Alors, qu'en dit le toubib ? La question est réglée ? dit-il, jovial.

– Pas précisément...

— Pour quelle raison ?

— Apparemment, c'est une fourbure, intervient August.

— Une... quoi ?

— Les pieds...

Oncle Al se penche sur les sabots de Silver Star.

— Ils m'ont l'air parfaits !

— Et pourtant..., dis-je.

Il se tourne vers moi.

— Qu'est-ce que vous préconisez ?

— De le mettre au repos, dans un box, et de supprimer le grain de son alimentation. À part ça, il n'y a pas grand-chose à faire.

— Le repos, c'est hors de question. C'est le meneur du numéro de dressage en liberté.

— S'il continue à travailler, sa troisième phalange, en pivotant, transpercera la sole et ce sera la fin...

Ses paupières papillotent. Il regarde Marlène.

— Combien de temps devrait durer ce temps de repos ?

Je choisis avec soin mes mots :

— Peut-être jusqu'à la fin de ses jours...

— *Bon sang de bonsoir !* s'écrie-t-il, plantant sa canne dans la terre. Où suis-je censé trouver un remplaçant – en pleine saison ?

Il prend à témoin ses suiveurs, qui haussent les épaules, marmonnent, évitent son regard.

— Bande d'incapables ! Je me demande bien pourquoi je vous garde ! Bon, vous ! – il pointe sa canne sur moi – vous êtes engagé. Soignez-le. Neuf dollars la semaine. Vous êtes responsable devant August. Si jamais ce cheval crève, vous êtes viré. D'ailleurs, au moindre faux pas, vous êtes viré...

Il s'avance vers Marlène et lui tapote l'épaule.

— Là, là... ma chère..., dit-il gentiment. Ne vous faites pas de bile, Jacob va prendre bien soin de lui. August, occupe-toi de faire déjeuner cette petite, veux-tu ? On va repartir...

August a un sursaut.

— Comment ça ?

— On démonte, dit l'Oncle Al, avec un geste vague. On s'arrêtera plus loin.

— Qu'est-ce que tu racontes ? On vient d'arriver. On n'a pas fini de s'installer.

— Changement de programme, August. Changement de programme.

Oncle Al et ses suiveurs s'éloignent. Médusé, August les regarde s'en aller.

À la cantine, les rumeurs vont bon train.

Devant les patates sautées :

— Les frères Carson se sont fait prendre à rouler la clientèle à la caisse, il y a quelques semaines. On ne veut plus de nous.

— Ah ! ricane quelqu'un d'autre. D'habitude c'est notre spécialité.

Devant les œufs brouillés :

— Ils ont entendu dire qu'on avait de l'alcool à bord. Il va y avoir une descente.

— Il y en aura une, c'est sûr, réplique-t-on. Mais à cause de la danseuse orientale, pas de l'alcool.

Devant les flocons d'avoine :

— Oncle Al a roulé le shérif sur le prix de la location de l'emplacement, l'an dernier. Les flics nous ont donné deux heures pour filer.

Ezra est avachi dans la même position qu'hier, bras croisés, menton sur la poitrine. Il ne m'accorde aucune espèce d'attention.

— Hé là ! dit August en me voyant me diriger vers le rideau qui divise l'espace du réfectoire. Où vas-tu comme ça ?

— De l'autre côté...

— Tiens donc ! Tu oublies que tu es notre vétérinaire

en titre ! Viens par-là... quoique, à vrai dire, je t'enver-rais bien de l'autre côté, histoire de savoir ce qu'on y raconte...

Je les accompagne, lui et Marlène, jusqu'à l'une des tables dressées avec raffinement. Kinko est installé un peu plus loin, avec trois autres nains, la petite chienne à ses pieds. Elle le regarde avec espoir, la langue pendante. Kinko l'ignore, tout comme il ignore le reste de la tablée. Il me fixe, remuant la mâchoire.

— Mange, chérie, dit August, poussant le sucrier vers le bol de porridge de Marlène. Inutile de se faire du mauvais sang. Puisqu'on a un vétérinaire patenté...

J'ouvre la bouche pour protester, mais une petite blonde s'approche.

— Marlène, mon chou ! Si tu savais ce que j'ai entendu dire !

— Bonjour, Lottie. Qu'est-ce qu'il y a ?

Lottie se glisse à son côté et se met à parler sans plus s'arrêter, fût-ce pour respirer. C'est une trapéziste et elle tient son scoop d'une source fiable — son imprésario a entendu Oncle Al et l'avant-courrier s'enguirlander à l'extérieur du chapiteau. Bientôt une foule entoure notre table, et entre Lottie et les bribes d'infos lancées par son public, j'ai droit à un topo complet sur Alan J. Bunkel et les Frères Benzini — le Plus Grand Spectacle du Monde.

Oncle Al est un vautour, un charognard, un détrousseur de cadavres. Il y a quinze ans, il était à la tête d'un cirque minable : une bande d'artistes souffrant de la pellagre, traînés de ville en ville par de misérables chevaux aux sabots infectés par une mycose.

En août de l'année 1928, le cirque des Frères Benzini — le Plus Grand Spectacle du Monde, s'effondra, sans que Wall Street y fût pour quelque chose. Ils n'avaient tout simplement plus d'argent pour continuer jusqu'à la prochaine ville, et encore moins pour regagner leurs quartiers d'hiver. Le directeur monta dans un train en marche, laissant tout derrière lui : gens, bêtes et matériel.

Oncle Al, qui par chance était dans le coin, put racheter pour une bouchée de pain une voiture-couchettes et deux wagons plats au chef de gare trop heureux de libérer sa voie. Ces deux wagons plats continrent aisément les quelques chariots décatis, et comme il était déjà inscrit dessus : LES FRÈRES BENZINI – LE PLUS GRAND SPECTACLE DU MONDE, Alan Bunkel garda cet intitulé, rejoignant officiellement les rangs des cirques voyageant par le train.

Lorsque survint le krach boursier de 29, des cirques plus importants commencèrent à péricliter et Oncle Al se crut béni des dieux : cela commença avec les frères Gentry et Buck Jones cette même année. L'année suivante vit la fin des frères Cole, des frères Christy et du grand John Robinson. Chaque fois qu'un cirque faisait faillite, Oncle Al était là pour profiter des restes : quelques wagons, une poignée d'artistes restés sur le carreau, un tigre ou un chameau. Il avait des informateurs partout – dès qu'un cirque semblait en difficulté, Oncle Al recevait un télégramme et rappliquait.

Il engraissa grâce à ces carcasses. À Minneapolis, il récupéra six chars de parade et un lion édenté. Dans l'Ohio, un avaleur de sabres et un wagon plat. À Des Moines, un vestiaire, un hippopotame et son chariot adapté, ainsi que la plantureuse Lucinda. À Portland, huit chevaux de trait, deux zèbres et un maréchal-ferrant. À Seattle, deux voitures-dortoirs et un authentique phénomène – une femme à barbe –, ce qui fit son bonheur, car ce que désirait ardemment Oncle Al, son rêve, c'était un monstre. Pas un monstre fabriqué de toutes pièces, genre homme entièrement tatoué, femme régurgitant portefeuilles et ampoules à la demande, sirène ou type s'enfonçant des pieux dans les fosses nasales – non ! Oncle Al désirait ardemment un vrai monstre. Un monstre de naissance. D'où notre détour par Joliet.

Le cirque des frères Fox vient de faire faillite et Oncle Al exulte car ils employaient le mondialement célèbre Charles Mansfield-Livingston, un monsieur soigné, élégant, qui a un jumeau parasite qui lui sort de la poitrine. Ce jumeau se nomme Chaz. On dirait un petit enfant ; sa tête est enfouie dans la cage thoracique de son frère. Il porte un costume miniature, des souliers vernis, et quand Charles se promène, il le tient par les menottes. La rumeur prétend que la minuscule verge de Chaz a même des érections.

Oncle Al veut absolument arriver avant qu'on ne lui pique ce phénomène. Voilà pourquoi, quoique nos affiches tapissent toute la ville de Saratoga Springs, quoiqu'il s'agissait *a priori* d'une étape de deux jours et qu'on ne nous a jamais livré que 2 200 miches de pain, 58 kilos de beurre, 180 douzaines d'œufs, 780 kilos de viande, 11 barils de choucroute, 60 kilos de sucre, 24 caisses d'oranges, 25 kilos de saindoux, 600 kilos de légumes et 212 boîtes de café ; malgré les tonnes de foin, navets, betteraves et autres aliments pour les bêtes qui s'entassent derrière la ménagerie ; malgré les centaines de gens qui se sont massés au bord du terrain, d'abord ravis, puis perplexes, et à présent de plus en plus en colère ; en dépit de tout cela, on démonte et on s'en va.

Le cuistot frise l'apoplexie. L'avant-courrier menace de démissionner. Le chef-monteur, furieux, frappe les hommes assiégés de l'Escadron Volant à bras raccourcis.

Chacun ici a déjà connu ça. Ce qu'ils redoutent le plus, c'est de ne pas manger à leur faim pendant ce voyage de trois jours. L'équipe de la cuisine fait de son mieux, hissant à bord autant de vivres que possible et promettant de distribuer des paniers-repas à la première occasion.

Apprenant qu'il s'agit d'un périple de trois jours, August lâche une bordée de jurons, puis fait les cent pas, vouant Oncle Al aux gémonies et nous aboyant ses ordres. Tandis que nous amenons la nourriture pour les bêtes au train, il s'en va parler au responsable du ravitaillement à la cantine pour tenter de le convaincre – par tous les moyens, pots-de-vin compris – de nous donner une partie des vivres destinés aux êtres humains.

Diamond Joe et moi rapportons les seaux de déchets de viande qui étaient derrière la ménagerie. Ces déchets, qui proviennent de parcs à bestiaux locaux, sont répugnants – nauséabonds, sanguinolents, noircis. Nous les déposons juste à l'entrée des wagons à bestiaux. Leurs occupants – chameaux, zèbres et autres « bouffeurs de foin » – protestent vigoureusement, mais ils devront voyager avec cette viande car il n'y a pas de place ailleurs. Les grands fauves voyagent sur les wagons plats, dans des cages de parade.

Cette tâche accomplie, je vais trouver August. Il est derrière la cantine, en train de charger sur une brouette les restes que le personnel de la cantine a bien voulu lui céder.

– On est plein à craquer, dis-je. Que fait-on, pour l'eau ?

– Videz les seaux et remplissez-les. Le chariot-citerne est rempli mais on ne tiendra pas trois jours. Il faudra bien s'arrêter en cours de route. Oncle Al est radin, mais il n'est pas fou. Il ne prendrait pas le risque de perdre des bêtes – pas de bêtes, pas de cirque... ! Toute la viande est à bord ?

– Tout ce qu'on a pu caser...

– Priorité à la viande. S'il faut jeter du foin pour faire de la place, n'hésitez pas. Les chats sont plus précieux que les bourrins.

– On est archi-plein. À moins qu'on aille dormir ailleurs, Kinko et moi, il n'y a plus de place nulle part...

August observe un silence, pianote sur ses lèvres pincées.

— Non, dit-il enfin. Marlène ne tolérerait jamais que ses chevaux voyagent avec de la bidoche.

Au moins, je sais ce que je vaux : moins qu'un « chat »...

L'eau des chevaux est trouble et des flocons d'avoine y flottent, mais comme c'est tout de même de l'eau, je porte les seaux à l'extérieur, retire ma chemise puis m'asperge les bras, la tête et la poitrine avec le peu qu'ils contiennent.

— On se sent pas très frais, Doc ? dit August.

Je suis plié en deux, l'eau dégouline de mes cheveux. M'étant essuyé les yeux, je me redresse.

— Désolé, j'en ai pas trouvé d'autre, et j'allais la jeter, de toute façon.

— Tu as bien fait, tu as bien fait ! Notre véto n'est pas censé vivre comme un rustre, n'est-ce pas ? Il est un peu tard pour aujourd'hui, mais quand on sera à Joliet, je m'arrangerai pour que tu aies ton eau. Les artistes et les chefs ont droit à deux seaux – ou plus, si tu es disposé à graisser la patte du préposé, dit-il en frottant son pouce contre son index. Je te brancherai aussi sur l'« Homme du Lundi » – tu as besoin de fringues.

— L'« Homme du Lundi » ?

— Quand ta mère faisait-elle la lessive, Jacob ?

Je n'en crois pas mes oreilles.

— Vous ne voulez tout de même pas dire que...

— Tout ce linge pendu à des cordes... Ce serait une honte de ne pas en profiter !

— Mais... !

— N'y pense plus, Jacob. Si tu ne veux pas connaître la réponse à une question, demande pas. Et n'utilise pas ce bouillon de culture pour te laver. Suis-moi...

Il me conduit au fond du terrain, jusqu'à l'une des trois tentes encore debout. À l'intérieur, il y a des centaines de seaux, alignés par paire devant des malles et des portants, avec des noms ou initiales inscrits dessus. Des hommes plus ou moins déshabillés s'en servent pour faire leur toilette et se raser.

– Là, dit-il, en me désignant une paire. Tu peux utiliser ceux-là.

– Et Walter... ? dis-je en déchiffrant l'inscription.

– Oh, je le connais. Il comprendra. Tu as un rasoir ?

– Non.

– J'en ai là-bas, dit-il en pointant le doigt. Tout au fond. Mon nom est dessus. Et grouille – on devrait être partis dans une demi-heure...

– Merci.

– Pas de quoi. Je te laisserai une chemise dans le wagon.

À mon retour, je vois Silver Star contre le mur du fond, dans la paille jusqu'aux genoux. Ses yeux sont vitreux, son cœur bat très fort.

Ses congénères n'étant pas rentrés, je peux en profiter pour examiner cet endroit. Il y a seize stalles, divisées par des cloisons qui se rabattent une fois leur occupant à l'intérieur. Si la configuration des lieux n'avait été modifiée pour loger les mystérieuses chèvres – que je n'ai pas encore vues – trente-deux chevaux pourraient y tenir.

Une chemise blanche m'attendait sur le lit de camp de Kinko. J'ôte la mienne et la jette dans le coin, sur la vieille couverture. Avant d'enfiler la propre, je la porte à mes narines pour humer la bonne odeur de propre.

Je suis en train de la boutonner quand les livres de Kinko attirent mon attention. Ils sont posés sur la caisse, à côté de la lampe à pétrole. Je rentre les pans dans mon pantalon, m'assieds sur le lit, attrape le premier volume de la pile.

Ce sont les œuvres complètes de Shakespeare. Dessous, il y a une anthologie des poèmes de Wordsworth, une Bible, et le Théâtre d'Oscar Wilde. Quelques BD sont cachées sous la couverture du Shakespeare. Je les reconnais aussitôt. Ce sont des BD pornographiques.

J'en ouvre une. Une Olive schématiquement dessinée est étendue sur un lit, cuisses écartées, nue mais chaussée. Elle se caresse. Au-dessus de sa tête, Popeye apparaît dans une bulle, avec une érection qui lui arrive jusqu'au menton. Wimpy, qui a un membre tout aussi imposant, regarde par la fenêtre.

— Qu'est-ce que tu fous ?

Je lâche l'illustré, puis me penche vivement pour le ramasser.

— Touche pas ! dit Kinko, en se précipitant pour me l'arracher des mains. Et tire-toi de mon lit...

Je me relève comme un ressort.

— Écoute, vieux, dit-il en se redressant pour planter son doigt dans ma poitrine. Ça m'enchante pas de crécher avec toi, mais on m'a pas demandé mon avis... Cela dit, te crois pas autorisé à toucher mes affaires !

Il n'est pas rasé ; ses yeux bleus étincellent dans une figure couleur betterave.

— Vous... vous avez raison... je suis désolé, j'ai eu tort...

— Écoute, l'emmerdeur, je me plaisais bien ici, avant ton arrivée. En plus, je suis de mauvais poil : un con m'a piqué mon eau, alors je te conseille de te tenir à carreau. J'ai beau être petit, je pourrais bien te dérouiller, figure-toi...

Mes yeux s'écarquillent. Je me reprends, mais pas assez vite.

Les siens deviennent comme deux meurtrières. Il parcourt du regard ma chemise, mes joues rasées de frais. Il flanque l'illustré sur son lit.

— ... Ah, merde ! T'en avais pas assez fait ?

— Pardon ! Je ne savais pas que c'était la vôtre ! August a dit que je pouvais en disposer...

— Il a dit aussi que tu pouvais fouiller dans mes affaires ?

— Euh... non.

Il rassemble ses livres et les remet sur la caisse.

– Kinko – Walter ! – excusez-moi...

– Pour toi, c'est Kinko. Seuls mes amis m'appellent Walter.

Je vais m'affaler sur ma couverture. Kinko aide sa chienne à grimper sur le lit et s'allonge à côté d'elle. Son regard est fixé au plafond et je ne serais pas étonné de voir les lattes entrer en combustion.

Bientôt, le train repart. Quelques dizaines d'hommes en colère nous pourchassent avec des fourches et des battes de base-ball, mais je soupçonne que c'est surtout pour avoir une anecdote à raconter, ce soir, à la maison. S'ils avaient réellement cherché la bagarre, ils auraient eu tout le temps d'agir avant notre départ.

Je me mets à leur place – leurs femmes et leurs enfants avaient attendu notre venue avec impatience, et eux-mêmes avaient sans doute entendu parler d'un autre genre de distraction proposé plus discrètement. Et voilà qu'au lieu de goûter aux charmes de la superbe Barbara, ils devront se contenter de leurs illustrés pornographiques. On peut comprendre qu'ils fulminent.

Kinko et moi restons murés dans un silence hostile, tandis que le train prend de la vitesse. Étendu sur son grabat, il lit. Queenie a posé sa tête sur ses chaussettes. En général, elle dort, mais quand elle ne dort pas, elle me guette. Je suis assis sur ma couverture, harassé mais pas au point de m'allonger et d'endurer l'infâme attaque de la vermine.

À l'heure qui devrait être celle du dîner, je me lève et m'étire. Kinko me lance un bref coup d'œil par-dessus son livre avant de reprendre sa lecture.

Je vais du côté des chevaux et reste là, à contempler l'alternance de dos noirs ou blancs. Quand on les a fait remonter, on les a déplacés afin de permettre à Silver Star de bénéficier d'un espace équivalent à celui de quatre stalles. Bien qu'ils ne soient plus à la même place, ils n'ont pas l'air perturbé, sans doute parce que l'ordre a été respecté. Les noms gravés sur les poteaux ne correspondent plus à leur occupant, mais je devine à peu près qui est qui. Le quatrième, c'est Blackie. Je me demande si sa personnalité est en rapport avec celle de son homonyme humain.

Je ne vois pas Silver Star ; il doit donc être couché. C'est à la fois bien et mal ; bien, parce qu'il évite ainsi de fatiguer ses pieds, mal parce que cela signifie qu'il souffre trop pour se tenir debout. La façon dont les stalles ont été construites fait que je ne pourrai pas aller m'occuper de lui avant le prochain arrêt.

Étant allé m'asseoir devant la porte ouverte, je regarde défiler le paysage jusqu'à la tombée de la nuit. Puis je m'allonge et m'endors.

Quelques minutes seulement semblent s'être écoulées, quand les freins grincent. Presque aussitôt, la porte du coin des chèvres s'ouvre et Kinko s'avance, avec sa chienne, dans ce qui nous sert de vestibule. L'épaule contre le mur, les mains au fond des poches, il m'ignore royalement. Quand le train finit par s'immobiliser, il saute sur la terre ferme, se retourne, tape deux fois dans ses mains. Queenie bondit alors dans ses bras et ils disparaissent.

Je me relève et jette un coup d'œil à l'extérieur.

Nous sommes sur une voie de garage, au milieu de nulle part. Les deux autres sections du train sont également arrêtées, un peu plus loin, séparées l'une de l'autre par une distance de huit cents mètres.

Des individus descendent dans le petit jour. Les artistes s'étirent, maussades, se regroupent pour parler et fumer tandis que les manœuvres installent les rampes et font descendre les bêtes.

August arrive avec ses hommes quelques minutes plus tard.

– Joe, tu t'occupes des singes. Pete, Otis, vous faites descendre et boire les bouffeurs de foin, OK ? Allez directement à la rivière. On économise l'eau.

— Mais ne faites pas descendre Silver Star..., dis-je.

Il y a un long silence. Les hommes me regardent d'abord, puis August, dont le regard s'est durci.

— Oui, dit-il enfin. En effet... ne le faites pas descendre.

Il tourne les talons et s'en va. Les autres me considèrent avec des mines effarées.

Je cours un peu pour le rattraper et me calque ensuite sur son pas décidé.

— Pardon, je ne voulais pas avoir l'air de donner un ordre...

Il s'arrête devant un wagon et fait coulisser la porte ; nous sommes accueillis par les grognements et protestations de dromadaires en détresse.

— Aucune importance, mon garçon, dit-il avec entrain, en me balançant un seau de viande. Tu m'aides à nourrir les chats ?

J'attrape la fine poignée en métal. Une nuée de mouches en colère s'en élève.

— Oh, Seigneur !

Je repose le seau et me détourne, pris de nausée, m'essuie les yeux.

— On ne va pas leur donner ça !

— Pourquoi ?

— C'est avarié !

Pas de réponse. Faisant volte-face, je découvre qu'il en a posé un second près de moi, avant de repartir. Un seau au bout de chaque bras, il remonte la voie à longues enjambées. Je me charge des miens et le rattrape.

— C'est infect ! Ils n'en voudront pas !

— Espérons que si. Sinon, il y aura des décisions pénibles à prendre.

— Ah... ?

111

– On est encore loin de Joliet et, hélas, il n'y a plus de chèvres.

Je suis trop abasourdi pour répondre.

Arrivé à la seconde section du convoi, August monte sur un wagon plat et relève les parois de deux cages à fauves. Il ouvre les cadenas, les laisse pendre aux portes, et saute sur le gravier.

– Vas-y ! dit-il en me donnant une bourrade dans le dos.

– Quoi ?

– C'est un seau chacun... Pressons !

Je grimpe à contrecœur sur la plate-forme. L'odeur d'urine est insoutenable. August me tend les seaux, l'un après l'autre. Je les dépose sur les planches patinées par les intempéries, tout en m'efforçant de ne pas respirer.

Il y a deux compartiments par cage : à ma gauche, deux lions. À ma droite, un tigre et une panthère. Tous les quatre sont massifs. Ils lèvent la tête, reniflent, les poils de leurs moustaches tressaillent.

– Eh bien, qu'est-ce que t'attends ?

– Comment on s'y prend ? On ouvre la grille et on balance le tout ?

– Si t'as une autre solution...

Le tigre se dresse, masse formidable de trois cents kilos, noir, orange, blanche. Sa tête est énorme, sa moustache longue. Il vient à la porte, tourne sur lui-même, s'éloigne. À son retour, il feule et donne un coup de patte au loquet. Le cadenas vibre contre les barreaux.

– Commence par Rex, dit August, me désignant les lions, qui eux aussi vont et viennent. C'est lui, à gauche.

Nettement plus petit que le tigre, Rex a des nœuds à la crinière et ses côtes saillent sous son pelage terne. Je me force à saisir le seau.

– Attends ! dit August, m'en indiquant un autre. Pas celui-ci... celui-là !

112

Je ne vois pas de différence, mais sachant déjà qu'il vaut mieux ne pas discuter, j'obéis.

Lorsque le fauve me voit avancer, il s'élance. Je me fige.

– Qu'est-ce qu'il y a, Jacob ?

Je me retourne. Il est hilare.

– Tu n'as pas peur de Rex, tout de même ? Ce joli petit minou... !

Rex fait une pause pour frotter sa fourrure miteuse aux barreaux.

Les doigts tremblants, j'ôte le cadenas et le pose à mes pieds, puis je soulève le seau et j'attends. Dès que Rex s'est écarté de la porte, je l'ouvre.

Je n'ai pas encore déversé la viande, que ses énormes mâchoires happent mon bras. Je hurle. Le seau tombe, projetant des tripes hachées à la ronde. Le fauve me lâche et se jette dessus.

Je ferme la porte, la bloque du genou tout en regardant si j'ai encore mon bras. Oui. Il est tout visqueux, et rouge comme si je m'étais ébouillanté, mais la peau n'est pas entamée. Quelques instants plus tard, je réalise que mon compagnon est en train de rire à gorge déployée.

– Ça va pas la tête ? Vous trouvez ça drôle ?

– Oui ! dit August, sans chercher à contenir son hilarité.

– Vous êtes barge !

Je saute à terre, regarde encore une fois mon bras, et pars comme une flèche.

– Jacob, attends ! s'écrie August en me rattrapant. Sois pas fâché... C'était pour rire !

– Pour rire ? J'ai failli perdre mon bras !

– Il n'a plus de dents...

Je m'arrête, fixant le ballast tout en digérant cette information. Puis je repars et, cette fois, August n'essaie pas de me suivre.

Furieux, je me dirige vers la rivière et m'agenouille à côté de deux types en train d'abreuver des zèbres. Une bête, prenant peur, se met à hennir et lance en l'air son museau rayé. Celui qui tient sa longe me jette une série de coups d'œil, tout en s'efforçant de maîtriser l'animal.

— Sapristi ! C'est quoi, du sang ?

Le sang des tripes – j'en ai été tout éclaboussé.

— Oui... C'était en nourrissant les chats.

— Ça va pas ? Vous voulez que je me prenne un coup de sabot ?

Je vais un peu plus loin, regardant en arrière pour voir si le zèbre s'est calmé. Puis je m'accroupis au bord de l'eau pour me nettoyer.

Pour finir, je reviens sur mes pas et marche jusqu'à la seconde section du train. Diamond Joe est monté sur un wagon plat, à côté d'une cage à chimpanzés. Les manches de sa chemise grise sont retroussées, révélant des bras musclés, velus. Assis sur leur derrière, les chimpanzés mangent des poignées de céréales et de fruits tout en nous surveillant de leurs prunelles veloutées.

— Un coup de main ? dis-je.

— Non. C'est presque fini. Il paraît qu'August t'a joué un tour, avec Rex ?

Je lève les yeux vers lui, prêt à me fâcher, mais il ne sourit pas.

— Méfie-toi, dit-il. Rex pourrait pas te bouffer le bras, mais Léo, si ! Tu peux me croire... Je sais pas pourquoi August t'a chargé de ça, d'ailleurs... Clive est le garçon de cage. Ou alors, il avait une bonne raison...

Il s'interrompt, passe la main à travers les barreaux pour toucher les doigts d'un chimpanzé avant de refermer la porte. Puis il saute à terre.

— Écoute, je le dirai pas deux fois. August est un drôle de type, et par là, je veux pas dire « marrant ». Sois sur tes gardes. Il n'aime pas qu'on conteste son autorité, et il a ses « bouffées », si tu vois ce que je veux dire.

— Je vois...

– Ça m'étonnerait – mais ça viendra... Hé, t'as mangé ?

– Non.

Il désigne l'Escadron Volant. Le long de la voie, on a dressé des tables.

– Le cuistot a bricolé un petit déjeuner. Et des paniers-repas. Oublie pas d'en prendre un, car ça veut sûrement dire qu'on s'arrêtera pas avant ce soir. Sois dans les premiers, pour être bien servi...

– Merci, Joe.

– Y a pas de quoi...

Je retourne au wagon avec mon panier-repas, qui contient un sandwich au jambon, une pomme et deux bouteilles de salsepareille. Voyant Marlène près de Silver Star, je le pose et m'approche doucement d'elle.

Silver Star est couché sur le côté ; son flanc se soulève. Il halète. Marlène est assise dans la paille, les jambes gracieusement repliées sous elle.

– Il n'y a pas d'amélioration, n'est-ce pas ? dit-elle en levant les yeux.

Je fais non de la tête.

– Comment ça a pu dégénérer ainsi...

Sa voix est fluette, sourde, et je réalise qu'elle va sans doute se mettre à pleurer.

Je m'accroupis à son côté.

– C'est la fatalité. Vous n'y êtes pour rien...

Elle lui caresse la tête, passe les doigts autour des joues creuses et sous le menton. Ses paupières papillotent.

– Que faire ?

– À part le sortir de ce train, rien. Les conditions seraient-elles plus favorables qu'il n'y aurait pas grand-chose d'autre à faire, sinon prier...

Elle me jette un coup d'œil, et y regarde à deux fois en découvrant l'état de mon bras.

– Seigneur ! Qu'est-ce qui vous est arrivé ?

Je baisse les yeux.

– Oh, ça... Rien.

– Rien ? dit-elle en se redressant.

Elle prend mon avant-bras et l'attire vers la lumière qui filtre par les lattes.

– C'est tout récent ! Vous allez avoir un sacré hématome... Ça fait mal ?

Sa main passe sur la tache bleue qui s'étale sous ma peau. Une main fraîche et douce – j'en ai la chair de poule.

Je ferme les yeux et déglutis avec effort.

– Non, vraiment, je...

Un coup de sifflet retentit, et elle regarde vers la porte. J'en profite pour dégager mon bras et me lever.

– Vin-in-in-in-ingt minutes ! beugle une voix grave, à l'avant du train. Vin-in-in-in-ingt minutes et on fout le camp !

Joe passe la tête.

– Allez ! Faut rentrer les bêtes ! Oh, pardon, m'dame ! dit-il en soulevant son chapeau. J'vous avais point vue...

– Ça va bien, Joe.

Il reste gauchement campé là.

– C'est qu'on doit s'y prendre maintenant...

– Allez-y ! Je vais faire le trajet avec Silver Star.

– Ce n'est pas possible ! dis-je.

Elle me regarde, toute pâle.

– Pourquoi donc ?

– Parce qu'une fois les chevaux là, vous serez bloquée.

– Aucune importance.

– Et s'il se passait quelque chose ?

– Il ne se passera rien. Et dans le cas contraire, je grimperai sur leurs dos.

Elle s'installe plus confortablement dans la paille, ramenant ses jambes sous elle.

– Vraiment ? dis-je, dubitatif.

Mais elle couve Silver Star d'un regard qui atteste de sa détermination.

Je considère Joe, qui lève les mains, excédé, et capitule.

Après un dernier regard à Marlène, je repousse la porte de la stalle et aide à rentrer les chevaux.

Diamond Joe avait raison de me dire de penser au panier-repas. On ne s'arrête qu'en début de soirée.

Kinko et moi n'avons pas échangé un mot depuis Saratoga Springs. Il me déteste, c'est clair. Je ne peux pas lui en vouloir – August a tout fait pour, et je sais bien, hélas, que ça ne servirait à rien de le lui expliquer.

Je reste à côté, avec les chevaux, pour respecter son intimité – et aussi parce que je n'aime guère savoir Marlène bloquée au bout d'un alignement de grosses bêtes qui pourraient l'écraser.

Lorsque le train s'arrête, elle grimpe avec agilité par-dessus leurs dos et se laisse choir à terre. Émergeant de sa chambre, Kinko prend d'abord un air paniqué, puis il l'aperçoit et son regard se détourne vers la porte ouverte avec une indifférence étudiée.

Pete, Otis et moi faisons descendre et abreuvons la cavalerie, les chameaux et les lamas. Diamond Joe, Clive ainsi qu'une poignée de garçons de cage vont vers la seconde section du convoi s'occuper des fauves. August reste invisible.

Une fois les animaux de nouveau à bord, je grimpe dans le wagon à bestiaux et passe la tête dans la chambre.

Kinko est assis en tailleur sur son lit. Queenie renifle un sac de couchage qui a remplacé l'infecte couverture de paddock. Dessus, il y a une couverture rouge soigneusement pliée ainsi qu'un oreiller dans sa taie blanche et repassée ; au milieu, est posé un bristol. Quand je me penche pour le prendre, Queenie bondit comme si je l'avais frappée.

M. et Mme August Rosenbluth
seraient heureux de vous recevoir dès maintenant,
cabine 3, wagon 48,
pour un cocktail suivi d'un souper

Je n'en crois pas mes yeux. Kinko me foudroie du regard.
– On a pas perdu de temps pour s'insinuer dans les bonnes grâces du chef, hein ? me lance-t-il.

7

LES VOITURES N'ÉTANT PAS NUMÉROTÉES dans l'ordre, je mets un certain temps à trouver la 48. Elle est de couleur bordeaux, agrémentée de grandes lettres d'or : FRÈRES BENZINI – LE PLUS GRAND SPECTACLE DU MONDE. Dessous, visible seulement en relief sous la peinture récente, un autre nom : CIRQUE – FRÈRES CHRISTY.

– Jacob !

La voix de Marlène flotte, issue d'une fenêtre ; quelques secondes plus tard, elle apparaît sur la plate-forme, penchée au-dessus de la rambarde, sa jupe vole.

– Jacob ! Oh, je suis bien contente que vous ayez pu venir. Entrez donc !

– Merci, dis-je en regardant autour de moi.

Je grimpe et la suis, dans le couloir puis derrière une seconde porte.

Pour une cabine de luxe, c'est une cabine de luxe ! Elle représente la moitié de la voiture et comporte au moins une pièce supplémentaire, cachée par une lourde tenture en velours. La pièce principale, lambrissée de ronce de noyer, est dotée de fauteuils à ramages, d'une petite salle à manger et d'une kitchenette.

– Mettez-vous à l'aise, dit Marlène en me désignant un fauteuil. August arrive...

120

– Merci.

Elle prend place en face de moi.

– Oh ! dit-elle, faisant un bond. Quelle maîtresse de maison je fais ! Une bière ?

– Merci. C'est bien aimable à vous...

Elle se précipite vers une glacière.

– Madame Rosenbluth, je peux vous poser une question ?

– Oh, appelez-moi Marlène ! dit-elle en décapsulant la bouteille.

Elle incline un grand verre et fait lentement couler la bière sur la paroi, pour éviter la formation d'un faux-col.

– Bien sûr, dites...

Elle me tend le verre et va en chercher un autre.

– Comment se fait-il qu'il y ait autant d'alcool à bord ?

– On se rend toujours au Canada en début de saison, dit-elle en se rasseyant. Leur législation est bien plus civilisée... À la vôtre !

Je trinque avec elle et prends une gorgée – une blonde allemande bien fraîche. Un délice !

– Les douaniers ne vous contrôlent pas, à la frontière ?

– On planque l'alcool parmi les chameaux.

– Pardon, je ne vois pas...

– Un chameau, ça crache !

Je manque expulser ma bière par les narines. Elle glousse, elle aussi, et met la main à sa bouche avec une modestie affectée. Puis elle soupire et repose son verre.

– Jacob... ?

– Oui ?

– August m'a dit ce qui s'était passé, ce matin.

Je regarde brièvement mon bras meurtri.

– Il est très malheureux. Il vous aime bien. C'est vrai. Seulement, il est... c'est compliqué.

Elle baisse les yeux, en rougissant.

– Hé, ce n'est rien ! dis-je. Je suis entier...

– Jacob ! s'écrie August dans mon dos. Mon cher ami !

Content que tu aies pu participer à notre petite sauterie. Je vois que Marlène t'a servi un verre. T'a-t-elle montré le dressing ?

– Le dressing... ?

– Marlène ! dit-il en se tournant vers elle – il secoue la tête tristement, agite un doigt pour la réprimander. *Tsss-tss*, chérie...

– Oh, dit-elle en sautant sur ses pieds. J'avais complètement oublié !

August va vers la tenture de velours et l'écarte d'un geste théâtral.

– Abracadabra !

Il y a trois tenues étalées côte à côte, sur le lit. Deux smokings avec leurs souliers vernis, et une magnifique robe rose en soie, garnie de perles au col et en bas.

Marlène pousse un cri ravi, bat des mains. Elle se rue sur le lit pour s'emparer de la robe, qu'elle presse contre son corps avant de tournoyer sur elle-même.

Je me tourne vers August.

– Ce n'est pas l'« Homme du Lundi » qui... ?

– Un smoking sur une corde à linge ? Non ! Le maître-écuyer jouit tout de même de quelques privilèges... Tu peux te changer ici, dit-il en désignant une porte vernie. Marlène et moi, on va le faire ici. On n'a plus rien à se cacher – pas vrai, chérie ?

Elle attrape un escarpin de soie rose par le talon et lui en flanque un coup.

La dernière chose que je vois, en refermant la porte de la salle de bains, c'est une mêlée de pieds basculant sur le lit.

À mon retour, Marlène et August sont la dignité incarnée et se tiennent en retrait tandis que trois serveurs en gants blancs s'affairent autour d'une petite table roulante et de plats coiffés de cloches en argent.

La robe de Marlène couvre à peine ses épaules, expose ses salières et une fine bretelle de soutien-gorge. Elle croise mon regard et cache cette bretelle sous l'étoffe, rougissant de nouveau.

Le dîner est sublime : la bisque d'huîtres est suivie d'une côte de bœuf servie avec des pommes à l'anglaise et des asperges à la crème. Puis, vient la salade de homard. À l'heure où le dessert paraît – plum-pudding au cognac – je me sens incapable de prendre une autre bouchée. Pourtant, quelques minutes plus tard, je me surprends à racler mon assiette à la cuillère.

– On dirait que Jacob ne trouve pas le dîner assez copieux..., dit August avec une nonchalance affectée.

Je me fige.

Là, tous deux éclatent de rire. Je repose ma cuillère, vexé.

– Non, non, mon vieux ! Je blaguais – évidemment !

Il se penche pour me tapoter la main.

– Mange ! Profite... Tiens, ressers-toi.

– Non, je suis calé...

– Alors, prends encore un peu de vin, dit-il en me servant sans attendre ma réponse.

Il est affable, charmant, facétieux – au point que, la soirée se déroulant, j'en viens à croire que l'incident avec Rex n'était qu'une plaisanterie qui aurait pu mal tourner. L'alcool et l'émotion font rutiler son visage tandis qu'il me raconte comment il a courtisé Marlène. Comment il avait deviné qu'elle était faite pour les chevaux dès qu'elle était entrée dans la ménagerie, il y a trois ans de cela – c'étaient les chevaux eux-mêmes qui le lui avaient indiqué. Et comment, au grand désespoir d'Oncle Al, il avait refusé de bouger tant qu'il ne l'aurait pas enlevée et épousée.

– Ça n'a pas été tout seul, dit-il, vidant le fond de la bouteille de champagne dans mon verre avant d'en prendre une autre. Marlène avait sa fierté et, en outre, elle était quasi fiancée, à l'époque – mais c'était nettement mieux que d'être l'épouse d'un banquier guindé, n'est-ce pas, chérie... ? De toute façon, elle était faite pour cela. Le dressage des chevaux en liberté n'est pas à la portée de tout le monde. C'est un don, un sixième sens, si tu préfères... Cette fille parle aux chevaux, et, crois-moi, ils l'écoutent !

Quatre heures et six bouteilles de champagne plus tard, ils dansent sur un air de jazz, tandis que je paresse dans un fauteuil, la jambe droite sur l'accoudoir. August fait tournoyer Marlène puis s'arrête, la tenant au bout de son bras tendu. Il tangue ; ses cheveux noirs sont ébouriffés. Son nœud papillon est dénoué, son col déboutonné. Il la dévisage avec une intensité telle qu'on dirait un autre homme.

– Quoi ? dit Marlène. Auggie ? Ça va ?

Il continue à la dévisager, tête inclinée sur l'épaule comme s'il la jaugeait. Sa lèvre se retrousse. Il se met à hocher la tête, lentement, presque imperceptiblement.

Les yeux de Marlène s'écarquillent. Elle tente de reculer, mais il lui saisit le menton.

Je rectifie la position, soudain aux aguets.

August la dévisage encore, les yeux luisants et durs, puis son visage se transforme de nouveau, devient si mou qu'on dirait, sur le moment, qu'il va fondre en larmes. Il la tire par le menton et l'embrasse à pleine bouche ; après quoi il se dirige vers la chambre et tombe comme une masse sur le lit.

– Excusez-moi..., dit Marlène.

Elle entre à son tour dans la chambre et le fait rouler sur lui-même ; il est à présent étalé au milieu du lit. Ensuite, elle lui ôte ses chaussures et les flanque par terre. Quand elle revient, elle tire le rideau, puis, se ravisant, le rouvre, coupe la radio et s'assoit en face de moi.

Un ronflement phénoménal se fait entendre.

Ma tête bourdonne. Je suis fin soûl.

– Que s'est-il passé ? dis-je.

– Quoi ?

Elle se déchausse, croise les jambes et se penche pour se masser la plante des pieds. Les doigts d'August ont laissé des marques rouges sur son menton.

— Ça ! À l'instant... pendant que vous dansiez !

Elle me lance un regard aigu. Son visage se contracte, et j'ai peur qu'elle se mette à pleurer, mais elle se tourne vers la fenêtre et pose un doigt sur ses lèvres. Une minute durant, elle garde le silence.

— Il faut comprendre une chose à propos de Auggie, dit-elle, et je ne sais pas très bien comment l'expliquer...

Je me penche en avant.

— Essayez...

— Il est... lunatique. Ce peut être le plus charmant des hommes, comme ce soir...

— Et puis... ?

Elle se renverse dans son fauteuil.

— Et puis il a... des crises. Comme aujourd'hui.

— Quoi, aujourd'hui ?

— Il a failli vous donner en pâture aux lions.

— Oh, *ça* ! Je ne peux pas dire que ça m'ait plu, mais c'était sans danger : Rex n'a plus de dents.

— Certes, mais il pèse deux cents kilos et il a des griffes, dit-elle doucement.

Je pose mon verre sur la table, réalisant l'énormité de la chose. Marlène observe un silence, puis croise mon regard.

— Jankowsky, c'est un nom polonais, n'est-ce pas ?

— Oui, bien sûr.

— En général, les Polonais n'aiment pas les Juifs.

— J'ignorais que August était juif...

— Avec un nom comme Rosenbluth ?

Elle contemple ses doigts, les tord sur ses genoux.

— Ma famille est catholique. Elle m'a déshéritée quand elle a su...

— Je suis désolé. Même si cela ne m'étonne pas.

Elle me lance un regard vif.

— Je ne le disais pas dans ce sens-là... Je ne suis pas... comme ça.

Un silence gênant s'installe entre nous.

– Alors, pourquoi m'avoir invité ? dis-je enfin.

Mon cerveau embrumé est incapable d'analyser tout cela.

– Je voulais arrondir les angles.

– Vous ? Lui, il ne voulait pas de moi ?

– Oh, si ! Il désirait se rabibocher avec vous, mais c'est difficile pour lui : il ne peut s'empêcher d'avoir ces crises. Ça l'embarrasse. Le mieux, pour nous, est de faire comme si de rien n'était...

Elle renifle et m'adresse un sourire tendu.

– D'ailleurs, on s'est bien amusés, n'est-ce pas ?

– Oui, ce repas était merveilleux. Merci.

Tandis qu'un autre silence nous engloutit, je m'aperçois que, sauf à vouloir sauter de wagon en wagon en état d'ébriété et au beau milieu de la nuit, je vais devoir dormir ici.

– Jacob, je veux que ce soit bien clair entre nous : August est enchanté de vous avoir. Oncle Al aussi.

– Pourquoi donc ?

– Oncle Al était ulcéré de n'avoir pas de véto – et voilà qu'il lui en tombe un du ciel, un ex-élève d'une grande école prestigieuse, qui plus est !

– Je ne comprends toujours pas...

– Barnum a un véto... et égaler Barnum, c'est le bonheur pour Oncle Al.

– Je croyais qu'il détestait Barnum.

– Mon cher, il rêve d'être à sa place !

Je renverse la tête en arrière et ferme les yeux, mais comme tout se met alors à tourner, je les rouvre et tâche de me concentrer sur les pieds qui pendent au bout du lit.

À mon réveil, le train est arrêté – ai-je réellement pu dormir malgré ces grincements de freins ? Le soleil brille par la fenêtre et j'ai des élancements au crâne. Mes yeux sont douloureux et j'ai dans la bouche comme un goût de vieille serpillière.

M'étant péniblement relevé, je jette un œil dans la chambre. August est pelotonné contre Marlène, un bras sur elle. Ils ont dormi sur le couvre-lit, tout habillés.

J'ai un certain succès lorsque je sors de la voiture 48, en smoking, mes vêtements ordinaires fourrés sous le bras. De ce côté du train, où la plupart des curieux sont des artistes, je suis considéré avec un demi-sourire. Au niveau des voitures-dortoirs, les regards se font plus durs, plus soupçonneux.

Je grimpe avec précaution dans le wagon à bestiaux et pousse la porte de la chambrette.

Kinko est assis au bord de son lit, un illustré porno dans une main, son pénis dans l'autre. Il s'interrompt dans sa besogne – le gland violacé et luisant darde au-dessus de son poing. Il y a un silence, puis une vieille bouteille de Coca-Cola vole au-dessus de ma tête. J'esquive.

– Sors ! hurle-t-il, au moment où elle explose contre le chambranle derrière moi.

Il saute sur ses pieds, faisant ballotter violemment son sexe.

– Fous le camp !

Il me jette une autre bouteille.

Je pivote sur moi-même, lâchant mes hardes pour protéger ma tête. J'entends une fermeture Éclair coulisser, et une seconde plus tard les œuvres complètes de Shakespeare s'écrasent contre le mur.

– OK, OK ! Je m'en vais !

Ayant refermé la porte derrière moi, je m'adosse au mur. Les jurons pleuvent dru.

Otis apparaît au-dehors. Il considère la porte fermée d'un air inquiet, puis hausse les épaules.

– Hé, la gravure de mode, tu viens pas nous donner un coup de main ?

– Si, bien sûr...

Je saute à terre.

Il me contemple.

– Quoi ? dis-je.

127

— T'ôtes pas ton costume de pingouin, d'abord ?

Je jette un coup d'œil en arrière. Quelque chose de lourd vient de s'écraser contre la cloison intérieure.

— Euh... non. Pas pour le moment.

— Comme tu veux. Clive a nettoyé les cages des chats. Il veut qu'on apporte la viande.

Ce matin, il y a encore plus de raffut dans le wagon des chameaux.

— Ces bêtes-là aiment pas voyager avec de la bidoche, dit Otis. J'aimerais bien qu'elles se calment... on a encore du chemin à faire.

J'ouvre la porte coulissante. Des nuées de mouches me sautent à la figure. J'aperçois les asticots au moment même où la puanteur me frappe. Je parviens à faire quelques pas en arrière avant de vomir. Otis me rejoint, se plie en deux, les mains au ventre.

Une fois qu'il a fini, il prend quelques inspirations profondes et tire un mouchoir crasseux de sa poche, qu'il plaque sur sa bouche et son nez, avant de revenir sur ses pas. Je le vois attraper un seau, courir vers un rideau d'arbres, et en balancer le contenu. Il retient son souffle, le temps d'être à mi-chemin, puis s'arrête, se penche, les mains en appui sur ses genoux, comme asphyxié.

J'essaie d'aider, mais chaque fois que je m'approche, ce sont de nouvelles crampes d'estomac.

— Désolé, dis-je en le voyant revenir... je ne peux pas. Je ne peux pas !

Il me lance un regard mauvais.

— Je suis H.S., dis-je, ressentant le besoin de me justifier. J'ai trop bu hier.

— Ça se voit ! Assieds-toi, la gravure de mode... Je m'occupe de tout.

Il va jeter le reste de la viande au même endroit. Le tas est grouillant de mouches.

Nous laissons la porte du wagon grande ouverte, mais il est clair qu'aérer ne suffira pas.

Chameaux et lamas sont sortis et attachés un peu plus loin, au bord de la voie. Puis on balance de l'eau sur le plancher, utilisant des balais-brosses pour chasser la matière visqueuse qui en résulte. La puanteur est toujours atroce, mais on ne peut pas faire plus.

Après avoir soigné les autres bêtes, je retourne à mon wagon. Silver Star est couché sur le flanc, et Marlène est agenouillée auprès de lui. Elle porte encore la robe rose d'hier. Je traverse la longue succession de stalles ouvertes afin de la rejoindre.

Les yeux de la pauvre bête sont à peine ouverts. Elle tressaille et grogne, en réaction à un invisible stimulus.

— Ça empire, dit-elle, sans me regarder.

— ... Oui.

— Y a-t-il une chance qu'il se remette ? Une chance sur mille ?

J'hésite, car ce qui est au bout de ma langue est un mensonge, et je n'ai pas le courage de le proférer.

— Tu peux me dire la vérité. J'ai le droit de savoir.

— Non. Aucune.

Elle pose la main sur son encolure.

— En ce cas, promets-moi que ce sera rapide. Je ne veux pas qu'il souffre.

Je comprends ce qu'elle me demande, et ferme les yeux.

— C'est promis.

Elle se relève, le contemple. Son stoïcisme m'émerveille, quand un étrange gargouillis se fait entendre ; il est suivi d'un gémissement, et la voilà qui pousse un long hurlement. Elle ne tente même pas d'essuyer les larmes qui roulent sur ses joues, mais se contente de se tenir les bras, les épaules secouées de sanglots, manquant d'air. On dirait qu'elle va s'effondrer sur elle-même.

Quelle horreur ! Je n'ai pas de sœur et, s'il m'est arrivé de consoler des femmes, c'était toujours sur des sujets bien moins graves. Après quelques instants d'indécision, je pose la main sur son épaule.

Elle se tourne et s'affale contre moi, pressant sa joue humide contre ma belle chemise blanche – enfin, celle d'August. Je lui masse le dos, en faisant des *chut-chut*, jusqu'à ce que des hoquets remplacent les gros sanglots. Puis elle se détache de moi.

Ses yeux et son nez sont enflés et roses. Sa figure est toute barbouillée. Elle renifle, essuie les cils de ses paupières inférieures du revers de chaque main, comme si c'était d'une quelconque utilité, puis elle redresse les épaules et part sans un regard en arrière, faisant sonner ses talons hauts sur toute la longueur du wagon.

– August ! dis-je, en me baissant pour le secouer par l'épaule.

Il a autant de réactions qu'un cadavre.

Je me penche pour lui hurler à l'oreille :

– August !

Il grogne, irrité.

– August ! Réveille-toi !

Finalement, il bouge, se retourne et pose une main sur ses yeux.

– Seigneur ! Ma tête va éclater. Tire ce rideau, veux-tu ?

– Tu as une arme ?

Sa main retombe ; il se redresse sur son séant.

– Quoi ?

– Je dois abattre Silver Star.

– Pas question.

– Il le faut.

– Tu as entendu Oncle Al. S'il arrive quoi que ce soit à cette bête, tu sera balancé...

– On balance vraiment des gens de ce train ?

– En marche ! Et en vue des feux d'un dépôt, si tu as de la chance, pour que tu puisses trouver le chemin de la ville. Sinon, tu peux seulement espérer qu'on n'ouvrira pas la porte au niveau d'un pont...

La remarque de Camel sur son éventuel rendez-vous avec Blackie prend soudain un sens – ainsi que divers commentaires consécutifs à ma première entrevue avec Oncle Al.

– En ce cas, je resterai ici quand le train repartira. De toute façon, ce cheval doit être abattu.

August me contemple, les yeux cernés.

– Merde..., lâche-t-il enfin.

Il balance les pieds de façon à se retrouver assis au bord du lit, frotte ses joues bleuâtres.

– Marlène est au courant ? dit-il en se penchant pour gratter ses orteils à travers ses chaussettes noires.

– Oui.

– Misère...

Il se lève, porte la main à sa tête.

– Al va piquer sa crise. Bon, on se retrouve là-bas dans quelques minutes. J'aurai la carabine.

Je m'apprête à repartir.

– Oh... Jacob ?

– Oui ?

– Ôte d'abord *mon* smoking, veux-tu ?

Quand j'arrive au wagon, la porte intérieure est ouverte. Je passe la tête, non sans une certaine inquiétude, mais Kinko n'est plus là et j'en profite pour aller me changer. Quelques minutes plus tard, August se pointe avec une carabine.

– Voici ! dit-il en montant par la rampe ; il me tend l'arme et met deux cartouches dans ma paume.

Je glisse l'une dans ma poche.

— Une suffira...

— Et si tu ratais ton coup ?

— À bout portant... ?

Il me contemple, puis reprend la seconde cartouche.

— OK. Emmène-le assez loin pour faire ça...

— Tu plaisantes ? Il ne tient pas sur ses jambes.

— Tu ne peux pas le faire ici. Les autres chevaux sont là...

Je me contente de le regarder.

— Merde ! dit-il enfin.

Il se retourne et s'appuie au mur, pianotant sur les lattes.

— Bon, OK.

Il va à la porte.

— Otis ! Joe ! Éloignez les chevaux. Emmenez-les au moins jusqu'à la seconde section du train.

On entend quelqu'un râler à l'extérieur.

— Oui, je sais. Mais ils devront attendre. Ouais, je sais bien. J'irai parler à Al, lui dire qu'on a eu une petite... complication.

De nouveau, il se tourne vers moi.

— Je vais trouver Al.

— Tu as intérêt à trouver Marlène aussi...

— Tu m'avais dit qu'elle savait... ?

— Oui, mais je ne veux pas qu'elle soit seule quand elle entendra la détonation...

Il me regarde longuement – un regard dur. Puis il descend lourdement la rampe, plantant ses pieds avec une telle force que les planches ploient.

J'attends quinze minutes, tant pour laisser à August le temps de trouver Oncle Al et Marlène, que pour permettre aux hommes d'éloigner suffisamment les autres bêtes.

Enfin, je saisis la carabine, glisse la cartouche dans la chambre et arme la culasse. Le museau de Silver Star est pressé contre le fond de sa stalle, ses oreilles tressaillent. Je me penche et passe les doigts sur son encolure. Puis, je place le canon sous son oreille et appuie sur la détente.

Le coup est assourdissant et la crosse recule dans mon épaule. Silver Star se raidit, dans un ultime spasme musculaire, avant de retomber, inerte. Au loin, j'entends un hennissement désespéré.

Mes oreilles bourdonnent quand je descends du wagon, mais à part cela il règne un silence surnaturel. Un petit attroupement s'est formé. Les gens restent là, la mine défaite. Un homme se découvre et serre son chapeau sur sa poitrine.

Je fais quelques pas, grimpe sur le talus herbeux et m'assieds en me massant l'épaule.

Otis, Pete et Earl pénètrent dans le wagon et en ressortent, traînant le corps inanimé de Silver Star par une corde. Son ventre semble énorme et vulnérable – une étendue neigeuse, qui contraste avec le noir des parties génitales. Sa tête semble acquiescer chaque fois qu'on tire sur la corde.

Pendant presque une heure, je reste là, à regarder l'herbe entre mes pieds. J'en arrache quelques brins et les roule entre mes doigts, en me demandant ce qu'on attend pour repartir.

Au bout d'un moment, August s'approche. Il m'observe, se penche pour ramasser la carabine. Je ne m'étais pas rendu compte que je l'avais emportée.

– Viens, mon vieux... Ou bien on va partir sans toi.

– Je vais rester.

– T'inquiète pas – j'ai parlé à Al, tu ne seras pas balancé en route. Tout va bien.

J'observe, maussade, le sol. Au bout d'un moment, August s'assied à mon côté.

– Ça ne va pas ? me dit-il.

– Et Marlène ?

Il repêche un paquet de Camel dans sa poche de chemise, le secoue, m'offre celle qui dépasse du paquet.

– Non, merci...

— C'est la première fois que tu abattais un cheval ? dit-il en cueillant la cigarette avec ses dents.

— Non, mais ça ne m'amuse pas pour autant...

— Ça fait partie du métier de véto.

— Que je ne suis pas, légalement parlant...

— Tu as raté tes examens... et alors ?

— Ça fait toute la différence.

— Non. Un diplôme n'est jamais qu'un bout de papier – et ici, ça n'a aucune importance. Dans un cirque, les règles sont différentes.

— Comment ça ?

Il me désigne le train.

— Dis-moi, crois-tu vraiment que ce soit le plus grand spectacle du monde ?

Je ne réponds pas.

— Eh bien ? dit-il en me donnant un coup d'épaule.

— Je ne sais pas.

— Tu parles ! On en est loin ! On marche au tiers des capacités de Barnum. Tu sais déjà que Marlène n'est pas une princesse roumaine. Quant à Lucinda... ? Elle est loin de faire quatre cents quarante kilos, plutôt deux cents, tout au plus. Et crois-tu vraiment que Frank Otto ait été tatoué par les cannibales de Bornéo ? Tu parles ! Il plantait des piquets avec les gars de l'Escadron Volant... Ses tatouages sont le fruit de neuf années de travail ; et tu veux savoir ce qu'a fait Oncle Al, quand l'hippopotame est mort ? Il l'a mis dans du formol pour pouvoir continuer à l'exhiber. Pendant deux semaines, on a voyagé avec un hippopotame en bocal... ! Tout n'est qu'illusion, Jacob, et c'est très bien ainsi. C'est ce qu'on nous demande, ce qu'on attend de nous.

Il se remet debout et me tend la main. Au bout d'un moment, je la prends.

Nous retournons au train.

— Au fait, August..., dis-je. j'allais oublier : les chats n'ont pas mangé. On a dû jeter la viande.

– Te bile pas. On s'en est déjà occupé.
– Comment ça, « occupé » ?
Je m'arrête net.
– August ? Qu'est-ce que ça veut dire ?
Il continue à avancer, la carabine en bandoulière.

8

RÉVEILLEZ-VOUS, monsieur Jankowsky. Vous avez fait un mauvais rêve...

Mes yeux s'ouvrent. Où suis-je ?

Oh, enfer et damnation !

– Je ne rêvais pas..., dis-je.

– En tout cas, vous parliez dans votre sommeil...

C'est, de nouveau, la jeune et gentille Noire. Pourquoi ai-je tant de mal à me rappeler son prénom ?

– C'était à propos de chats... Au fait, qu'est-ce qui leur a pris de vous coller ça ?

Elle détache mes menottes fermées par du Velcro.

– Vous n'avez pas essayé de vous sauver, n'est-ce pas ?

– Non. J'ai eu l'audace de me plaindre de la bouillie pour bébé qu'on nous sert à table...

Je lui jette un regard oblique.

– ... et puis, mon assiette a comme dérapé et elle est tombée par terre...

Elle s'arrête pour me considérer, puis éclate de rire.

– Vous êtes intenable, vous ! dit-elle en massant mes poignets entre ses mains chaudes. Oh, Seigneur...

Ça me revient tout à coup : Rosemary ! Je ne suis pas sénile, après tout.

Rosemary. Rosemary. Rosemary.

Il faudrait trouver le moyen de le graver dans ma mémoire. Je m'en suis souvenu ce matin, mais il n'est pas dit qu'il en sera de même demain, ou même plus tard dans la journée.

Elle va à la fenêtre et tire les stores.

— S'il vous plaît... ? dis-je.

— S'il vous plaît... quoi ?

— Dites-moi si je me trompe : n'est-ce pas ici ma chambre ? Et si moi je ne voulais pas qu'on tire les stores ? Ça commence à m'agacer, tous ces gens qui croient savoir mieux que moi ce que je désire.

Rosemary me regarde d'un air songeur, puis lâche les stores et quitte d'un pas vif la pièce, laissant la porte claquer. J'en reste bouche bée.

Quelques instants plus tard, on frappe trois coups à la porte, qui s'entrouvre.

— Bonjour, monsieur Jankowsky, puis-je entrer ?

À quoi joue-t-elle ?

— ... puis-je entrer ?

— Bien entendu !

— Merci bien, dit-elle en allant se camper au pied de mon lit. À présent, faut-il tirer les stores, pour laisser entrer le soleil du Bon Dieu, ou préférez-vous passer la journée dans le noir ?

— Oh, allez donc les tirer, et cessez ces simagrées !

— Ce ne sont pas des simagrées, dit-elle en allant s'occuper des stores. Pas du tout. Je n'avais jamais vu les choses ainsi, et je vous remercie de m'avoir ouvert les yeux.

Se moque-t-elle de moi ? J'examine son visage, à la recherche d'un indice.

— Ai-je raison de croire que vous désirez prendre votre petit déjeuner dans votre chambre ?

Je ne réponds pas, et je ne sais toujours pas si elle se fiche de moi. Ce point pourrait tout de même être noté sur ma fiche — elles me posent cette maudite question tous les matins ! Certes, je préférerais prendre mon petit déjeuner dans la salle à manger. Manger au lit me donne l'impression d'être un invalide. Mais le petit déjeuner succède au changement de couches, et les odeurs nauséabondes qui envahissent le couloir me donnent la nausée. C'est seulement une fois que tous les incontinents ont été lavés, nourris et parqués dans le couloir qu'on peut sortir en toute sécurité.

— Si vous voulez qu'on fasse les choses à votre façon, monsieur Jankowsky, il faut nous donner des indications...

— Oui. S'il vous plaît. Je le prendrai ici.

— Très bien. Vous prendrez votre douche avant ou après le petit déjeuner ?

— Qu'est-ce qui vous fait croire que j'ai besoin d'une douche ? dis-je, offensé, quoique ignorant s'il serait sage de m'en passer.

— C'est le jour où votre famille vient, dit-elle avec un grand sourire. Et j'ai pensé que vous aimeriez être propre comme un sou neuf pour sortir cet après-midi.

Sortir ? Ah, oui ! Le cirque. Je dois dire que me réveiller deux jours d'affilée avec la perspective d'aller au cirque fut chose plaisante.

— Je crois que je prendrai d'abord mon petit déjeuner, disje, aimablement.

Un des phénomènes les plus humiliants quand on a mon âge, c'est qu'on veut absolument vous aider à faire votre toilette ou à aller aux cabinets.

Je n'ai pas besoin d'aide, mais on a si peur que je me casse de nouveau la hanche en glissant que j'ai un chaperon, que ça me plaise ou non. Je mets un point d'honneur à me rendre tout seul à la salle d'eau, mais il y a toujours quelqu'un là, par mesure de précaution, et Dieu sait pourquoi c'est toujours une femme. Je la prie de se retourner pendant que j'ôte mon falzar et que je m'assieds sur le trône, et je la fais sortir le temps de finir mon affaire.

La toilette, c'est encore plus gênant car je dois me mettre dans le plus simple appareil devant une aide-soignante. Un homme reste toujours un homme et, bien que nonagénaire, j'ai parfois des montées de sève. C'est incontrôlable. Elles font toujours semblant de ne pas s'en apercevoir. On les a formées pour cela, j'imagine, même si c'est pire que tout, ce dédain. Cela signifie qu'elles ne voient en moi qu'un inoffensif vieux bonhomme exhibant un inoffensif vieux pénis qui a, de temps à autres, la folie des grandeurs. Évidemment, si l'une d'elles prenait cela au sérieux et passait à l'action, le choc me tuerait, sans doute.

Rosemary m'aide à pénétrer dans la cabine de douche.

— Tenez-vous à cette barre-là...

— Je sais, je sais, ce n'est pas la première fois ! dis-je en agrippant la barre avant de m'asseoir sur le siège.

Rosemary descend le pommeau le long du support pour le mettre à ma portée.

— Pas trop chaud, monsieur Jankowsky ? me demande-t-elle, passant la main sous le jet et regardant discrètement ailleurs.

— Ça va. Donnez-moi le shampooing et attendez dehors, je vous prie.

— Eh bien, monsieur Jankowsky, vous êtes d'une humeur exécrable, aujourd'hui !

Elle débouche le flacon, verse quelques gouttes de shampooing dans ma paume. C'est bien suffisant : il ne me reste plus qu'une dizaine de tifs.

— Si vous avez besoin de quoi que ce soit, criez ! dit-elle en rabattant le rideau. Je serai à côté.

— *Hum...*

Une fois seul, je profite de ce moment. Je décroche le pommeau pour m'asperger de très près, le braque sur mes épaules, mon dos, mes membres grêles. Je renverse même ma tête en arrière, et ferme les yeux, pour exposer mon visage à ce mitraillage. J'imagine que c'est la mousson et je secoue la tête – délectable... J'apprécie même ce que ça fait au bas-ventre, à ce petit serpent rose et fripé qui a tout de même engendré cinq enfants, jadis.

Parfois, quand je suis au lit, je ferme les yeux et je me rappelle l'aspect – et surtout la douceur – d'un corps de femme. En général, celui de mon épouse, mais pas toujours. J'ai été d'une fidélité absolue : pas une seule fois je ne l'ai trompée, en soixante ans de mariage, sauf en imagination, et je crois qu'elle m'aurait pardonné cela. C'était une femme extraordinairement compréhensive.

Doux Jésus, comme elle me manque ! Et pas seulement parce que, si elle était encore en vie, je ne serais pas dans cet établissement. Malgré notre commune décrépitude, on aurait veillé l'un sur l'autre, comme toujours. Mais après sa disparition, comment lutter contre les enfants ? À la première chute, mon compte a été bon...

Enfin, papa, c'est une fracture de la hanche ! me disaient-ils, comme si je n'avais pas remarqué. J'ai résisté, menacé de leur couper les vivres, jusqu'au moment où j'ai réalisé que c'était déjà eux qui contrôlaient mon compte en banque. Ils ne me l'avaient pas rappelé, me laissant divaguer comme un vieux fou jusqu'à ce que ça me revienne, et j'en ai été encore plus fâché, car s'ils avaient eu le moindre respect pour moi, ils ne m'auraient pas laissé me ridiculiser ! Je me suis senti comme un petit enfant qu'on laisse brailler dans son coin, en attendant la fin de la crise.

Comprenant à quel point j'étais désarmé, j'ai commencé à transiger.

En effet, j'ai peut-être besoin d'aide. Quelqu'un pourrait venir dans la journée, pour la cuisine et le ménage... Non ? Et une employée à domicile ? Je sais que je me suis laissé un peu aller depuis la mort de votre mère... mais il me semble que vous aviez dit... Bon, alors l'un d'entre vous pourrait venir habiter chez moi... Je ne comprends pas... Simon, ta maison est vaste. Tu ne pourrais pas...

Rien à faire.

Je me revois quittant ma maison définitivement, enveloppé dans un plaid, tel un chat qu'on emmène chez le véto. Au moment où la voiture a démarré, mes yeux étaient si pleins de larmes que je n'ai pu regarder en arrière.

Ce n'est pas une maison de retraite, mais une résidence. On ne t'aidera que si c'est nécessaire ; ainsi quand tu seras plus vieux...

Là, ils laissaient toujours leur phrase en suspens, comme pour m'empêcher de suivre le fil de leur pensée jusqu'à sa conclusion logique.

Pendant longtemps, je leur en ai voulu de ne pas m'avoir proposé d'aller chez eux. Plus maintenant. Maintenant que j'ai eu le temps d'y réfléchir, je vois qu'ils ont déjà leur compte de soucis.

Simon, qui est septuagénaire, a subi au moins une crise cardiaque. Ruth a du diabète, Peter souffre de la prostate. La femme de Joseph s'est enfuie avec un plagiste pendant leurs vacances en Grèce, et, si le cancer du sein de Dinah semble heureusement en phase de rémission – Dieu soit loué – elle a dû prendre chez elle sa petite-fille, qui a déjà deux enfants illégitimes et qui a été arrêtée pour vol à l'étalage, afin de s'efforcer de la remettre dans le droit chemin.

Et ça, c'est seulement ce que je connais ! Il y a plein de choses dont ils ne me parlent pas pour ne pas me chagriner. J'en devine certaines, mais quand je pose des questions, ils se ferment. Il ne faut pas contrarier grand-père, vous savez.

Pourquoi ? C'est ce que j'aimerais bien savoir. Je déteste cette bizarre politique d'exclusion, car c'est comme si je n'existais plus. Si j'ignore ce qu'est leur vie, comment participer à la conversation ?

Je crois que je ne dois pas me formaliser. C'est *eux* qu'ils cherchent à protéger ; c'est une façon de se préparer à ma mort, comme les ados qui prennent leurs distances vis-à-vis de leurs parents pour être capables de les quitter. Lorsque

Simon a eu seize ans et qu'il a commencé à se montrer agressif, je l'ai mal pris. Mais quand Dinah est passée par là, j'ai compris que ce n'était pas sa faute – c'était une étape normale de son développement.

Malgré tout, ma famille n'a jamais manqué de venir me voir. J'ai toujours une visite le dimanche, qu'il pleuve ou qu'il vente. Ils parlent, parlent, parlent, du temps agréable/incertain/affreux, de ce qu'ils ont fait pendant les vacances, de ce qu'ils ont mangé à midi, puis quand arrive dix-sept heures pile, ils jettent un coup d'œil soulagé à la pendule et s'en vont.

Parfois, en partant, ils essaient de me faire participer au jeu de bingo qui se déroule au fond du couloir, comme ceux qui sont venus il y a deux semaines. Vraiment, tu ne veux pas ? On pourrait t'y conduire en sortant. N'est-ce pas amusant ?

Si ! ai-je dit. Quand on est un légume. Et ils ont ri, ce qui m'a plu, même si je ne plaisantais pas. À mon âge, on fait ce qu'on peut. Au moins, ça prouve qu'ils écoutaient.

Mes platitudes ne retiennent plus leur attention, et comment leur en vouloir ? Mes histoires sont démodées. Quelle importance, si je peux parler, pour les avoir vécus, de la grippe espagnole, de l'avènement de l'automobile, des deux guerres mondiales, de la guerre froide et du spoutnik – de l'histoire ancienne, tout ça ! Et qu'ai-je d'autre à offrir ? Il ne m'arrive plus rien. C'est l'âge, et je suppose que c'est le nœud de la question : je ne suis pas encore prêt à être vieux.

Enfin, je ne devrais pas me plaindre, puisque aujourd'hui, je vais au cirque.

Rosemary revient avec un plateau garni, et, quand elle ôte le couvercle en plastique brun, je constate qu'elle a mis du lait et du sucre roux sur mon porridge.

– Vous ne direz rien au Dr Rachid, à propos du lait…, dit-elle.

– Pourquoi ? Je n'y ai pas droit ?

– Vous n'êtes pas le seul. Ça fait partie du « régime adapté ». Plusieurs de nos pensionnaires n'arrivent plus à digérer les aliments riches.

– Et le beurre ?

Je suis scandalisé. Je fouille dans ma mémoire, cherchant à me rappeler la dernière apparition de lait et de beurre dans ma vie. Ma foi, elle a raison ! Comment ai-je pu ne pas m'en apercevoir ? Mais peut-être m'en suis-je aperçu, d'où mon dégoût pour la nourriture. Enfin, ce n'est guère étonnant. Je suppose qu'on nous rationne également le sel.

– C'est dans l'intérêt de votre santé, dit-elle en secouant la tête. Mais de temps en temps, il me semble que... Vous avez bien toujours votre vésicule biliaire ?

– Oui.

Son visage se radoucit.

– Dans ce cas, je vous souhaite un bon appétit, monsieur Jankowsky. Voulez-vous regarder la télévision, tout en mangeant ?

– Non, on ne passe plus que des âneries.

– Là, je suis on ne peut plus d'accord ! dit-elle en repliant la couverture au pied du lit. Si vous avez besoin d'autre chose, sonnez...

Après son départ, je décide d'être plus aimable. Je dois trouver un moyen de m'en souvenir. Je pourrais toujours nouer un bout de serviette à mon doigt, puisque que je n'ai pas de fil. De mon temps, les gens faisaient toujours ça dans les films – mettre un fil autour de leur doigt pour se rappeler quelque chose.

Je cherche ma serviette, et ce faisant j'aperçois mes mains. Elles sont noueuses, tordues, avec une peau trop fine et – comme mon visage en ruine – criblées de taches brunes.

Mon visage. Je repousse le porridge et rabats le miroir de la tablette. J'ai beau être habitué, je m'attends toujours à me voir. En fait, je tombe sur une vieille pomme flétrie et toute

143

tachetée – une pomme qui aurait des fanons, des poches et de longues oreilles. Quelques mèches de cheveux blancs jaillissent de mon crâne tavelé, ce qui est ridicule.

Je tente de les aplatir et me fige à la vue de cette vieille main sur ce vieux crâne. Je me penche, écarquille les yeux pour essayer de voir au-delà de cette peau flasque.

Peine perdue ! Même quand je regarde au fond de ces yeux d'un bleu laiteux, je ne m'y trouve plus. Quand ai-je cessé d'être moi ?

Je suis trop dégoûté pour manger. Ayant remis le couvercle brun sur le porridge, je localise non sans difficulté la télécommande du lit. Je presse le bouton qui fait redescendre le côté-tête, laissant la tablette planer au-dessus de moi tel un vautour. Oh, c'est vrai qu'il y a aussi un bouton pour abaisser le tout... Bien. Maintenant, je peux rouler sur le côté sans heurter cette foutue tablette et renverser le porridge. Surtout pas ! On pourrait croire à un mouvement d'humeur et appeler le Dr Rachid.

Une fois mon lit à plat et aussi bas que possible, je me mets sur le côté et contemple le ciel bleu. Au bout de quelques minutes, j'y trouve un apaisement.

Le ciel, le ciel – tel qu'en lui-même...

9

J E SUIS EN TRAIN DE RÊVASSER, les yeux dans le vague, quand les freins font entendre leur hurlement strident et le train est projeté en avant. Je me retiens au plancher raboteux et, ayant repris mon équilibre, passe les mains dans mes cheveux et lace mes souliers. On doit être enfin arrivés à Joliet.

La porte derrière moi grince et Kinko sort. Il s'appuie au chambranle de la porte du wagon, la chienne à ses pieds, et contemple avec intensité le paysage qui défile encore. Il ne m'a pas jeté un seul coup d'œil depuis l'incident d'hier et, à dire vrai, j'ai du mal à le regarder, partagé comme je suis entre la pitié et l'envie de rire. Lorsque le convoi finit par s'arrêter dans un soupir, Kinko et Queenie procèdent au rituel de la descente – claquement des mains et bond en l'air.

Un calme surnaturel plane sur les lieux. Bien que l'Escadron Volant soit là depuis une bonne demi-heure, ses hommes restent plantés là, en silence. Il n'y a pas de chaos ordonné. Pas de rampes qui tombent dans des bruits de ferraille, pas de jurons, pas de rouleaux de corde qui volent, pas d'attelages en formation. Il y a tout simplement des centaines d'hommes hirsutes qui contemplent, déconcertés, les tentes d'un autre cirque.

C'est comme une ville fantôme. Il y a un grand chapiteau, mais pas de foule. Une cantine, mais pas de drapeau. Il y a

146

plein de chariots et des tentes-loges au fond, mais les gens restés en rade tournent en rond, désœuvrés, ou demeurent assis à l'ombre.

Je saute du wagon au moment même où un roadster Plymouth noir et beige s'engage sur le parking. Deux hommes en complet veston en descendent, serviettes en cuir à la main, et contemplent la scène de dessous leur chapeau mou.

Oncle Al s'avance à grands pas vers eux, sans sa cour, coiffé de son haut-de-forme et balançant sa canne à bout d'argent. Cordial, jovial, il leur serre la main. Tout en parlant, il se tourne pour désigner le campement avec de grands gestes. Les hommes d'affaires acquiescent, croisent les bras, réfléchissent, calculent.

J'entends crisser le gravier et August se matérialise à ma hauteur.

— C'est tout Al ! Il flaire un élu à un kilomètre à la ronde... Regarde bien : avant midi, le maire lui mangera dans la main !

Il me donne une claque sur l'épaule.

— Viens...

— Où ça ?

— En ville, c'est l'heure du petit déjeuner. Ça m'étonnerait qu'il y ait à manger, ici, avant demain...

— Quoi, c'est vrai ?

— Ils vont faire leur possible, mais l'avant-courrier n'a pas vraiment eu le temps de s'organiser...

— Et eux ?

— Qui ?

Je désigne le défunt cirque.

— Eux ? Quand ils auront assez faim, ils se tailleront. Ça vaudra mieux pour tout le monde.

— Et nos gars ?

— Oh, eux... Ils survivront jusqu'à ce que quelque chose se présente. T'en fais pas. Oncle Al les laissera pas crever de faim.

On s'arrête à un petit resto non loin de la grand-rue. Il y a des banquettes d'un côté et de l'autre un comptoir mélaminé bordé de tabourets rouges. Quelques hommes, installés à ce comptoir, fument et bavardent avec la jeune serveuse.

Je tiens la porte à Marlène, qui se dirige aussitôt vers une banquette où elle se glisse, contre le mur. August se laisse choir sur la banquette en face, si bien que je me retrouve à côté d'elle. Elle croise les bras, fixe le mur.

— Bonjour, vous désirez ? dit la jeune femme au comptoir.

— Le grand jeu, répond August. J'ai la dalle.

— Comment voulez-vous vos œufs ?

— Au plat.

— Et vous, madame ?

— Du café, c'est tout, dit Marlène, passant une jambe par-dessus l'autre et balançant le pied avec une vivacité qui confine à de l'agressivité.

Elle ne regarde ni la serveuse, ni August. Ni moi d'ailleurs.

— Monsieur... ?

— Euh... comme lui, dis-je. Merci.

August se renverse en arrière et sort un paquet de Camel. Il donne une pichenette au fond. Une cigarette décrit une courbe dans l'air. Il la cueille entre ses lèvres et se recule, les yeux brillants, les doigts écartés dans un geste de triomphe.

Marlène se tourne vers lui et, lentement, délibérément, applaudit, le visage de marbre.

— Allons, boude pas ! dit August. Tu sais bien qu'on n'avait plus de viande...

— Excuse-moi, dit-elle en glissant vers moi.

Je bondis pour lui dégager le passage. Elle marche vers la porte, faisant sonner ses talons et balançant des hanches sous sa robe rouge.

— Les femmes ! dit August en allumant sa cigarette derrière sa main en coupe.

Son briquet claque en se refermant.

— Oh, pardon, tu en voulais une ?

– Non merci. Je ne fume pas.

– Non... ? fait-il en aspirant une longue bouffée. Tu as tort, c'est bon pour la santé.

Il range le paquet dans sa poche et claque des doigts à l'attention de la fille au comptoir.

Elle est campée devant son gril, spatule en main.

– Grouillez ! On est pressés...

La spatule se fige en l'air. Deux clients se retournent lentement pour nous dévisager.

– Euh, August..., dis-je.

– Quoi ?

Il a l'air sincèrement perplexe.

– Je fais de mon mieux, dit froidement la serveuse.

– Parfait ! Je n'en demande pas plus, rétorque August.

Il se penche vers moi et ajoute, à voix basse :

– Qu'est-ce que je te disais ? Les femmes... Ça doit être la pleine lune...

À notre retour, quelques-unes de nos tentes ont été dressées : la ménagerie, la tente des percherons et la cantine. Le drapeau flotte et une odeur de graillon imprègne l'atmosphère.

– Ça vaut pas le déplacement, dit un homme qui en revient. Friture et chicorée...

– Merci, dis-je. C'est sympa de me prévenir.

Il crache et s'éloigne.

Ceux des employés des Frères Fox qui sont restés font la queue devant la voiture-privilège. Un optimisme désespéré les entoure. Quelques-uns sourient et plaisantent, mais leur rire est haut perché. Certains regardent droit devant eux, les bras croisés. D'autres s'agitent et font les cent pas, la tête basse. L'un après l'autre, ils sont appelés pour un entretien avec Oncle Al.

La plupart descendent, vaincus. Certains s'essuient les yeux

149

et parlent à voix basse avec les suivants. D'autres regardent stoïquement devant eux avant de partir vers la ville.

Deux nains entrent ensemble. Ils ressortent quelques minutes plus tard, moroses, s'arrêtent pour discuter avec un petit groupe, puis partent le long de la voie ferrée, côte à côte, la tête bien droite, des taies d'oreiller bourrées d'affaires sur l'épaule.

Je cherche du regard le célèbre monstre. Il y a, c'est vrai, des curiosités : nains, lilliputiens, géants, une femme à barbe (Al en a déjà une, hélas pour elle), un homme obèse (il a une chance, si Al souhaite présenter un couple) et un assortiment de gens et de chiens à l'air triste. Mais pas d'homme ayant un petit enfant qui lui sort de la poitrine.

Oncle Al ayant fait son choix, nos hommes démontent toutes les tentes de l'autre cirque, sauf l'écurie et la ménagerie. Ceux des ex-employés des Frères Fox qui sont toujours là, désormais officiellement au chômage, fument et crachent du jus de tabac sur les chardons et les fleurs de carottes sauvages.

Lorsque Oncle Al découvre que les officiels n'ont pas encore répertorié en détail les percherons des Frères Fox, une poignée de chevaux dénués de traits distinctifs passent d'une écurie à l'autre – « absorbés ». Et Oncle Al n'est pas le seul à avoir eu cette idée – quelques fermiers rôdent autour du campement, traînant des longes.

— Ils vont les emmener, tout simplement ?

— Sans doute, me répond Pete. Ça m'est égal, tant qu'ils ne touchent pas aux nôtres. Ouvre l'œil : il va se passer un jour ou deux avant que la situation s'éclaircisse, et je ne veux pas qu'on nous pique des chevaux.

Nos percherons ont assumé une double charge de travail, et ces grosses bêtes renâclent, couvertes d'écume. Je persuade un officiel d'ouvrir une bouche d'incendie pour qu'elles puissent s'abreuver, mais elles n'ont toujours rien à manger.

August réapparaît au moment où l'on remplit le dernier abreuvoir.

– Qu'est-ce que vous foutez ? Ces chevaux sont restés dans un train trois jours durant – faites-les sortir et menez-leur la vie rude ou ils vont se ramollir...

– Se ramollir ? proteste Pete. Regarde autour de toi. Qu'est-ce qu'ils ont fait, à ton avis, pendant quatre heures ?

– Tu as utilisé nos percherons ?

– Qu'est-ce qu'il fallait faire ?

– Utiliser les leurs !

– Je les connais pas ! beugle Pete. Et à quoi bon, puisqu'il faut tarabuster les nôtres pour qu'ils restent en forme, de toute façon !

August ouvre la bouche, puis la referme et disparaît.

Bientôt, des camions convergent sur notre terrain. L'un après l'autre, ils reculent vers la cantine, derrière laquelle d'incroyables quantités de nourriture disparaissent. Aussitôt le personnel se met à l'ouvrage : en un rien de temps, la marmite chauffe et des odeurs appétissantes – des odeurs de vraie nourriture – flottent dans l'atmosphère.

Aliments et litière pour les bêtes arrivent peu après, transportés par des chariots. Lorsque nous amenons le foin dans la tente-écurie, les chevaux hennissent doucement, renâclent, tendent la tête pour en voler des bouchées avant même d'être servis.

Les bêtes de la ménagerie ne sont pas moins heureuses de nous voir – les chimpanzés hurlent et se balancent aux barreaux de leur cage, souriant de toutes leurs dents. Les fauves vont et viennent. Les « bouffeurs de foin » encensent, grognent, crient et vont même jusqu'à en aboyer d'émotion.

J'ouvre la cage d'une femelle orang-outan et dépose une écuelle de fruits, légumes et noix. Comme je la referme, son très long bras se tend à travers les barreaux. Elle me désigne une orange dans une autre écuelle.

– Ça ? C'est ça que tu veux ?

Le doigt toujours tendu, elle louche sur moi de ses yeux rapprochés ; sa face est concave, une sorte d'assiette frangée de poils roux. C'est la créature la plus étrange et la plus belle qu'il m'ait été donné de voir.

– Tiens ! dis-je en lui offrant l'orange. Je te la donne.

Elle la prend et la pose à terre, puis me tend de nouveau le bras. Après un temps d'hésitation, je lui tends la main. Elle l'enveloppe de ses longs doigts, puis la lâche et s'assoit sur son derrière pour entreprendre de peler son orange.

Je suis éberlué. C'était un merci !

– Bon, fini ! dit August en sortant avec moi de la ménagerie.

Il me donne une tape sur l'épaule.

– Allons boire un coup. Il y a de la citronnade dans la tente de Marlène, et c'est pas le jus de chaussettes de la buvette ! On pourra y mettre une larme de whisky...

– J'arrive, dis-je. Je dois d'abord aller voir les bêtes de l'autre ménagerie.

En raison du statut particulier des percherons des Frères Fox – dont le nombre n'a cessé de diminuer tout au long de l'après-midi –, j'ai constaté par moi-même qu'ils avaient été nourris et abreuvés, mais je dois encore aller voir leurs animaux exotiques et leur cavalerie.

– Non ! dit August avec fermeté. Tu viens tout de suite.

Son ton me surprend.

– Bon, d'accord. Tu sais s'ils ont mangé et bu... ?

– Ils mangeront et boiront – en temps utile.

– Quoi ?

– Ils mangeront et boiront – en temps utile.

– August, il fait une chaleur à crever ! On ne peut pas les laisser se déshydrater !

– Si ! C'est ainsi que Oncle Al mène ses affaires. Il va y avoir une partie de bras de fer entre lui et le maire pendant un moment, et quand ce dernier aura admis qu'il ne sait que faire des girafes, des zèbres et des lions, il cassera ses prix et c'est à ce moment-là – pas avant – qu'on ira là-bas.

– Désolé, mais je ne peux pas accepter ça, dis-je en tournant les talons.

Sa main se referme sur mon bras, il vient se mettre devant moi et se penche si près que sa figure frôle la mienne. Il pose un doigt sur ma joue.

– Si, tu le peux ! On s'en occupera, mais en temps et en heure... C'est ainsi que ça marche.

– Foutaises... !

– Oncle Al a le génie des affaires. Si nous sommes ce que nous sommes, c'est grâce à lui. Qui sait ce qu'il y a dans cette tente ? Si ce n'est rien d'intéressant, bon, on s'en fout... Mais s'il y a quelque chose qu'il désire et que, par ta faute, il est obligé de payer plus cher qu'il ne l'escomptait, tu auras intérêt à numéroter tes abattis, c'est compris ?

Il parle entre ses dents.

– C'est compris ?

Je regarde droit dans ses yeux qui ne cillent pas.

– Absolument.

– Bien.

Il ôte son doigt de ma figure et se recule.

– Bon, répète-t-il, en opinant et ses traits se relâchent.

Il a un rire jaune.

– Je crois qu'un whisky ne nous fera pas de mal.

– Pas pour moi...

Il m'observe et hausse les épaules.

– À ta guise.

Je m'installe à une certaine distance de la tente qui abrite les bêtes délaissées, en proie à un désespoir croissant. Un brusque souffle d'air vient creuser la toile ; il n'y a pas le moindre courant d'air là-dedans... Je n'ai jamais autant souffert de la chaleur. Je me sens abruti, j'ai le gosier sec. Ôtant mon chapeau, je passe un bras crasseux sur mon front.

Lorsque le drapeau orange et bleu flotte au-dessus de la cantine, annonçant le dîner, une poignée de recrues fraîches font la queue, identifiables au ticket rouge serré dans leur poing. L'obèse a eu de la chance, tout comme la femme à barbe et une poignée de nains. Oncle Al n'a pris que des artistes, et encore, un pauvre bougre s'est retrouvé derechef au chômage, August l'ayant surpris à reluquer Marlène en quittant la voiture-privilège.

D'autres font aussi la queue, et aucun n'arrive à tromper Ezra. Son unique boulot est de connaître tous les employés, et il s'y entend ! À son signal, Blackie s'avance pour s'occuper du resquilleur. Un ou deux de ces reprouvés réussissent à faucher une poignée de nourriture avant d'aller mordre la poussière.

Des individus moroses, silencieux, traînent aux alentours avec des yeux d'affamés. Comme Marlène s'éloigne des tables chaudes, l'un d'eux s'adresse à elle. C'est un homme grand, maigre, buriné. En d'autres circonstances, il serait sans doute beau.

— Madame... madame ! Vous pouvez pas me donner quelque chose... un morceau de pain ?

Marlène s'arrête et le regarde. Il a les traits creusés, du désespoir dans les yeux. Elle contemple son assiette.

— S'il vous plaît, madame ! Ayez bon cœur. J'ai pas mangé depuis deux jours.

Il passe sa langue sur ses lèvres parcheminées.

— Ne t'arrête pas ! dit August, qui prend Marlène par le bras pour la guider avec fermeté vers une table au milieu.

Ce n'est pas notre table habituelle, mais j'ai remarqué que

les gens préfèrent ne pas discuter avec lui. Marlène s'assoit sans rien dire, tout en jetant des regards aux hommes à l'extérieur de la tente.

– Oh, à quoi bon ? dit-elle en flanquant ses couverts sur la table. Je ne peux pas manger en voyant ces pauvres types qui sont là...

Elle se dresse et prend son assiette.

– Où vas-tu ? dit sèchement August.

Marlène le dévisage.

– Tu crois vraiment que je vais rester là, à m'empiffrer, alors qu'ils n'ont rien mangé depuis deux jours ?

– Tu ne lui donneras rien. Et maintenant, *rassieds-toi* !

Plusieurs personnes aux autres tables se retournent sur nous. August leur sourit nerveusement et se penche vers Marlène.

– Chérie, dit-il d'une voix pressante. C'est dur, je sais, mais si tu lui donnes à manger, cela l'encouragera à rester par ici, et après... ? Oncle Al a déjà fait son choix. Lui n'a pas été embauché. Il doit partir, voilà tout – et le plus tôt sera le mieux. C'est son intérêt. Tu lui rends service...

Marlène prend un air rusé. Elle repose son assiette, pique une côte de porc avec sa fourchette et la flanque sur un morceau de pain. Après quoi, fauchant le pain d'August, elle quitte la table à toute vitesse.

– ... Où vas-tu ? hurle August.

Elle se dirige droit sur l'homme maigre, lui prend la main et y plante le sandwich. Puis elle s'éloigne à grands pas, sous les applaudissements dispersés et les sifflements des travailleurs installés de l'autre côté du rideau.

August en frémit de colère ; une veine bat à sa tempe. Peu après il se lève avec son assiette, va en déverser le contenu dans la poubelle et part.

Je considère la mienne, qui déborde de côtelettes, d'épinards, de purée, et de pommes cuites. J'ai trimé comme un forçat toute la journée, et pourtant je n'ai plus d'appétit.

Bien qu'il soit presque sept heures du soir, le soleil est encore haut et il fait lourd. Le terrain est très différent de celui que nous avons laissé dans le nord-est. Ici, c'est plat, dur. L'endroit est recouvert d'herbes hautes, brunâtres et couchées, sèches comme du foin. Près de la voie ferrée, de hautes herbes folles ont pris le dessus – des plantes coriaces, aux tiges filiformes, aux feuilles petites, aux fleurs compactes. On dirait qu'elles ont économisé leurs forces pour pouvoir se dresser vers le soleil.

En passant devant la tente-écurie, je vois Kinko qui se tient dans son ombre rare. Accroupie devant lui, Queenie lâche des jets marron, s'interrompt, fait quelques pas et recommence. Je m'arrête.

– Que se passe-t-il ?

Kinko me lance un regard noir.

– À ton avis ? Elle a la chiasse...

– Qu'est-ce qu'elle a avalé ?

– Qu'est-ce que j'en sais ?

Je m'avance pour examiner l'une des petites flaques, à la recherche de parasites. Tout paraît normal.

– Demande du miel à la cantine...

– Quoi... ?

Kinko s'est redressé et me considère avec méfiance.

– Du miel ! Et si tu en trouves, ajoute un peu de poudre d'orme ; mais une cuillerée de miel, ça devrait déjà donner un résultat.

Il me regarde de travers, les poings aux hanches.

– OK, dit-il, dubitatif.

Et il reporte son attention sur sa chienne.

Je poursuis mon chemin pour m'asseoir sur un coin d'herbe, non loin de la ménagerie des Frères Fox. Il y a un air d'abandon autour de cette tente, comme si les alentours étaient minés. Nul ne s'en approche. Les bêtes doivent souffrir affreusement, mais à moins de piquer le chariot-citerne après avoir ligoté Oncle Al et August, je ne vois pas ce que je pourrais faire. Mon désespoir augmente tant et si bien, que, n'y tenant plus, je me relève pour aller voir notre propre ménagerie.

Même avec de l'eau plein les abreuvoirs et du courant d'air, les bêtes sont complètement abruties par la chaleur. Zèbres, girafes et autres « bouffeurs de foin » restent debout, mais l'encolure basse et les yeux mi-clos. Même le yak ne bouge pas, en dépit des mouches qui tournent impitoyablement autour de ses oreilles et de ses yeux. J'en chasse quelques-unes, qui reviennent presque aussitôt se poser sur lui. C'est sans espoir.

L'ours est couché sur le ventre, le museau en avant. Au repos, il semble inoffensif – et même mignon, avec le plus gros de sa masse concentrée dans le tiers inférieur du corps. Il prend une inspiration profonde, puis pousse un long grognement plaintif. Le pauvre. Je doute qu'on connaisse des températures comparables au pôle Nord.

L'orang-outan est allongée sur le dos, ses quatre pattes écartées. Elle tourne la tête dans ma direction, cligne tristement des yeux comme pour s'excuser de ne pas faire plus d'effort.

Ce n'est rien, dis-je avec les yeux. *Je comprends.*

Elle cille une seconde fois et tourne sa figure pour contempler de nouveau le plafond.

Les chevaux de Marlène m'accueillent avec des borborygmes et fourrent leur museau dans mes mains, qui sentent encore la pomme cuite. Constatant que je n'ai rien pour eux, ils se désintéressent de moi et retombent dans leur état semi-comateux.

Les fauves sont couchés sur le flanc, parfaitement immobiles, les yeux presque clos. Leurs côtes se soulèvent à peine – on pourrait presque les croire morts. Le front appuyé aux barreaux, je les contemple longuement. Finalement, je me détourne et m'en vais. Puis je me fige et pivote sur moi-même. Je viens de réaliser que le sol des cages est d'une net-teté suspecte.

Marlène et August se disputent si fort que je les entends de loin. Je m'arrête à l'extérieur de la tente-loge, hésitant à me montrer ; mais comme je ne souhaite pas non plus avoir l'air de les espionner, je me blinde et colle la bouche au rabat.

— August ! Hé, August !

Les voix retombent. J'entends marcher, on chuchote.

— Qu'y a-t-il ? dit August.

— Clive a nourri les chats ?

Sa figure apparaît dans l'entrebâillement.

— Ah... oui. Ça n'a pas été facile, mais j'ai trouvé quelque chose.

— Quoi ?

— Ça sera pour demain matin. Ne t'inquiète pas, tout va bien. Oh, mon Dieu, dit-il en tendant le cou pour voir par-delà ma personne. Quoi encore ?

Oncle Al s'avance à grandes enjambées, avec son gilet rouge et son haut-de-forme. Ses jambes moulées dans son pantalon à carreaux semblent avaler la distance. Sa cour suit, trottant par intermittence pour se maintenir dans son sillage.

August soupire et me tient le rabat de la tente.

— Entre et assieds-toi. J'ai comme l'impression que tu vas avoir ta première leçon concernant le monde des affaires.

J'entre en baissant la tête. Marlène est devant sa coiffeuse, bras et jambes croisés. Son pied se balance furieusement.

— Ma chérie, dit August. Calme-toi.

— Marlène ? dit Oncle Al, juste devant la tente. Marlène, puis-je entrer, ma chère ? J'ai deux mots à dire à August.

Marlène se mordille les lèvres et roule des yeux.

— Oui, Oncle Al. Bien sûr, Oncle Al. Donnez-vous la peine d'entrer, Oncle Al...

La toile s'écarte et Oncle Al entre, transpirant visiblement et un sourire jusqu'aux oreilles.

– Marché conclu ! dit-il en s'arrêtant devant August.

– Donc, tu l'as eu..., dit August.

– Euh... quoi ? réplique Oncle Al, désarçonné.

– Le monstre... Charles Machin-chose...

– Non, non, non. Lui, on l'oublie.

– Comment ça : « On l'oublie » ? Je croyais que c'était pour lui qu'on avait fait ce détour... ? Que s'est-il passé ?

– Quoi ? fait l'autre vaguement.

Des têtes surgissent derrière lui, se secouent énergiquement. Quelqu'un fait le geste de se trancher la gorge.

August les regarde et soupire :

– Oh, c'est Barnum qui l'a eu...

– Aucune importance. J'ai une nouvelle – une grande nouvelle ! Une nouvelle écrasante !

Il se tourne vers ses suiveurs, qui s'esclaffent bruyamment, et fait volte-face.

– Devinez...

– Je n'ai aucune idée, Al, dit August.

Il se tourne vers Marlène.

– Je ne sais pas, dit-elle, d'un air fâché.

– On a une éléphante ! hurle Oncle Al, qui écarte les bras avec allégresse.

Sa canne heurte l'un de ses courtisans qui fait un bond en arrière.

Le visage d'August se fige.

– Quoi ?

– Une éléphante !

– Tu as une éléphante ?

– Non, August – *toi* ! Elle s'appelle Rosie, elle a cinquante-trois ans, et elle est géniale. Le meilleur éléphant qu'ils aient eu. J'ai hâte de voir le numéro que tu vas nous concocter...

Il ferme les yeux, pour mieux imaginer. Ses doigts se tortillent devant sa figure. Il sourit, les yeux mi-clos, extatique.

159

– Je vois déjà Marlène... Elle le montera pendant le défilé en ville, puis en début de spectacle, et puis il y aura le numéro vedette sur la piste centrale. Oh, tiens... !

Il se tourne et claque des doigts.

– Eh bien, j'attends. Allons, allons, bande d'idiots !

Une bouteille de champagne apparaît. Il la présente à Marlène à la façon d'un sommelier, s'inclinant profondément, puis défait le fil de fer et fait sauter le bouchon.

Des coupes se matérialisent sur la coiffeuse.

Oncle Al sert de petites quantités et distribue les verres : un pour Marlène, un pour August, un pour moi.

Il lève le sien. Ses yeux s'embuent. Poussant un profond soupir, il met la main sur son cœur.

– Mes chers amis, c'est pour moi un très grand plaisir que de fêter cet événement avec vous...

Il se balance sur ses pieds chaussés de guêtres et écrase une larme véritable, qui roule sur sa joue rebondie.

– Non seulement nous avons un vétérinaire – issu de Cornell, qui plus est – mais nous avons aussi une éléphante. Une éléphante !

Il renifle et observe une pause, submergé par l'émotion.

– Ce moment, je l'attendais depuis des années. Et ce n'est qu'un début, mes amis ! Nous jouons dans la cour des grands désormais. Les autres cirques importants devront compter avec nous !

Quelques applaudissements crépitent en coulisse. Marlène pose son verre sur son genou. August tient le sien avec raideur. Il ne bouge pas un muscle.

Oncle Al brandit sa coupe.

– Aux Frères Benzini – le Plus Grand Spectacle du Monde ! hurle-t-il.

– Aux Frères Benzini ! Aux Frères Benzini ! s'écrient des voix derrière lui.

Marlène et August ne bronchent pas.

Ayant vidé sa coupe, Al la jette au plus proche des membres de son entourage. Ce dernier la fourre dans une poche de sa veste et suit son patron à l'extérieur. La toile se rabat – nous ne sommes plus que trois.

Pendant un moment, c'est le silence absolu. Puis August a un mouvement du menton, comme s'il revenait à lui.

– Et si on allait le voir, ce pachyderme ? dit-il en buvant son champagne d'un trait. Jacob, tu vas enfin pouvoir voir ces foutus bestiaux, comme tu le voulais... Content ?

Je le regarde, éberlué. Puis je finis moi aussi ma coupe. Du coin de l'œil, je vois Marlène en faire autant.

La ménagerie des Frères Fox est maintenant investie par les hommes des Frères Benzini. Ils s'activent, remplissant des abreuvoirs, jetant du foin, emportant les excréments. La toile a été relevée çà et là afin de créer un courant d'air. Je balaie du regard l'intérieur de la tente, cherchant une bête en détresse. Heureusement, elles ont toutes l'air bien vivantes.

L'éléphante se dresse tout au fond, énorme bête couleur de ciel d'orage.

Nous nous frayons un chemin jusqu'à elle à travers la nuée de travailleurs. Elle est immense – au moins trois mètres trente de hauteur au garrot. Depuis la pointe de la trompe jusqu'aux larges pieds, sa peau est tachetée, craquelée tel le lit d'un cours d'eau à sec. Seules ses oreilles sont lisses. Ses yeux qui nous scrutent ont curieusement un air humain. Des yeux jaunes comme l'ambre, très enfoncés et ourlés de cils d'une longueur stupéfiante.

– Doux Jésus ! dit August.

La trompe se tend vers nous, bouge ainsi qu'une créature indépendante. Elle flotte devant August, Marlène, et enfin moi. À son extrémité, une protubérance frétille, pareille à un doigt. Les naseaux s'ouvrent et se ferment, reniflent et soufflent, puis la trompe recule. Elle se balance tel un pendule, un énorme serpent musculeux, ramasse du foin à terre mais lâche prise. Je la contemple en espérant son retour. Je tends la main, mais mon attente est déçue.

August a l'air consterné. Marlène ne dit rien. Je ne sais que penser. Jamais je n'avais vu de bête aussi grosse. Elle me domine de toute sa hauteur.

— C'est vous, le cornac ? dit un homme qui s'approche par la droite.

Sa chemise crasseuse bouffe sous ses bretelles.

— Je suis le maître-écuyer et le responsable des bêtes, réplique August en se redressant.

— Où est le cornac ? dit l'homme, crachant du jus de tabac.

L'éléphante tend sa trompe et lui donne une tape à l'épaule. Il la repousse et s'écarte d'elle. L'éléphante ouvre sa bouche bien fendue — ma parole, on dirait qu'elle sourit ! — et commence à se balancer sur elle-même, coordonnant ses mouvements avec ceux de sa trompe.

— Qu'est-ce que ça peut vous faire ? dit August.

— Je voudrais lui parler, c'est tout.

— Pourquoi ?

— Pour qu'il sache ce qui l'attend...

— C'est-à-dire ?

— Montrez-moi votre cornac, d'abord...

August m'empoigne par le bras et me tire en avant.

— Lui ! C'est lui, mon cornac. Alors, qu'est-ce qui nous attend ?

L'homme me toise, cale sa chique contre sa joue, et lâche, à l'adresse d'August :

— C'est une débile...

August a l'air assommé.

— Je croyais qu'elle était géniale ? Oncle Al l'a dit !

L'homme fait la moue et projette un jet brunâtre en direction du pachyderme.

— Dans ce cas, pourquoi serait-elle restée sur le carreau ?

Vous vous croyez les seuls à être venus ramasser les restes ? Il s'est passé trois jours... Alors, bon courage, les gars !

Il fait mine de partir.

– Une minute ! s'écrie August. Dites-m'en plus. Elle est vicieuse ?

– Non, juste complètement bouchée.

– À qui était-elle avant ?

– À un montreur d'éléphants – un sale Polack qui est mort subitement à Libertyville. La municipalité l'a cédée pour une bouchée de pain. Pourtant, c'était pas une affaire, car elle n'a fait que manger, depuis...

August est tout pâle.

– Vous voulez dire qu'elle n'était même pas dans un cirque ?

L'homme enjambe la corde et disparaît derrière l'éléphante. Il revient avec un long manche en bois, terminé par une pointe en métal.

– Voici le crochet. Vous en aurez besoin. Bonne chance ! Quant à moi, je ne veux plus voir d'éléphant jusqu'à la fin de mes jours.

Il crache de nouveau et s'en va.

August et Marlène le regardent partir. Je me retourne juste à temps pour voir l'éléphante retirer sa trompe de l'abreuvoir. Elle la soulève, vise et arrose l'homme d'un jet si puissant que son chapeau décolle.

Il s'arrête, tout dégoulinant, marque le coup. Puis il s'essuie la figure, ramasse son chapeau, s'incline à l'adresse des autres travailleurs ébahis, et poursuit son chemin.

10

AUGUST SOUFFLE, halète et rougit si fort qu'il est presque violet. Puis il s'en va d'un pas martial, sans doute pour tirer cette affaire au clair avec Oncle Al.

Marlène et moi échangeons un regard. Par un accord tacite, nous restons ensemble sur place.

L'un après l'autre, les « hommes de bêtes » s'en vont. Les animaux, enfin nourris et abreuvés, se préparent pour la nuit. À la fin d'une journée éprouvante, c'est enfin la paix.

Restés seuls, Marlène et moi présentons diverses nourritures à la trompe investigatrice de Rosie. Lorsque cet étrange appendice caoutchouteux cueille un peu de foin au bout de mes doigts, Marlène pousse un cri amusé. Rosie secoue la tête, et sa bouche se fend d'un sourire.

En me tournant, je découvre que Marlène est en train de m'observer. On n'entend dans la ménagerie que des pas traînants, des ébrouements et de tranquilles ruminations. Dehors, au loin, quelqu'un joue de l'harmonica – un air obsédant à trois temps, qu'il me semble avoir déjà entendu.

J'ignore comment c'est arrivé – est-ce moi qui lui ai tendu la main... ou le contraire ? – mais la voilà dans mes bras et nous valsons, sautillons, virevoltons devant la corde tendue. Tout en tourbillonnant, j'aperçois la trompe en l'air et le sourire de Rosie.

Soudain, Marlène me repousse.

Je reste immobile, les bras légèrement relevés, ne sachant que faire.

— Euh..., dit Marlène qui rougit violemment et regarde tout plutôt que ma personne. Bon... oui. Allons attendre August, d'accord ?

Je lui lance un regard insistant. J'ai envie de l'embrasser. Jamais je n'ai eu autant envie de quelque chose dans ma vie.

— Oui... Oui. Allons-y.

Une heure plus tard, August revient. Il s'engouffre à l'intérieur de la cabine, claque la porte. Aussitôt, Marlène s'approche du placard.

— Ce crétin de directeur a payé deux mille dollars pour cette crétine d'éléphante, dit-il en lançant son chapeau dans un coin avant d'arracher sa veste. Deux mille dollars !

Il se jette dans le plus proche fauteuil et se prend la tête à deux mains.

Marlène sort une bouteille de whisky ordinaire, se fige, regarde August et choisit finalement le pur malt.

— Et ce n'est pas le pire... oh non ! dit August, qui tire sur sa cravate et malmène son col de chemise. Tu veux connaître la meilleure... *hein* ? Devine un peu, pour voir...

Il s'adresse à Marlène, qui reste impassible. Elle verse quatre doigts de whisky dans trois verres.

— J'ai dit : devine ! aboie-t-il.

— Je ne sais pas, répond Marlène avec calme.

Elle rebouche la bouteille.

— Avec le reste de l'argent, il acheté un wagon pour la transporter.

Marlène se tourne, soudain attentive.

— Il n'a recruté aucun artiste ?

— Si !

– Mais...

– Tu as compris. Parfaitement compris.

Marlène lui tend un verre, me fait signe de prendre le mien, s'assoit.

Je prends une gorgée et patiente autant que je le peux.

– Vous avez l'air de savoir de quoi vous parlez, mais moi je suis complètement perdu. Vous ne voulez pas m'aider ?

August gonfle les joues et pousse un soupir, repousse la grosse mèche qui lui barre le front. Il se penche en avant, les coudes sur les genoux. Puis il relève la tête de façon à soutenir mon regard.

– Ça signifie, *Jacob*, que nous avons engagé des gens sans avoir d'endroit où les mettre. Ça signifie, *Jacob*, que Oncle Al a réquisitionné l'une des voitures-dortoirs des monteurs, déclarant que c'était une voiture-couchettes pour les artistes. Et, comme nous avons embauché deux femmes, il a dû cloisonner cette voiture. Ça signifie, *Jacob*, qu'afin de loger moins d'une douzaine d'artistes, on a maintenant soixante-quatre travailleurs qui devront dormir sous des chariots, sur les wagons plats.

– C'est idiot ! Il devrait donner un lit à tous ceux qui en ont besoin.

– Il ne peut pas, dit Marlène.

– Pourquoi ?

– Parce qu'on ne mélange pas travailleurs et artistes.

– Et Kinko et moi, alors ?

– Hé-hé... !

August se redresse, avec un sourire en coin.

– Dis-nous – je meurs d'envie de savoir – ça marche, vous deux ?

Marlène prend une profonde inspiration et croise les jambes. Quelques instants plus tard, son soulier rouge se remet à battre la mesure.

Je bois mon whisky d'un trait et m'en vais.

Mon verre était bien rempli, et je commence à sentir les effets de l'alcool quelque part entre les cabines de luxe et les wagons. Visiblement, je ne suis pas le seul dans cet état – maintenant que l'« affaire est faite », tous les employés des Frères Benzini – le Plus Grand Spectacle du Monde – décompressent. En matière de divertissement, il y a là toute la gamme, depuis les soirées avec musique de jazz et francs éclats de rire, jusqu'aux rassemblements improbables d'hommes crasseux, qui se refilent toutes sortes de boissons alcooliques, à une certaine distance du convoi. J'aperçois Camel, qui me salue de loin avant de passer la bouteille d'alcool frelaté à son voisin.

J'entends bruire les herbes hautes et m'arrête. Je vois des jambes nues de femme, écartées, entre lesquelles il y a un homme. Il grogne et rue comme un bouc, le pantalon aux genoux, ses fesses velues allant et venant. La chemise du type dans les poings, la femme gémit à chaque coup de boutoir. Je ne comprends pas tout de suite et me détache péniblement de cette scène avant de poursuivre ma route vacillante.

Il y a des gens qui circulent aux abords de mon wagon, ou qui sont perchés sur le seuil.

À l'intérieur, il y a foule. Une bouteille à la main, un air de jovialité avinée sur le visage, Kinko joue les maîtres de maison. M'apercevant, il trébuche et titube en avant. Des mains se tendent pour le rattraper.

– Jacob, mon pote ! braille-t-il, l'œil allumé.

Il se libère et se redresse.

– Mes amis, mes amis... !

Cela s'adresse à la trentaine de personnes qui occupent l'espace attribué aux chevaux de Marlène.

Il vient m'enlacer par la taille.

– Lui, c'est mon cher, cher ami Jacob...

Il s'interrompt pour boire au goulot.

– Faites-lui bon accueil. Pour me faire plaisir...

Ses invités sifflent et rient. Kinko rit aussi, avant de se

mettre à tousser. Lâchant ma taille, il évente sa figure empourprée jusqu'à la fin de la crise, puis enlace quelqu'un d'autre, et s'en va d'un pas incertain en cette nouvelle compagnie.

Comme notre chambrette est bondée, je me dirige vers l'autre partie du wagon, là où était Silver Star, et m'effondre contre les lattes.

Le tas de paille crisse. Je tends la main et sonde, en espérant ne pas trouver un rat. La toute petite queue blanche de Queenie apparaît un bref instant, puis la chienne s'enfonce davantage dans la paille, tel un crabe dans le sable.

À partir de là, ce n'est plus très clair... On me passe des bouteilles, et il me semble bien que je goûte à tout. Bientôt, ça se met à tourner et me voici débordant de tendresse pour l'Humanité tout entière. On m'enlace les épaules, j'en enlace d'autres. Nous éclatons de rire – à propos de quoi, je l'ignore, mais tout est désopilant.

Il y a un jeu où il faut jeter quelque chose, et si on rate la cible, il faut boire un coup. Je rate énormément. Pour finir, j'ai envie de vomir et m'éloigne à quatre pattes, ce qui déclenche l'hilarité générale.

Je suis assis dans le coin. Je ne me souviens pas vraiment comment j'ai fait pour y parvenir, mais je suis calé contre le mur, la tête sur les genoux. J'aimerais bien que le monde cesse de tourbillonner, mais ce n'est pas le cas et j'essaie alors d'appuyer ma nuque contre le mur.

– Tiens, tiens, qui est là ? dit une voix sensuelle, toute proche.

Mes yeux s'ouvrent aussitôt. Un décolleté bien garni est juste sous mon nez. Je relève les yeux et là m'apparaît un visage. C'est Barbara. Je bats des paupières pour tenter de n'en voir qu'une. Seigneur – impossible. Euh, non, minute ! C'est bon : je n'ai pas la berlue. Il y a bien *deux* femmes.

— Salut, chéri, dit la première en me caressant le visage. Alors, ça boume ?

— *Hummm...*

Ses doigts s'attardent sous mon menton tandis qu'elle se tourne vers la blonde accroupie à son côté.

— Qu'il est jeune ! Et si mignon, tu trouves pas, Nell ?

Nell tire sur sa cigarette et souffle la fumée de travers.

— Ça oui ! Je crois pas l'avoir déjà vu...

— L'autre jour, il bossait dans la tente, pendant mon numéro..., dit Barbara. Comment t'appelles-tu, chéri ? me dit-elle doucement, me caressant la joue — de haut en bas.

— Jacob, dis-je, en retenant une éructation.

— Jacob... Oh, je vois... Nell, c'est celui dont parlait Walter. Un novice, un « Premier Mai »...

Elle m'attrape le menton, me regarde au fond des yeux. Je lui rendrais bien la pareille, mais j'ai du mal à ne pas voir double.

— Oh, tu me plais, toi... Dis-moi, Jacob — es-tu déjà allé avec une femme ?

— Je... euh... euh...

Nell pouffe. Barbara se recule et met les mains à sa taille.

— Qu'est-ce que t'en penses ? On lui fait un bon accueil ?

— On est quasi obligées, dit Nell. Un puceau... !

Sa main glisse entre mes jambes, passe sur ma braguette. Ma tête dodelinante tout à coup se redresse.

— Tu crois qu'il est roux de partout ? dit-elle en me cueillant dans sa paume.

Barbara se penche, me prend les mains, en porte une à ses lèvres. Elle la retourne, passe un ongle long à travers la paume et me regarde droit dans les yeux tandis que sa langue emprunte le même chemin. Puis elle guide ma main qui va se poser sur son sein gauche, juste à la place du mamelon.

Seigneur ! Seigneur ! Je suis en train de toucher un sein. À travers une robe, mais tout de même... !

Barbara se lève, lisse sa jupe, regarde furtivement autour

170

d'elle, puis s'accroupit. Je m'interroge sur cette posture, quand elle me saisit de nouveau la main. Cette fois, elle l'attire sous sa jupe et presse mes doigts contre une soie brûlante, moite.

Le souffle me manque. Le whisky, l'alcool de contrebande, le gin, et Dieu sait quoi encore – tout s'efface instantanément. Ma main est promenée ici et là, par-dessus monts et merveilles.

Oh, merde. J'ai peur de jouir maintenant.

– *Hummmmm* ? ronronne-t-elle, prenant ma main d'une autre façon, pour me permettre d'enfoncer le majeur en elle.

La soie chaude gonfle autour de mon doigt, palpitante. Elle ôte ma main, la remet sur mon genou, et donne à ma braguette une pression investigatrice.

– *Mmmmm*, dit-elle, les yeux mi-clos. Il est prêt, Nell. Dieu que je les aime à cet âge...

Le reste de la nuit prend l'aspect d'une succession de flashes. Je suis soutenu par deux femmes, mais j'ai dû tomber du wagon car je me retrouve la joue dans la poussière. Puis, je suis relevé, et emmené, bousculé, dans le noir, pour finir assis au bord d'un lit.

À présent il y a bien deux Barbara. Et l'autre fille est double, elle aussi. Nell – c'est bien ça ?

Barbara se recule et lève les bras en l'air. Elle renverse la tête en arrière et passe les mains sur son corps, danse et bouge à la lueur des bougies. Ça m'intéresse, incontestablement. Seulement, je n'arrive plus à me tenir droit, et je retombe en arrière.

Quelqu'un tire sur mon froc. Je marmonne quelque chose, mais quoi ? En tout cas, sûrement pas des encouragements, car je ne suis pas dans mon assiette.

Oh, Seigneur ! Elle me touche – elle *me la touche*, à titre d'essai. Je me hisse sur les coudes pour regarder. C'est tout flasque, on dirait une tête de tortue hésitant à sortir de sa carapace. Et puis, c'est comme collé à ma cuisse. Elle la déta-

171

che, m'écarte les cuisses, cherche mes testicules. Elle les soupèse, les manipule comme si c'était des œufs tout en inspectant ma verge. Celle-ci est toute flasque malgré ces caresses expertes, à ma grande honte.

L'autre femme – à présent, elle est redevenue une, comment s'y retrouver ? – est étendue à mon côté, dans le lit. Elle sort un petit sein maigrelet de sa robe et le porte à mes lèvres, le frotte contre ma figure. Sa bouche vient à moi, langue tendue – un gouffre béant. Je tourne la tête vers la droite, là où il n'y a pas de femme, et c'est alors que je sens une bouche se refermer autour de mon gland.

J'étouffe un soupir. Les femmes gloussent, mais c'est plutôt comme un ronronnement encourageant, alors qu'elles s'efforcent d'obtenir une réaction.

Oh, Seigneur ! Oh, Seigneur ! ! Elle me suce. Elle me suce, bon sang !

Je ne vais pas pouvoir...

Oh, non, j'ai envie de...

Je tourne la tête et vomis sur Nell le contenu hélas varié de mon estomac.

Il y a un atroce raclement. Puis une lueur troue les ténèbres.

Kinko est là.

– Debout ! Ton patron te cherche.

Il tient un couvercle ouvert. Tout cela commence à prendre un sens, car tout en réalisant qu'il est de nouveau opérationnel, mon cerveau comprend également qu'on m'a fourré dans un coffre.

Ayant calé le couvercle, Kinko s'en va. Je dégage mon cou, me redresse non sans mal. Je suis environné de costumes bariolés, d'accessoires, de coiffeuses.

– Où suis-je ?

Je tousse et essaie d'éclaircir ma voix enrouée.

— Dans la Rue des Clowns, dit Kinko qui effleure un genre de pot de peinture sur une commode.

Je lève le bras pour me protéger les yeux et constate qu'on m'a affublé d'un peignoir en soie. Un peignoir de soie rouge, pour être exact. Un peignoir de soie rouge qui est grand ouvert. En y regardant de plus près, je découvre qu'on m'a rasé le pubis.

Je rabats vivement les deux pans, me demandant si Kinko a vu.

Doux Jésus, qu'ai-je fait hier soir ? Je n'en ai aucune idée. Il ne me reste que des bribes de souvenirs et...

Oh, non ! J'ai vomi sur une femme !

Je me remets debout, ceinture le peignoir. Je m'essuie le front, qui est bizarrement crémeux. Ma main est toute blanche.

— Qu'est-ce que...

Kinko se retourne et me tend un miroir. Je m'en empare non sans émoi. Lorsque je l'approche de mon visage, je me retrouve face à un clown.

Je passe la tête en dehors de la tente, regarde à droite, à gauche, puis file vers mon wagon, poursuivi par de gros rires gras et des sifflements moqueurs.

— Ouh, qu'elle est sexy !

— Hé, Fred, vise un peu la nouvelle danseuse orientale !

— Chérie, t'es libre ce soir ?

Je me rue dans la chambrette et claque la porte. Adossé au battant, je respire avec peine, jusqu'à ce que les rires retombent. Puis, attrapant un chiffon, je me frotte la figure. Je me suis déjà presque arraché la peau là-bas, mais j'ai comme l'impression que ça ne partira jamais complètement. Je me sens souillé pour toujours. Et le pire, c'est que je ne sais même pas ce que j'ai fait. Je n'ai que des images, et si horribles qu'elles soient, le pire est que j'ignore le reste.

Soudain, je réalise que je ne sais pas si je suis encore puceau.

Glissant le bras sous le peignoir, je me gratte les parties.

Quelques minutes plus tard, Kinko arrive. Je suis allongé sur mon sac de couchage, la tête sous les bras.

– Je te conseille de te remuer. Il te cherche toujours...

Quelque chose est fourré dans mon oreille. Je soulève ma tête et me cogne à une truffe humide. Queenie bondit en arrière comme si elle avait été projetée par une catapulte. Elle me surveille à présent à distance, reniflant avec circonspection. C'est sûrement que je dois présenter toute une palette d'odeurs, ce matin. Ma tête retombe.

– Tu veux te faire virer, ou quoi ? dit Kinko.

– Au point où j'en suis, ça m'est bien égal.

– Quoi ?

– De toute façon, je m'en vais...

– Qu'est-ce que tu racontes ?

Je ne peux répondre. Je ne peux pas lui dire que, non content de me déshonorer totalement, irrévocablement, j'ai également manqué l'occasion de coucher avec une femme – mon rêve depuis des années. De plus, j'ai vomi sur l'une de celles qui s'offraient à moi, avant de m'évanouir, de me faire peinturlurer, raser les testicules et flanquer dans une malle. Enfin, il ne doit pas tout ignorer, puisqu'il a bien su où me trouver ce matin... Peut-être a-t-il pris part à ces festivités ?

– Fais pas ta chochotte ! Tu veux finir comme ces pauvres cloches qui suivent la voie ferrée ? Va bosser avant qu'il soit trop tard...

Je reste inerte.

– Debout !

– Qu'est-ce que ça peut te faire ? Et arrête de gueuler. J'ai mal au crâne.

174

– Debout ou tu vas connaître ta misère !

– D'accord ! Mais braille plus !

Je me remets péniblement debout et le regarde d'un sale œil. Ma tête m'élance et c'est comme si j'avais les membres en plomb. Comme il continue à m'observer, je me tourne vers le mur, tenant le peignoir bien serré jusqu'à ce que j'aie enfilé mon froc. J'ai le feu aux joues.

– Oh, et tu veux un conseil ? Envoie un bouquet à Barbara... L'autre n'est qu'une putain, mais Barbara, c'est une amie.

Je suis si honteux que ma conscience vacille. Après avoir manqué m'évanouir, je fixe le sol, sachant que je ne pourrai plus jamais regarder quelqu'un en face.

Le convoi des Frères Fox a quitté la voie secondaire et le wagon chèrement disputé de l'éléphante est à présent attaché juste derrière la locomotive, là où il sera le moins secoué. Ce fourgon est équipé de trous d'aération, non de lattes, et il est en métal. Les gars de l'Escadron Volant s'affairent à démonter les tentes – ils ont déjà affalé les plus grandes, révélant les bâtiments de la ville de Joliet à l'arrière-plan. Quelques citadins se sont attroupés pour assister au départ.

Je trouve August dans la ménagerie, campé devant l'éléphante.

– Bouge ! s'écrie-t-il, en agitant le crochet.

Elle balance sa trompe et cille.

– J'ai dit : *bouge* !

Il la contourne et lui flanque un coup à la patte.

– Bouge, nom de nom !

Les yeux du pachyderme s'étrécissent et ses oreilles immenses se plaquent contre sa tête.

August m'aperçoit et s'immobilise. Il laisse retomber son crochet au bout de son bras.

– Nuit agitée... ? lance-t-il d'une voix railleuse.

Une rougeur naît au niveau de ma nuque pour s'étaler sur toute ma figure.

— Laisse tomber. Trouve-toi un bâton et aide-moi à bouger cette idiote.

Pete arrive derrière lui, malaxant son chapeau.

— August ?

August se retourne, furieux.

— Oh, pour l'amour du ciel ! Qu'y a-t-il, Pete ? Tu ne vois pas que je suis occupé ?

— La... viande pour les chats est là.

— Très bien. Fais le nécessaire. Le temps presse.

— Qu'est-ce que je dois faire, au juste ?

— À ton avis ?

— Mais, patron... ! dit Pete, visiblement désemparé.

— Nom de nom ! s'exclame August. (La veine sur sa tempe gonfle de façon impressionnante.) Il faut que je fasse tout moi-même ? Tiens... (Il me tend le crochet.) Apprends-lui quelque chose, à cette idiote. N'importe quoi. Pour moi, jusqu'à présent, elle sait que chier et bouffer...

Je m'empare du crochet et le regarde partir comme un ouragan. Je suis encore sous le choc, quand je sens la trompe effleurer mon visage, souffler de l'air chaud dans mon oreille. Je me retourne et me retrouve face à un œil jaune d'ambre. Sa paupière cligne. Mon regard va de cet œil au crochet.

Je regarde de nouveau l'œil, qui de nouveau cille. Je me penche pour poser le crochet à terre.

Elle balance sa trompe au ras du sol, déploie ses oreilles telles d'énormes feuilles. Sa bouche s'ouvre dans un sourire.

— Salut... Salut, Rosie. Moi, c'est Jacob !

Après un instant d'hésitation, je tends la main, à peine. La trompe passe à toute vitesse, soufflant. Enhardi, je lui touche l'épaule ; sa peau est rugueuse, poilue et d'une chaleur surprenante.

— Salut, toi...

Je lui donne une petite tape timide. Ses oreilles en voile de bateau avancent et reculent, puis la trompe revient. Je la touche, la caresse. Je suis complètement sous le charme, si captivé que je ne m'aperçois même pas du retour d'August.

— Qu'est-ce que vous avez, ce matin ? Je devrais vous virer tous autant que vous êtes ! Pete qui ne veut rien faire ce matin, et toi qui disparais pour faire ensuite des mamours à ce pachyderme... Où est ce foutu crochet ?

Je le ramasse. August me l'arrache et les pavillons de l'éléphante se rabattent aussitôt en arrière.

— Tiens, princesse ! dit August, s'adressant à moi. J'ai un boulot à ta portée, j'espère ! Va voir Marlène et assure-toi qu'elle n'aille pas derrière la ménagerie pendant un certain temps.

— Pourquoi ?

Il inspire à fond et serre si fort le crochet que ses phalanges blanchissent.

— Parce que j'en ai décidé ainsi. D'accord ?

Naturellement, je me dirige derrière la ménagerie pour découvrir ce que Marlène n'est pas censée voir. Je tourne à l'angle à l'instant même où Pete égorge un cheval gris et décrépit. Le cheval hurle tandis qu'un geyser de sang jaillit de la plaie béante.

— Nom de nom !

Je fais un pas en arrière.

Le rythme cardiaque ralentit, les jets faiblissent. Enfin, la bête tombe à genoux et bascule en avant. Elle racle le sol de ses sabots puis ne bouge plus. Ses yeux sont écarquillés. Une mare de sang presque noir s'étale depuis son encolure.

Toujours penché au-dessus de sa victime, Pete me lance un coup d'œil.

Un bai décharné est attaché à un piquet derrière lui, fou de terreur. Ses naseaux sont dilatés, son museau braqué vers le ciel. La corde est si tendue qu'on dirait qu'elle va casser. Peter enjambe le cadavre, attrape la corde, tranche la gorge de l'autre bête. C'est de nouveau le sang qui jaillit, les affres de l'agonie, un corps qui s'effondre.

Pete se tient là, les bras ballants, ses manches retroussées jusqu'aux coudes, le couteau ensanglanté toujours au poing. Il regarde le cheval mourir puis me considère.

Il s'essuie le nez, crache, et retourne à sa besogne.

— Marlène ? Tu es là ? dis-je en frappant à la porte de la cabine.

— Jacob ? fait une petite voix de l'intérieur.

— Oui.

— Entre.

Elle se tient près d'une des fenêtres ouvertes, et regarde vers l'avant du train. Comme j'entre, elle tourne la tête. Ses yeux sont grands ouverts, son visage est exsangue.

— Oh, Jacob...

Sa voix tremble. Elle est sur le point de pleurer.

— Qu'y a-t-il ? dis-je en m'avançant.

Elle presse sa main sur sa bouche et se retourne vers la fenêtre.

August et Rosie progressent bruyamment vers l'avant du train. C'est plus que laborieux et tout le monde s'arrête pour les observer.

August la frappe par-derrière, et Rosie progresse de quelques mètres à vive allure. Quand il l'a rattrapée, il la frappe de nouveau, si fort qu'elle soulève sa trompe, mugit, et fait quelques pas de côté. Ayant lâché une bordée de jurons, August court après elle, balançant son crochet et la piquant à l'épaule. Rosie geint et cette fois ne bouge pas d'un iota. Même à cette distance, on peut voir qu'elle tremble.

Marlène ravale un sanglot. Pris d'une impulsion, je cherche sa main. Quand je la trouve, elle me serre si fort les doigts que j'ai mal.

Après encore quelques coups, Rosie aperçoit son wagon.

178

Elle soulève sa trompe et pousse un barrissement, avant de partir à un train d'enfer. August disparaît dans un nuage de poussière derrière elle et des tchécos paniqués se sauvent sur son passage. Elle monte à bord avec un soulagement manifeste.

La poussière retombe et August réapparaît, hurlant et agitant les bras. Diamond Joe et Otis marchent lentement, traînant les pieds, jusqu'au wagon qu'ils entreprennent de barricader.

11

Kinko passe les premières heures du voyage jusqu'à Chicago à utiliser des morceaux de bœuf séché pour apprendre à Queenie, qui apparemment n'a plus la diarrhée, à marcher sur deux pattes.

– Allez ! Allez, Queenie ! C'est bien, ma belle ! Bravo !

Je suis recroquevillé sur mon sac de couchage, face au mur. Mon état physique est aussi lamentable que mon état mental – et ce n'est pas peu dire. Ma tête est un écheveau embrouillé d'images : mes parents vivants, me déposant à Cornell. Mes parents morts, et les carreaux verts et blancs de la morgue. Marlène, valsant avec moi dans la ménagerie. Marlène ce matin, refoulant ses larmes à la fenêtre. Rosie et sa trompe inquisitrice. Rosie et ses trois mètres de haut, solide comme une montagne mais gémissant sous les coups d'August. August, faisant des claquettes sur le toit du train en mouvement. August, s'acharnant sur Rosie avec le crochet comme un forcené. Barbara balançant ses melons sur scène. Barbara et Nell, leurs caresses expertes.

Le souvenir de la nuit dernière me frappe comme un boulet de canon. Je ferme les yeux, m'efforçant de faire le vide dans mon esprit, sans succès. Plus le souvenir est déplaisant, plus il résiste.

Enfin, les jappements enthousiastes de Queenie cessent.

Au bout de quelques secondes, j'entends grincer le lit de Kinko. Puis, c'est le silence. Il est en train de m'observer, j'en jurerais. Je me retourne.

Il est au bord du lit, avec ses pieds nus croisés et sa tignasse rousse ébouriffée. Queenie s'installe sur ses genoux, les pattes arrière tendues, telle une grenouille.

— Alors, c'est quoi, ton histoire ? dit-il.

Derrière lui, les rayons du soleil brillent comme des lames de couteau à travers les lattes. Je mets ma main en visière et grimace.

— Non, sérieux ! Tu viens d'où ?

— De nulle part, dis-je en roulant de nouveau contre le mur, et je flanque l'oreiller sur ma tête.

— Pourquoi t'es fâché ? À cause d'hier ?

Cette simple allusion me fait monter de la bile dans la gorge.

— T'es gêné... ?

— Oh, bon sang, tu peux pas me foutre la paix ?

Il se tait. Au bout de quelques secondes, je me retourne de nouveau. Il est toujours en train de me regarder, tout en effleurant les oreilles de Queenie. Elle lui lèche la main, remue sa queue minuscule.

— Pardon... Je n'avais jamais rien fait de pareil.

— Oh, ça, c'est évident...

J'attrape ma tête douloureuse à deux mains. Que ne donnerais-je pas pour des litres d'eau...

— Écoute, c'est pas un drame. Tu apprendras à tenir l'alcool. Quant au reste – eh bien, j'avais une revanche à prendre, pour l'autre jour. Pour moi, on est quittes. En fait, je crois bien avoir même une dette envers toi... ! Ce miel a agi comme un bouchon sur Queenie... Au fait, tu sais lire ?

Je cille.

— Quoi ?

— Tu préfères pas lire, au lieu de rester couché là, à ruminer ?

– Je crois que je préfère ruminer.

Je ferme les yeux et mets la main par-dessus. C'est comme si mon cerveau était trop gros pour mon crâne, j'ai mal aux yeux et envie de vomir. Mes couilles me démangent.

– Comme tu veux, dit-il.

– Une autre fois, peut-être.

– Oui, oui...

Un silence.

– Kinko ?

– Oui ?

– Merci de la proposition.

– De rien.

Silence encore plus long.

– Jacob ?

– Oui ?

– Tu peux m'appeler Walter, si tu veux...

Sous ma main, mes yeux s'écarquillent.

Son lit grince. Je lui coule un regard à travers mes doigts écartés. Il plie en deux son oreiller, s'allonge, attrape un livre sur la pile. Queenie se couche à ses pieds, et me surveille. L'inquiétude fait tressaillir ses sourcils.

En fin d'après-midi, nous arrivons à Chicago. Malgré ma migraine et mes autres douleurs, je me poste à la porte du wagon pour ne rien perdre. Après tout, c'est ici la ville du massacre de la Saint-Valentin, du jazz, des gangsters et des bars clandestins...

J'aperçois quelques gratte-ciel au loin, et, au moment où j'essaie de distinguer lequel est le célèbre Allerton, voici que nous longeons les parcs à bestiaux. Ils s'étendent sur des kilomètres et des kilomètres, et le train passe devant au ralenti. Les constructions sont basses, laides ; les enclos bourrés à craquer de vaches paniquées qui meuglent, de cochons crasseux qui grognent, le postérieur tourné contre la voie ferrée, mais ce n'est rien comparé aux bruits et à la puanteur provenant des bâtiments. Au bout de quelques minutes, l'odeur répugnante de sang et les cris stridents me renvoient dare-dare dans la chambrette où je presse mon nez contre la couverture moisie – tout, plutôt que l'odeur de la Mort.

Mon estomac est si fragile que, même si notre chapiteau est monté à une certaine distance des parcs, je reste dans le wagon en attendant que tout soit installé. Ensuite, cherchant la compagnie des bêtes, je me rends dans la ménagerie et en fais le tour.

Il est impossible de décrire la tendresse que j'ai soudain pour elles – y compris les hyènes et les chameaux. Jusqu'à l'ours polaire, qui, assis sur son derrière, mordille ses griffes de dix centimètres de long avec ses dents de dix centimètres de long. De l'amour pour ces créatures jaillit de moi comme une source, et la vérité m'apparaît.

Mon père a estimé de son devoir de continuer à faire son métier, alors qu'on ne le payait plus pour cela. Il ne pouvait pas rester les bras croisés, pendant qu'un cheval avait la colique ou qu'une vache essayait de donner naissance à un veau se présentant par le siège – même si cela signifiait sa ruine. Le parallèle est indéniable. Le fait est que je suis le seul à me dresser entre ces bêtes et les pratiques d'August et d'Oncle Al ; et, à ma place, mon père les soignerait. Cette conviction m'habite. Qu'importe ce que j'ai fait hier soir, je ne puis les abandonner. Je suis leur bon berger, leur protecteur. Et c'est plus qu'un devoir : c'est un pacte avec mon père.

L'un des chimpanzés réclamant un câlin, je le trimballe sur ma hanche tout en faisant mon tour. J'atteins un grand espace vide, et réalise que c'est celui de l'éléphante. August a dû avoir du mal à la faire descendre du wagon. Si j'avais pitié de lui, j'irais voir s'il a besoin d'aide. Mais je n'ai pas pitié de lui.

– Hé, toubib ! dit Pete. Otis pense qu'une des girafes a pris froid. Tu y vas ?

– Oui, oui.

— Viens, Bobo, dit-il en tendant les bras au chimpanzé.

Quatre membres velus m'enserrent.

— Allons ! dis-je en tentant de m'en dépêtrer. Je reviendrai...

Bobo ne bouge pas d'un iota.

— Allons !

Rien.

— Bon, un dernier câlin, et voilà ! dis-je en pressant ma figure contre son pelage.

Le chimpanzé a un sourire radieux et me fait la bise, puis descend, glisse sa main dans celle de Pete et s'en va en se dandinant sur ses jambes arquées.

Un peu de pus s'écoule des fosses nasales de la girafe ; cela ne m'alarmerait pas chez un cheval, mais, ignorant tout des girafes, je décide de ne pas prendre de risque et lui applique un cataplasme, opération qui exige un escabeau avec Otis en bas, qui me tend le nécessaire.

La girafe est timide, magnifique – c'est la plus insolite des créatures. Ses jambes, son cou, sont délicats, son corps élancé est couvert de marques qui font penser à un puzzle. D'étranges protubérances veloutées pointent au sommet de sa tête triangulaire, au-dessus des larges oreilles. Ses yeux sont énormes, sombres, et elle a les lèvres aussi soyeuses que celles d'un cheval. Elle porte un licol et je m'y tiens, bien qu'elle reste assez sage tandis que je badigeonne ses naseaux et affuble sa gorge d'un cache-nez improvisé. Après quoi, je redescends.

— Tu peux me remplacer un moment ? dis-je à Otis, tout en m'essuyant les mains à un chiffon.

— Oui, pourquoi ?

— Je dois aller quelque part.

Il prend l'air soupçonneux.

— Tu vas pas te barrer... ?

— Quoi ? Non, bien sûr que non.

— Dis-moi la vérité, parce que, si tu te barres, je veux pas être complice...

– Je ne me barre pas. Pourquoi ferais-je ça ?

– Eh bien, après... enfin, tu sais. Certains événements...

– Non ! Je ne vais pas me barrer. Et laisse tomber, veux-tu ?

Est-il quelqu'un qui ne soit pas au courant de ma mésaventure ?

Je pars à pied et, au bout de trois kilomètres, me retrouve dans un quartier résidentiel. Les maisons sont délabrées ; beaucoup de fenêtres sont condamnées par des planches. Je passe devant une soupe populaire – longue file de gens mal vêtus, démoralisés, devant la porte d'une mission. Un jeune Noir se propose d'astiquer mes souliers, et je ne demanderais pas mieux, si seulement j'avais un sou en poche.

Enfin, j'aperçois une église catholique. Je vais m'asseoir au fond et reste un certain temps à contempler les vitraux au-dessus de l'autel. Si ardent que soit mon désir d'absolution, je ne puis affronter la confession. Finalement, je me relève pour aller dans une chapelle latérale allumer des cierges à l'intention de mes parents.

En me retournant pour m'en aller, j'aperçois Marlène – elle a dû entrer pendant que j'étais dans la chapelle. Je ne vois que son dos, mais c'est bien elle. Elle est au premier rang, vêtue d'une robe jaune pâle et coiffée d'un chapeau assorti. Sa nuque est toute fine, ses épaules bien carrées. Quelques boucles claires dépassent du chapeau.

Elle s'agenouille sur le prie-Dieu, et mon cœur est comme broyé dans un étau.

Je me retire pour ne pas aggraver mon cas devant l'Éternel.

À mon retour, Rosie a été installée dans la ménagerie. Je ne sais pas comment, et je ne demande pas.

Elle sourit à mon approche et s'essuie les yeux avec le

bout de sa trompe enroulé comme un poing. Je l'observe pendant quelques minutes, puis enjambe la corde. Ses oreilles s'aplatissent, ses yeux s'étrécissent. L'émotion me gagne, car elle semble sensible à ma présence. Puis j'entends la voix d'August.

— Jacob ?

Je regarde Rosie pendant encore quelques secondes avant de me retourner.

— Euh... écoute, dit-il, raclant la terre de la pointe de sa botte. Je sais que j'ai été un peu dur avec toi, depuis deux jours...

Je suis censé dire quelque chose, pour détendre l'atmosphère, mais je m'abstiens. Je ne suis pas d'humeur particulièrement conciliatrice.

— Bon, voilà, je sais que j'ai été un peu loin... Le stress du boulot, tu sais. Ça vous aigrit le caractère... (Il me tend la main.) Alors, sans rancune ?

Je reste coi pendant encore un instant, puis accepte de lui serrer la main. C'est mon chef, après tout. Maintenant que j'ai choisi de rester, ce serait idiot de me faire virer.

— Bravo ! dit-il en me donnant une claque sur l'épaule. Ce soir, je vous emmène quelque part, Marlène et toi. Vous verrez, je connais un chouette petit endroit.

— Et le spectacle ?

— Pas de représentation, ce soir. La population ne sait pas encore qu'on est là. Voilà ce qui arrive, quand on chamboule son itinéraire et qu'on s'éparpille... (Il soupire.) Enfin, Oncle Al sait ce qu'il fait. Ou croit le savoir...

— Je ne sais pas si... Hier, j'ai un peu trop...

— Il faut remettre ça ! Il faut remettre ça tout de suite, pour que ça s'arrange. Je t'attends à neuf heures... !

Il sourit et s'en va.

Je le regarde partir, consterné. Je n'ai aucune envie de passer la soirée avec lui – avec Marlène, en revanche...

La porte de la cabine s'ouvre sur elle, éblouissante en satin rouge.

– Quoi ? dit-elle en se regardant. J'ai fait une tache... ?

Elle se tortille, pour examiner sa robe et ses jambes.

– Non, c'est superbe !

Nos regards se croisent.

August apparaît derrière la tenture verte, arborant une cravate blanche. Il me jette un regard et lâche :

– Tu ne peux pas y aller ainsi...

– J'ai rien d'autre !

– Eh bien, il faudra emprunter. Allons, pressons ! Le taxi attend...

La voiture zigzague à travers un dédale de parkings et de ruelles avant de stopper brusquement à un coin de rue, dans une zone industrielle. August descend et tend au chauffeur un billet enroulé.

– Venez ! dit-il en tirant Marlène de la banquette.

Je les suis. Nous sommes dans une ruelle entourée de vastes entrepôts en briques rouges. Les réverbères éclairent la surface inégale de l'asphalte. D'un côté, des ordures ont été poussées par le vent contre le mur. De l'autre, il y a des voitures en stationnement – torpédos, coupés, berlines, et même des limousines – toutes également rutilantes, neuves.

August s'arrête devant une porte en bois dans un renfoncement. Il frappe sèchement et attend, battant la semelle. Une petite trappe coulisse, révélant les yeux d'un homme sous des sourcils touffus. On entend des flonflons à l'arrière-plan.

– Ouais ?

– On vient pour le spectacle !

– Lequel ?

– Celui de Frankie, bien sûr, dit August en souriant.

La trappe se referme. Se font entendre des clic et des clac, puis un bruit spécifique de verrou. La porte s'ouvre.

Très vite, l'homme nous jauge, puis il nous fait poliment entrer et claque la porte. Nous traversons un vestibule carrelé, passant devant un vestiaire gardé par des employés en uniforme, et descendons quelques marches jusqu'à un dancing au sol en marbre. Des lustres tarabiscotés en cristal sont suspendus au plafond haut. Un orchestre joue sur une estrade, et les couples se pressent sur la piste de danse. Tables et coins-banquettes entourent les danseurs. Le long du mur du fond, accessible par quelques marches, se trouve un bar lambrissé. Y officient des barmen en smoking devant des centaines de bouteilles alignées sur des étagères, contre un miroir fumé.

Marlène et moi attendons sur une banquette en cuir pendant que August va chercher les boissons. Marlène observe l'orchestre. Ses jambes sont croisées et son pied a recommencé à battre la breloque. Elle marque la cadence, fait tourner sa cheville.

Un verre est planté devant moi. Une seconde plus tard, August se laisse choir auprès de Marlène. Après examen, il s'avère que mon verre contient des glaçons et du scotch.

– Ça va ? dit Marlène.

– Très bien...

– Tu es un peu verdâtre...

– Notre Jacob souffre d'une mini-gueule de bois, dit August. Il faut boire encore pour que ça parte...

– Eh bien, préviens-moi à l'avance s'il faut dégager le passage, dit-elle, dubitative, en reportant son attention sur l'orchestre.

August lève son verre.

– À l'amitié !

Marlène regarde vers nous, le temps de localiser sa mousseuse boisson et la brandit au-dessus de la table pendant que nous trinquons. Puis elle se met à la siroter avec une grâce affectée, tenant la paille entre ses ongles vernis. August fait cul sec. À la seconde où mon propre whisky atteint mes lèvres, ma langue bloque instinctivement sa progression ;

mais, comme August me regarde, je fais semblant d'avaler avant de reposer mon verre.

— À la bonne heure, mon garçon ! Encore quelques-uns, et tu seras tiré d'affaire !

Je ne sais pas pour moi, mais après un second cocktail, Marlène semble en effet renaître. Elle entraîne August sur la piste. Tandis qu'il la fait virevolter, je me penche pour vider le contenu de mon verre dans un palmier en pot.

Marlène et August reviennent, tout rouges. Marlène soupire et s'évente avec le menu. August s'allume une cigarette.

Ses yeux se posent sur mon verre vide.

— Oh... je suis d'une négligence... (Il se relève.) Même chose ?

— Oh, après tout, pourquoi pas ? dis-je sans enthousiasme.

Marlène se contente d'acquiescer, de nouveau absorbée par le spectacle des danseurs.

August n'est pas sitôt parti au bar qu'elle bondit sur ses pieds et me saisit la main.

— Qu'est-ce que tu fais ? dis-je en riant.

— Allons ! dansons !

— Quoi ?

— J'adore cet air !

— Non, je...

C'est inutile. Je suis déjà debout. Elle m'entraîne sur la piste, swingue et claque des doigts. Lorsque nous sommes environnés d'autres couples, elle se tourne vers moi. J'inspire à fond et la prends dans mes bras. Nous attendons un peu et puis nous nous lançons, pris par le tourbillon collectif.

Elle est légère comme une plume – ne rate pas un pas, et c'est un miracle compte tenu de ma balourdise ; non que je ne sache pas danser, car je sais ! J'ignore ce que j'ai – en tout cas, ce n'est pas à cause de l'alcool.

Elle s'éloigne, revient, passe sous mon bras et son dos se colle contre moi. Mon avant-bras repose sur sa clavicule, nos épidermes sont en contact. Sa poitrine se soulève sous mon bras. Sa tête est sous mon épaule, ses cheveux sentent bon, l'exercice a rendu son corps chaud. Et la voilà repartie, elle se déroule tel un ruban.

Quand la musique cesse, les danseurs sifflent et applaudissent, les mains en l'air, et nul n'est plus enthousiaste que Marlène. Je regarde en arrière. August est en train de nous contempler, les bras croisés, en ébullition. Surpris, je m'écarte de Marlène.

— *Une descente !*

Stupeur générale, puis un second cri s'élève :

— *Une DESCENTE ! Tout le monde dehors !*

Je suis balayé par une masse de corps ; les gens crient, se bousculent dans une tentative frénétique pour gagner la sortie. Marlène est séparée de moi. Elle regarde en arrière, cherche à me voir à travers ces têtes qui oscillent et ces visages désespérés.

— Jacob ! Jacob !

Je m'efforce de la rejoindre, plonge en jouant des coudes.

Je serre une main au hasard et comprends, à son air, que c'est effectivement la sienne. La serrant bien, je survole la foule du regard, à la recherche d'August, mais ne vois que des inconnus.

Marlène et moi sommes encore séparés sur le seuil de la porte. Quelques secondes plus tard, je suis éjecté dans une ruelle. Des gens hurlent, s'entassent dans des voitures ; des moteurs démarrent, des klaxons bêlent, des pneus crissent.

— *Allons ! Allons ! Sortez !*

— *Dégagez !*

Surgissant de nulle part, Marlène m'attrape la main. Nous filons, poursuivis par des sirènes et des coups de sifflet retentissants. Lorsque crépite une mitraillette, j'entraîne Marlène dans une ruelle encore plus étroite.

— Attends ! dit-elle d'une voix étranglée.

Elle s'arrête, saute à cloche-pied le temps d'ôter son escarpin. Elle m'attrape le bras et retire l'autre.

— OK, dit-elle en tenant la paire d'une seule main.

Nous courons jusqu'à ce que le bruit des sirènes, des gens, et des pneus ne soit plus audible, nous faufilant par des arrière-cours et des ruelles. Enfin, nous nous arrêtons sous une échelle de secours, hors d'haleine.

— Oh, Seigneur ! dit-elle. Oh, Seigneur ! On l'a échappé belle. Je me demande si August a réussi à s'enfuir.

— Je l'espère, dis-je, en m'efforçant de reprendre mon souffle.

Je suis penché en avant, les mains sur les cuisses.

Au bout d'un moment, je relève les yeux. Marlène est en train de me dévisager. Elle est prise d'un fou rire.

— Quoi ? dis-je.

— Oh, rien. Rien...

Elle continue à rire, mais semble au bord des larmes.

— Qu'y a-t-il ?

— Oh, dit-elle en reniflant et mettant un doigt au coin de son œil. C'est une vie de dingue, voilà tout... Tu n'as pas un mouchoir ?

Je palpe mes poches, et en trouve un. Elle s'essuie le front, puis éponge le reste de sa figure.

— Je suis dans un état ! Tu as vu mes bas ! s'écrie-t-elle, désignant ses pieds déchaussés.

Ses orteils pointent par les trous.

— C'était de la soie, en plus !

Sa voix est aiguë et forcée.

— Marlène ? dis-je doucement. Ça va ?

Un poing contre la bouche, elle se met à gémir. Je cherche à atteindre son bras, mais elle se détourne. Je m'attends à ce qu'elle se tourne contre le mur, mais en fait elle continue à tourner, à tournoyer tel un derviche. À la troisième rotation, je la prends par les épaules et presse ma bouche contre la sienne. Elle se raidit, hoquette. Puis se détend. Ses doigts touchent mon visage ; mais elle se dégage brutalement, fait plusieurs pas en arrière et me fixe avec un air effaré.

– Jacob..., dit-elle d'une voix brisée. Oh, mon Dieu... Jacob.

– Marlène... (Je fais un pas en avant – un seul.) Je suis désolé. Je n'aurais pas dû...

Elle me dévisage, la main sur la bouche, les yeux noyés d'ombre. Puis elle s'appuie au mur, se rechausse tout en regardant l'asphalte.

– Marlène, de grâce...

Je lui tends les mains, désespéré.

Elle chausse son second escarpin et s'enfuit. Elle trébuche, vacille...

– Marlène !

Je me précipite, mais elle accélère et met une main sur sa joue, pour se défendre de mon regard.

Je m'arrête.

Elle continue à marcher ; ses talons claquent dans la ruelle.

– Marlène !

Je la regarde jusqu'à ce qu'elle ait tourné au coin. Sa main est restée sur sa joue, sans doute au cas où je l'aurais suivie.

Il me faut plusieurs heures pour retrouver le chemin du cirque. Je passe devant des jambes étalées en travers des portes cochères, des pancartes annonçant des soupes populaires. Je passe devant des pancartes dans des vitrines qui signalent que c'est FERMÉ – et il est clair que ça ne signifie pas seulement pour la nuit. Je passe devant des pancartes qui disent HOMMES NON ADMIS et d'autres, au premier étage, disant FORMATION À LA LUTTE DES CLASSES. Je passe devant une pancarte dans une épicerie, qui dit :

PAS D'ARGENT ?

QU'AVEZ-VOUS D'AUTRE ?

NOUS PRENONS N'IMPORTE QUOI !

Je passe devant un distributeur de journaux. Le gros titre est : FLOYD « LE BEAU GOSSE » FRAPPE ENCORE UN GROS

À moins de deux kilomètres du cirque, je traverse un campement de clochards. Ils sont disséminés autour d'un feu ; certains sont réveillés. Assis, ils contemplent les flammes. D'autres sont couchés sur des vêtements pliés. Je suis assez près pour voir leurs visages et noter que la plupart sont jeunes – plus jeunes que moi. Il y a des filles aussi, et un couple est en train de copuler. Ils ne sont même pas cachés, juste un peu à l'écart. Un ou deux garçons regardent, plutôt par désœuvrement que réel intérêt. Ceux qui dorment ont ôté leurs souliers mais les ont attachés à leurs chevilles.

Un homme plus âgé est assis près du feu, pas rasé, les mâchoires rongées par une barbe de deux jours, ou des croûtes, voire les deux. Il a les joues creuses d'une personne qui n'a plus ses dents. Nos regards se croisent et restent en contact. Je me demande pourquoi il me fixe avec une réelle hostilité, quand je me souviens que je suis en costume de soirée. Comment pourrait-il savoir que c'est à peu près tout ce qui nous distingue ? Je refoule un absurde besoin de me justifier et poursuis mon chemin.

Lorsque, enfin, je suis arrivé, je m'arrête pour balayer du regard la tente de la ménagerie, dont la silhouette, énorme, se découpe sur le noir de la nuit. Quelques minutes plus tard, je me retrouve devant l'éléphante. Je ne vois que ses contours, et encore, une fois mes yeux habitués à la pénombre. Elle dort. Son immense corps ne bougerait presque pas, s'il n'y avait sa lente, paisible respiration. J'ai envie de la toucher, de poser mes mains sur cette peau rugueuse, chaude, mais je ne peux me résoudre à la réveiller.

Bobo est allongé dans un coin de sa cage, un bras sur le front et l'autre sur sa poitrine. Il pousse un profond soupir, se pourlèche et roule sur le côté. Si humain...

Finalement, je retourne à mon wagon et m'installe sur le sac de couchage, sans réveiller ni Queenie ni Walter.

Je reste allongé sans dormir jusqu'à l'aube, à écouter les ronflements de Queenie et accablé par le poids de ma misère. Il y a moins d'un mois, j'étais sur le point de décrocher un diplôme d'une grande école et de faire carrière aux côtés de mon père. Aujourd'hui, je suis à deux doigts de me retrouver à la rue après m'être déshonoré non pas une, mais deux fois, en l'espace de deux jours.

Hier, je n'aurais pas cru possible de vomir sur Nell ; or c'est pourtant, semble-t-il, ce que j'ai fait. Qu'est-ce qui m'a pris ?

Je me demande si « elle » le dira à August. J'ai de brèves visions du crochet à éléphant jeté à ma tête, et d'encore plus brèves visions de moi me levant maintenant, à cette minute, pour retourner chez les clochards. Mais je m'abstiens, car je ne puis supporter l'idée d'abandonner Rosie, Bobo et les autres.

Je vais me ressaisir. Je vais cesser de boire. Je m'arrangerai pour ne plus jamais rester seul avec Marlène. J'irai me confesser.

J'utilise le coin de mon oreiller pour essuyer mes larmes. Puis je ferme les yeux et évoque ma mère. J'essaie de m'accrocher à cette image, mais bientôt Marlène prend sa place. Froide et distante, quand elle observait l'orchestre en balançant son pied. Rayonnante, quand on tournoyait sur cette piste de danse. Hystérique – puis horrifiée – dans la ruelle.

Mais mes pensées ultimes concernent mes impressions tactiles : le contact fugace de ses seins. Ses lèvres sur les miennes, douces et pleines. Et l'unique détail que je ne sais comment interpréter, pas plus que je ne puis le chasser, celui qui me hante jusque dans mon sommeil : le contact de ses doigts redessinant les contours de mon visage.

Kinko – Walter – me réveille quelques heures plus tard.

– Hé, la Belle au bois dormant ! dit-il en me secouant. On a hissé le drapeau...

– OK, OK, dis-je, sans bouger.

– Tu te lèves pas...

– Tu es un génie, tu sais !

Sa voix monte d'au moins une octave.

– Hé, Queenie... Viens, fifille ! Ici, fifille ! Viens, Queenie. Un coup de lèche !

Queenie se jette sur moi.

– Hé, stop ! dis-je en levant un bras protecteur, car sa langue est fourrée dans mon oreille et elle me piétine la figure. Stop !

Mais c'est impossible, et je me redresse donc d'un seul coup, la catapultant sans le vouloir par terre. Walter éclate de rire. Queenie saute alors sur mes genoux et, dressée sur ses pattes arrière, elle entreprend de me lécher le menton et le cou.

– Bravo, fifille, dit Walter. Eh bien, Jacob... on dirait que tu as encore eu une soirée... euh... intéressante.

– Pas exactement, dis-je, sèchement.

Comme la chienne est de toute façon sur mes genoux, je la caresse. C'est la première fois qu'elle se laisse toucher par moi. Son corps est chaud, son poil dru et frisotté.

– Tu vas t'en remettre. Viens manger, ça te calera l'estomac.

– Je n'ai pas bu...

Il me lance un regard insistant.

– Ah..., dit-il, hochant la tête d'un air pénétré.

– Quoi : « Ah »... ?

– C'est à cause d'une femme...

– Non.

– Si.

– Non !

— Ça m'étonne que Barbara t'ait déjà pardonné... Elle t'a pardonné... ?

Il scrute mon visage, puis recommence à opiner.

— Mouais... Je commence à comprendre. Tu ne lui as pas envoyé de bouquet, n'est-ce pas ? Il fallait suivre mon conseil...

— Et si tu t'occupais de tes oignons ?

Je pose Queenie par terre et me lève.

— Ah, t'es l'emmerdeuse de première classe, toi ! Bon, à la bouffe...

Une fois nos assiettes garnies, je fais mine de suivre Walter jusqu'à sa table.

— Qu'est-ce que tu fabriques ? dit-il en s'arrêtant.

— Je vais m'asseoir avec toi...

— Impossible. Tout le monde a une place assignée. D'ailleurs, ce serait déchoir, pour toi...

J'hésite.

— Qu'est-ce que tu as, au fait ?

Il regarde du côté de ma table habituelle. August et Marlène mangent en silence, les yeux sur leur assiette. Walter bat des paupières.

— Oh, non... Me dis pas...

— Je ne t'ai rien dit !

— Pas la peine. Écoute, petit, faut pas aller de ce côté-là. Je veux dire, au sens figuré... Parce que, au sens littéral, tu vas filer là-bas et faire comme si de rien n'était !

De nouveau, je jette un coup d'œil à August et Marlène. Visiblement, ils s'ignorent.

— Jacob, écoute-moi. C'est l'ordure intégrale, ce type, alors quoi qu'il se passe...

— Il ne se passe rien. Rien du tout.

— ... il faut que ça cesse, ou tu vas y laisser ta peau. Viré

197

du train, dans le meilleur des cas, et au niveau d'un pont. Je ne plaisante pas. Et maintenant, va !

Je le foudroie du regard.

— Oust ! dit-il en me chassant des deux mains.

À mon approche, August relève la tête.

— Jacob ! Tu es là, heureusement ! Je me demandais si tu avais bien retrouvé ton chemin, hier soir ! Ça n'aurait pas fait bon effet, si j'avais dû te tirer de prison contre une caution. Tu aurais pu te faire tirer les oreilles...

— Moi aussi, je me suis fait du souci pour vous deux, dis-je en prenant place.

— Ah ? dit-il avec une surprise jouée.

Je le considère. Ses yeux lancent des éclairs. Son sourire a tout du rictus.

— Oh, mais nous avons bien retrouvé notre chemin, n'est-ce pas, chérie ? dit-il en lui lançant un regard. Mais dis-moi, Jacob... comment diable avez-vous fait pour être séparés ? Vous étiez si... *proches* sur la piste.

Marlène relève vivement les yeux, des taches rouges sur les joues.

— Je te l'ai dit hier ! On a été pris dans un mouvement de foule.

— Je posais la question à Jacob, chérie, mais merci...

August soulève une tartine grillée avec un petit moulinet, souriant largement, les lèvres serrées.

— Il y avait une telle cohue, dis-je en prenant ma fourchette pour la glisser sous mon omelette. J'ai essayé de la suivre, mais c'était impossible. Je vous ai cherché du regard, au fond, et puis je me suis dit que le mieux était encore de sortir.

— Sage décision, mon petit.

— Alors, vous avez réussi à vous retrouver ? dis-je, portant la fourchette à mes lèvres et m'efforçant d'avoir l'air naturel.

— Non, on est revenus chacun dans un taxi. Ça a doublé

la dépense, mais que n'aurais-je donné pour savoir ma chère épouse en sûreté – n'est-ce pas, chérie ?

Marlène fixe son assiette.

– J'ai dit : « N'est-ce pas, chérie ? »

– Oui, bien entendu, dit-elle d'une voix sans timbre.

– Car si jamais je la croyais en danger, je ne sais pas de quoi je serais capable...

Je relève brusquement les yeux. Il me dévisage carrément.

12

Dès qu'il m'est possible de le faire sans attirer l'attention, je me précipite à la ménagerie.

Je renouvelle le cataplasme de la girafe, traite un douteux abcès au sabot d'un chameau, et survis à ma première opération avec un « chat » – soigner Rex pour une griffe incarnée tandis que Clive lui flatte la tête. Puis je passe prendre Bobo avant de poursuivre ma tournée. Les seules bêtes sur lesquelles je ne pose ni les yeux ni les mains, ce sont les percherons ; comme ils sont en permanence actifs, si l'un d'eux tombait malade, on me préviendrait aussitôt.

À la fin de la matinée, je ne suis plus qu'un « homme de bêtes » comme un autre qui nettoie des cages, débite de la nourriture, manipule du fumier. Ma chemise est trempée, mon gosier parcheminé. Lorsque le drapeau est enfin hissé, Diamond Joe, Otis et moi-même sortons péniblement de la grande tente pour gagner la cantine.

Clive nous rattrape.

– Gardez vos distances avec August, si vous pouvez, dit-il. Il est dans un état...

– Pourquoi ? Quoi encore ? dit Joe.

– Il fulmine, parce que Oncle Al veut que l'éléphante défile avec les autres, aujourd'hui, et il s'en prend à tous ceux

qui croisent son chemin. Comme ce pauvre poivrot, là-bas...,
dit-il en désignant trois individus traversant le pré.

Bill et Grady sont en train de traîner Camel en direction
de l'Escadron Volant. Il est suspendu entre eux, ses jambes
traînent à terre.

Je me tourne vivement vers Clive.

— August l'a frappé ?

— Non, mais il l'a vachement engueulé. Il est pas encore
midi, et l'autre est déjà bourré... Mais ce type qui avait
regardé Marlène – *whoooooouuuuu*, il refera pas de sitôt la
même erreur !

Clive secoue la tête.

— Cette maudite éléphante n'est pas prête à faire la parade,
dit Otis. Il arrive même pas à la faire marcher en ligne droite
jusqu'à la ménagerie !

— Moi, je le sais ; toi, tu le sais... mais Oncle Al, lui, ne le
sait pas, apparemment, dit Clive.

— Pourquoi Al tient-il à ce point à ce qu'elle défile ? dis-je.

— Parce qu'il a attendu toute sa vie de pouvoir dire : « Re-
tenez vos chevaux ! Voici les éléphants ! » dit Clive.

— Il nous emmerde, dit Joe. Il n'y a plus de chevaux à
retenir, à notre époque, et nous n'avons pas *des* éléphants.
On a *une* éléphante.

— Pourquoi rêve-t-il de dire ça ? dis-je.

Ils se tournent d'un bloc vers moi.

— Bonne question, dit enfin Otis, bien qu'il me prenne
visiblement pour un demeuré. Parce que c'est la phrase de
Barnum. Lui, évidemment, il en a, *des* éléphants.

De loin, je suis les tentatives d'August pour que Rosie
consente à prendre la tête des chars de parade. Les chevaux
se dérobent, dansent nerveusement dans leurs attelages. Les
cochers retiennent leurs rênes, crient des avertissements. Le
résultat est une sorte de panique contagieuse, et bientôt les

hommes menant les zèbres et les lamas ont bien du mal à en rester les maîtres.

Au bout de quelques minutes, Oncle Al s'approche. Il gesticule follement en direction de Rosie, parle d'une voix tonitruante et sans s'arrêter. Quand enfin sa bouche se referme, celle d'August s'ouvre et lui aussi gesticule en direction de Rosie, brandissant le crochet et la frappant à l'épaule pour faire bonne mesure. Oncle Al se tourne vers ses sbires. Deux d'entre eux tournent casaque et partent en courant.

Bientôt, le char de l'hippopotame arrive près de Rosie, tiré par six percherons à l'air plus que sceptique. August ouvre la porte et flagelle Rosie jusqu'à ce qu'elle monte à bord.

Peu après, quelqu'un met en marche l'orgue de Barbarie et la parade commence.

Elle revient une heure plus tard, escortée d'une foule considérable. Les citadins traînent autour du périmètre du cirque, en nombre croissant tandis que la rumeur enfle.

Rosie est conduite directement au fond du grand chapiteau, qui est déjà connecté à la ménagerie. De là, on la mène à son emplacement. Ce n'est qu'une fois qu'elle est derrière sa corde, enchaînée par le pied à un pieu, que la ménagerie est ouverte au public.

Je vois avec stupeur l'éléphante assaillie tant par les enfants que par les adultes. C'est l'animal le plus populaire, et de loin. Ses grandes oreilles battent tandis qu'elle accepte bonbons, pop-corn et jusqu'à du chewing-gum de la part des badauds ravis. Un homme est assez brave pour se pencher et déverser le contenu d'une boîte de pop-corn-cacahuètes grillées dans sa gueule. En guise de remerciement, elle s'empare de son chapeau, le place sur sa propre tête, et prend la pose, la trompe enroulée dans les airs. La foule éclate de rire et elle rend calmement le chapeau au client enchanté. August se tient auprès d'elle avec le crochet, rayonnant de fierté paternelle.

Il y a quelque chose de bizarre : cette bête n'est pas sotte.

Alors que la foule pénètre à l'intérieur du grand chapiteau et que les artistes se préparent à défiler, Oncle Al prend August à part. Du fond de la ménagerie, je vois la bouche d'August s'ouvrir pour manifester étonnement, indignation, puis des protestations véhémentes. Son teint s'assombrit et il agite autant son haut-de-forme que son crochet. Oncle Al reste imperturbable. Finalement, ce dernier lève la main, secoue la tête et s'en va. August le regarde s'éloigner, estomaqué.

— Qu'est-ce qui a bien pu se passer, à ton avis ? dis-je à Pete.

— Dieu seul le sait... mais mon petit doigt me dit qu'on va bientôt le savoir.

Il s'avère que Oncle Al est si content de la popularité de Rosie qu'il exige non seulement qu'elle prenne part au défilé mais aussi qu'elle se produise sur la piste dès le début du spectacle. Au moment où j'apprends cela, l'issue desdits événements est déjà l'objet de paris effrénés en coulisse.

Ma seule pensée est pour Marlène.

Je me précipite à l'arrière du grand chapiteau, où artistes et bêtes font la queue. Rosie remonte la file. Marlène est juchée à califourchon sur sa tête, moulée dans son justaucorps rose à paillettes, et elle s'agrippe à l'affreux harnachement en cuir. Lugubre, August se tient à sa gauche et manipule nerveusement le crochet.

L'orchestre fait silence. Les artistes rajustent une dernière fois leurs costumes ; ceux qui tiennent un animal par la bride vérifient une dernière fois son allure. Puis, la musique du défilé commence.

August se penche et hurle dans l'oreille de Rosie. L'éléphante hésite ; ce que voyant, August lui donne un coup de crochet. Ce traitement la fait filer à l'intérieur du grand chapiteau. Marlène se plaque contre sa tête pour éviter d'être désarçonnée par la poutre transversale.

Je me rue après elle, et contourne la toile.

Comme Rosie s'arrête à six mètres de la piste, Marlène subit une métamorphose incroyable. Il y a une seconde, elle était couchée de travers sur Rosie, et la voilà qui se redresse, sourire aux lèvres, et qui lève le bras en l'air. Son dos est cambré, ses orteils sont pointés. La foule se déchaîne – debout sur les gradins, elle applaudit, siffle, jette des cacahuètes sur la piste.

August la rattrape. Il brandit son crochet, mais se fige. Il tourne la tête et parcourt l'assistance d'un regard circulaire. Ses cheveux retombent sur son front. Il sourit niaisement en laissant retomber son bras, et ôte son haut-de-forme. Puis il s'incline par trois fois, en s'adressant à une section différente du public. Lorsqu'il s'intéresse de nouveau à Rosie, ses traits se durcissent.

La piquant un peu partout, il la convainc de faire un genre de tour de piste chaotique. Cela se déroule par à-coups. Rosie s'arrête si souvent que le reste de la parade est forcé de les dépasser, le cortège se scindant comme un fleuve autour d'une grosse pierre.

Le public adore. Chaque fois que Rosie part au petit trot, distançant August, puis s'arrête, les spectateurs éclatent de rire. Et chaque fois que August arrive, cramoisi et agitant son crochet, c'est l'explosion de joie. Enfin, aux trois quarts de la piste, Rosie enroule sa trompe en l'air et part au galop vers la sortie, lâchant un chapelet de gaz pétaradants dans son sillage. Je suis plaqué contre les gradins, juste au niveau de l'accès. Marlène se cramponne au harnais à deux mains, et je retiens mon souffle. À moins qu'elle ne se laisse tomber d'elle-même, elle va être désarçonnée.

À quelques centimètres de la sortie, Marlène lâche le harnais et se penche très bas vers la gauche. Rosie disparaît, et Marlène reste suspendue à la poutre. La foule fait silence, ne sachant si cela fait partie du numéro.

Marlène reste suspendue mollement, à trois mètres de moi. Elle respire fort, les yeux fermés et la tête basse. Je suis sur le point d'intervenir, quand elle rouvre les yeux, lâche la poutre de sa main gauche, et, d'un mouvement gracieux, pivote face au public.

Son visage s'éclaire, elle pointe les orteils. Le chef d'orchestre, qui l'observe depuis sa tribune, commande d'un geste frénétique un roulement de tambour. Marlène commence à se balancer.

Le roulement de tambour enfle à mesure qu'elle prend de l'élan. Je me demande combien de temps ça va durer, et quelle est son intention, quand soudain elle lâche la poutre, fend l'air, se recroqueville sur elle-même et exécute deux sauts périlleux. Après quoi elle se relève pour faire la roue et atterrit impeccablement dans un nuage de sciure. Elle regarde par terre, se redresse et jette les deux bras en l'air. L'orchestre se lance alors dans un air triomphal et la foule entre en délire. Quelques instants plus tard, les piécettes pleuvent sur la piste.

Dès qu'elle s'en va, je m'aperçois qu'elle s'est blessée. Elle s'éloigne du grand chapiteau en boitant et je me précipite derrière elle.

— Marlène...

Elle pivote et s'effondre contre moi. Je la soutiens par la taille.

August sort en courant.

— Chérie... ma chérie ! Tu as été géniale... géniale ! Jamais je n'avais vu...

En la voyant dans mes bras, il s'arrête.

Puis elle relève la tête et se met à gémir.

August et moi nous regardons, puis formons une sorte de chaise à porteurs avec nos bras. Marlène pleurniche, appuyée à l'épaule d'August. Elle glisse ses pieds toujours chaussés de leurs ballerines sous nos bras, les muscles contractés par la douleur.

August presse sa bouche dans ses cheveux.

– C'est pas grave, chérie. Je suis là. Chut... c'est pas grave. Je suis là.

– Où va-t-on ? dis-je. Dans sa loge ?

– Il n'y a pas de lit, là-bas.

– Le train ?

– Trop loin. Allons dans la tente de la danseuse orientale.

– Chez Barbara ?

August me lance un regard par-dessus la tête de Marlène.

Nous pénétrons dans la tente sans prévenir. Barbara est assise devant sa coiffeuse, en négligé bleu nuit, fumant une cigarette. Son expression blasée s'efface aussitôt.

– Oh, mon Dieu ! Qu'est-ce qui se passe ? dit-elle en écrasant sa cigarette. Ici. Sur le lit. Là..., dit-elle en se précipitant.

Une fois allongée, Marlène roule sur le côté en se tenant les pieds. Ses traits sont crispés, ses dents serrées.

– *Mes pieds...*

– Chut, mon chou, dit Barbara. Ça va s'arranger...

Elle se penche pour délacer les chaussons.

– Oh, j'ai mal, j'ai mal...

– Donne-moi les ciseaux qui sont dans le tiroir du haut, dit Barbara, qui me lance un coup d'œil.

Elle coupe l'extrémité des collants de Marlène, les retrousse, puis pose délicatement les pieds blessés sur ses propres genoux.

– Va me chercher de la glace à la cantine.

Au bout d'une seconde, elle et August se retournent pour me regarder.

– C'est comme si j'y étais ! dis-je.

Je suis en train de sprinter vers la cantine, quand j'entends Oncle Al crier derrière moi.

— Jacob ! Attends... ! Où sont-ils passés ?

— Dans la tente de Barbara...

— Quoi ?

— La danseuse orientale.

— Pourquoi ?

— Marlène est blessée. Je vais chercher de la glace.

Il se retourne et braille à l'adresse d'un serviteur :

— Toi, va chercher de la glace. Rapporte-la à la tente de la danseuse orientale. *Va !* Et toi..., dit-il en s'adressant de nouveau à moi, va chercher cette maudite éléphante avant qu'on ne nous expulse de la ville !

— Où est-elle ?

— Dans un jardin, en train de boulotter les choux d'un particulier. La dame n'est pas contente. Ramène-la avant qu'on ait des ennuis avec les flics.

Rosie se trouve dans un potager complètement piétiné, et promène paresseusement sa trompe à travers les plates-bandes. Elle me regarde droit dans les yeux et arrache un chou violet. Elle le lâche dans la grande pelle qui lui sert de bouche et vise un concombre.

La propriétaire entrouvre la porte et crie :

— Faites partir cette... chose ! Faites-la partir !

— Désolé, madame, dis-je. Je vais faire de mon mieux.

Je m'approche de l'épaule de Rosie.

— Allons, viens ! Tu viens... ?

Ses oreilles ondulent, elle s'arrête, puis vise une tomate.

— Non ! Vilaine...

Rosie gobe la tomate et sourit tout en mastiquant. C'est sûr, elle se fout de moi.

— Oh, merde...

Je suis complètement désemparé.

Rosie enroule sa trompe autour d'un genre de navet qu'elle arrache. Sans me quitter des yeux, elle l'avale et se met à mâcher. Je me retourne et adresse un sourire désespéré à la femme ébahie.

Deux hommes s'approchent. L'un arbore un complet veston, un chapeau melon, et il sourit. À mon grand soulagement, je reconnais en lui l'un des « rapiéceurs ». L'autre est vêtu d'une salopette crasseuse et porte un seau.

— Bonjour, madame, dit le rapiéceur, qui effleure son chapeau et se fraie avec délicatesse un chemin à travers le potager dévasté.

On dirait qu'un tank est passé par-là. Il monte les marches en ciment du porche.

— Je vois que vous avez fait la connaissance de Rosie, le plus grand, le plus splendide éléphant du monde ! Vous avez de la chance ! D'habitude, elle ne fait pas de visite à domicile...

Le visage de la femme est toujours dans l'entrebâillement.

— Quoi ? dit-elle, éberluée.

Le rapiéceur a un sourire radieux.

— Certainement, c'est un grand honneur ! Je suis prêt à parier qu'aucun de vos voisins – que dis-je ? – qu'aucun de vos concitoyens ne pourrait se vanter d'avoir eu un éléphant dans son jardin. Nos hommes vont l'emmener – naturellement, nous arrangerons vos plates-bandes et vous dédommagerons. Que diriez-vous d'être prise en photo avec elle ? Pour pouvoir montrer ça à votre famille et à vos amis ?

— Euh... euh...

— Si j'osais, madame, dit le rapiéceur avec une très légère courbette, ce serait plus facile d'en discuter à l'intérieur...

Après un temps de réflexion, la porte s'ouvre. L'homme disparaît à l'intérieur et je m'intéresse de nouveau à Rosie.

L'autre homme se tient en face d'elle, le seau à la main.

Elle est captivée. Sa trompe plane au-dessus du seau, renifle et tente de contourner ce bras pour plonger dans le liquide transparent.

— *Przestań* ! dit-il en la repoussant. *Nie* !

Mes yeux s'écarquillent.

— T'as un problème, mon gars ?

— Non, non ! Moi aussi, je suis polonais...

— Oh, pardon.

Il chasse l'omniprésente trompe, s'essuie la main droite après sa cuisse, et me la tend.

— Grzegorz Grabowsky. On m'appelle Greg...

— Jacob Jankowsky, dis-je en lui serrant la main.

Celle-ci revient protéger le contenu du seau.

— *Nie* ! *Teraz nie* ! dit-il, mécontent, en repoussant la trompe. Jacob Jankowsky... ? Ah oui, Camel m'a parlé de toi.

— Il y a quoi, là-dedans ?

— Gin et ginger ale...

— Tu plaisantes ?

— Les éléphants adorent l'alcool. Tu vois ? Il suffit qu'elle en renifle et elle ne s'intéresse plus du tout aux choux. Ah ! dit-il en donnant une tape sur la trompe. *Powiedziałem przestań ! Później !*

— Comment as-tu découvert ça ?

— Dans le dernier cirque où j'étais, il y avait une douzaine d'éléphants. L'un d'eux simulait des crampes d'estomac tous les soirs pour avoir son whisky. Bon, tu ne veux pas aller chercher le crochet ? Elle va sans doute nous suivre pour avoir son gin – pas vrai, *mój małutki paczuszek* ? Mais on ne sait jamais...

— Compris, dis-je.

J'ôte mon chapeau et me gratte la tête.

— August est au courant ?

— De quoi ?

— Du fait que tu t'y connais en éléphants ? Je parie qu'il t'engagerait comme...

— Pas question ! Sans vouloir t'offenser, je ne me vois pas, moi, bosser pour ce type. De plus, je ne suis pas cornac. C'est juste que j'aime bien les grosses bêtes... Et maintenant, tu ne veux pas aller chercher ce crochet ?

À mon retour, Greg et Rosie ne sont plus là. Je survole l'horizon du regard.

Au loin, Greg est en train de marcher vers la ménagerie, Rosie dans son sillage. De temps à autre, il s'arrête pour la laisser plonger sa trompe dans le seau, puis le soustrait fermement à son avidité et se remet en route. Elle est docile comme un petit chien.

Rosie étant saine et sauve, je retourne chez Barbara, le crochet toujours en main.

Je marque une pause à l'entrée de la tente.

— Euh... Barbara ? Je peux entrer ?

— Ouais...

Elle est seule, assise dans son fauteuil, ses jambes nues croisées.

— Ils sont allés au train attendre le médecin, dit-elle en tirant sur sa cigarette. Si c'est pour ça que tu es revenu...

Je sens mon visage s'embraser et regarde la toile. En l'air. Mes pieds.

— Ah, ce que t'es mignon ! dit-elle en semant ses cendres sur l'herbe.

Elle porte la cigarette à ses lèvres et prend une nouvelle bouffée.

— Tu rougis !

Elle me dévisage longuement, visiblement amusée.

— Ah, va-t-en ! dit-elle enfin en soufflant la fumée. Sors d'ici, avant que je ne décide de réessayer...

En sortant en coup de vent, je tombe sur August. Il a sa tête des mauvais jours.

– Comment va-t-elle ? dis-je.

– On attend le docteur. Tu as attrapé l'éléphante ?

– Elle est retournée à la ménagerie.

– Bien !

Il m'arrache le crochet.

– August, attends ! Où vas-tu ?

– Je vais lui donner une leçon, dit-il sans s'arrêter.

– August ! Attends ! Elle a été gentille ! Elle est revenue de son plein gré ! D'ailleurs, tu ne peux rien faire maintenant ; le spectacle n'est pas encore terminé...

Il s'arrête si brusquement qu'un nuage de poussière enveloppe ses pieds. Il reste complètement immobile, à fixer le sol.

– Tant mieux, dit-il au bout d'un moment. Le bruit sera couvert par l'orchestre...

Je retourne à mon wagon et m'allonge sur mon sac de couchage, écœuré par ce qui se passe dans la ménagerie et surtout par ma propre passivité.

Quelques minutes plus tard, Walter et Queenie sont de retour. Il porte encore son costume – habit flottant à pois multicolores, chapeau pointu, et fraise autour du cou. Il s'essuie la figure avec un chiffon.

– Qu'est-ce que c'était, ça ? dit-il en se tenant de telle sorte que je regarde ses énormes godasses rouges.

– Quoi, ça ?

– Pendant la parade... c'était voulu ?

– Non.

– Nom d'une pipe ! C'est ce qu'on appelle « se rattraper aux branches ». Cette Marlène, c'est quelqu'un ! Mais tu le savais déjà, n'est-ce pas ?

Il fait claquer sa langue et se penche pour me donner une bourrade.

– Tu veux pas laisser tomber ?

– Quoi ? dit-il en écartant les mains, l'innocence en personne.

– Ce n'est pas drôle. Elle s'est fait mal. Compris ?

Le sourire niais l'abandonne.

– Oh ! Excuse-moi. Excuse-moi... Ça va s'arranger ?

– On ne sait pas encore. Le médecin doit venir.

– Zut ! Je regrette, Jacob. Vraiment.

Il se tourne vers la porte et prend une profonde inspiration.

– Mais cette pauvre bête va le regretter encore plus que moi...

– Elle regrette déjà, Walter, crois-moi...

Son regard se perd dans le lointain.

– Ah, flûte...

Il met les mains à ses hanches.

– Ah, flûte. J'imagine...

Je reste dans le wagon à l'heure où les autres vont dîner puis pendant le spectacle en soirée. J'ai peur de tuer August, si jamais je le vois.

Je le déteste. Je le déteste pour sa brutalité. Je déteste le fait de lui devoir quelque chose. Je m'en veux d'être amoureux de sa femme et, d'une certaine manière, de cette éléphante. Et surtout, je m'en veux de les avoir laissées tomber toutes les deux. J'ignore si cette éléphante est assez intelligente pour établir un lien entre moi et son châtiment, et je me demande pourquoi je n'ai rien fait pour m'interposer, mais c'est un fait.

– Les talons sont meurtris, rien de plus, dit Walter en revenant. Allons, Queenie, ici !

– Quoi ?

Je n'ai pas bougé depuis son départ.

– Marlène s'est meurtri les talons. Elle ne pourra pas travailler pendant deux semaines. J'ai pensé que ça t'intéressait...

– Oh, merci.

Il s'assoit sur son lit de camp et me considère pendant un certain temps.

— Alors, c'est quoi ton histoire avec August ?

— Comment cela ?

— Vous êtes potes ?

Je me redresse sur mon séant et m'appuie au mur.

— Je le déteste, ce fumier, dis-je enfin.

— Ha ! Donc, tu as du bon sens. Pourquoi es-tu toujours fourré avec eux, alors ?

Je ne réponds pas.

— Oh, pardon. J'avais oublié.

— Tu ne comprends pas...

— Ah ?

— C'est mon patron, je n'ai pas le choix.

— En effet, mais il y a aussi sa femme, et tu le sais bien.

Je relève la tête et le fusille du regard.

— OK, OK, dit-il, levant les mains en signe de capitulation. Je vais la boucler. Tu sais ce que tu fais.

Il se met à fourrager dans sa pile.

— Tiens ! dit-il en me lançant un illustré porno, qui glisse par terre jusqu'à mes pieds. C'est pas Marlène, mais c'est mieux que rien.

Une fois tranquille, je le ramasse et le feuillette ; mais, en dépit des caricatures explicites, je n'arrive pas à me passionner pour les ébats du Grand Producteur de Cinéma et de la starlette maigrichonne aux traits chevalins.

13

JE BAS DES PAUPIÈRES, tâchant de me ressaisir – cette aide-soignante efflanquée aux traits chevalins a laissé tomber un plateau-repas au bout du couloir, ce qui m'a réveillé. Je m'étais assoupi sans m'en apercevoir ; c'est ainsi, en ce moment. Je suis toujours entre deux espaces-temps. Soit je deviens sénile, soit c'est ma façon de réagir au fait de n'avoir plus aucun contact avec le monde actuel.

L'aide-soignante s'accroupit, ramasse ce qui a été renversé. Je ne l'aime pas – c'est celle qui essaie toujours de m'empêcher de marcher. Je dois être un peu trop chancelant pour ses nerfs, car même le Dr Rachid admet que marcher est bon pour moi, tant que je ne m'épuise pas ni ne reste en rade.

Je suis parqué juste devant la porte de ma chambre ; or, ma famille ne viendra pas avant plusieurs heures et j'aimerais bien regarder par la fenêtre.

Je pourrais évidemment appeler l'aide-soignante – sauf que ce ne serait guère amusant.

Je glisse mes fesses tout au bord du fauteuil roulant, cherche à atteindre mon déambulateur.

Un, deux, trois...

Son pâle visage se matérialise devant le mien.

– Vous désirez, monsieur Jankowsky ?

Hé ! C'était presque trop facile.

– Je vais aller passer un moment à la fenêtre, dis-je, feignant la surprise.

– Et si vous restiez sagement assis, et que je vous y emmène ? dit-elle en plantant ses mains fermement sur les accoudoirs.

– Très bien, c'est fort aimable de votre part, dis-je.

Je me renverse contre le dossier, pose les pieds sur le repose-pieds, joins les mains sur mes genoux.

Elle paraît perplexe. Dieu, quelle tête elle tire ! Elle se redresse et attend – pour voir si je vais me sauver... ? Je souris benoîtement et dirige mon regard vers la fenêtre au bout du couloir. Finalement, elle va se placer derrière moi et prend les poignées du fauteuil.

– Je dois dire, monsieur Jankowsky, que je suis assez étonnée. En général, vous êtes plutôt... euh... intraitable quand il s'agit de marcher.

– Oh, je pouvais y aller tout seul. Si je vous laisse faire, c'est parce qu'il n'y a pas de chaises à la fenêtre. Pourquoi, d'ailleurs ?

– Parce qu'il n'y a rien à voir, monsieur Jankowsky.

– Il y a un cirque !

– Ce week-end, peut-être, mais en temps ordinaire, ce n'est qu'un parking.

– Et si j'ai envie, moi, de regarder un parking ?

– Eh bien, personne ne vous en empêchera, monsieur Jankowsky, dit-elle en me poussant jusqu'à la fenêtre.

Mon front se plisse. Elle était censée me contredire. Pourquoi ne le fait-elle pas ? Oh, je sais ! Elle me prend pour un vieux gâteux. Surtout, ne pas contrarier les pensionnaires – en particulier ce vieux bougon de M. Jankowsky. Il vous flanquerait son assiette à la tête pour prétendre ensuite que c'était involontaire.

La voilà qui repart.

– Hé ! Et mon déambulateur, alors ?

216

– Quand vous aurez fini, appelez-moi. Je viendrai vous chercher.

– Non ! Je veux mon déambulateur. J'ai toujours mon déambulateur. Amenez-le-moi !

– Monsieur Jankowsky...

Elle croise les bras et pousse un gros soupir. Rosemary surgit d'un autre couloir, tel un ange du paradis.

– Un problème ? dit-elle en nous regardant alternativement.

– Je veux mon déambulateur et elle refuse d'aller le chercher.

– Je n'ai pas dit ça. J'ai dit...

Rosemary a un geste apaisant.

– Monsieur Jankowsky aime avoir son déambulateur auprès de lui. Toujours. S'il vous l'a demandé, apportez-le-lui, s'il vous plaît.

– Mais...

– Mais rien. Apportez-lui son déambulateur.

L'indignation empourpre le visage chevalin, pour être presque aussitôt remplacée par une résignation hostile. Elle jette un coup d'œil dans ma direction et va chercher mon déambulateur. Le tenant bien en évidence devant elle, elle retraverse le couloir d'un pas lourd et le flanque devant moi sans ménagement. Ce qui pourrait être plus impressionnant, si les embouts caoutchoutés n'amortissaient le choc.

J'ai un demi-sourire. C'est plus fort que moi.

Elle se tient là, les poings aux hanches, à me dévisager. Attendant un remerciement, sans aucun doute. Je tourne la tête lentement, le menton en avant tel un pharaon, braque mon regard sur les rayures rouges et blanches du chapiteau.

Je trouve ces rayures criardes – de mon temps, seuls les stands de forains étaient rayés. Le grand chapiteau était tout blanc, du moins au début... en fin de saison, il pouvait être sali par la gadoue, l'herbe, mais jamais il n'était rayé. Et ce n'est pas la seule différence perceptible – ici, il n'y a pas de secteur réservé aux forains, seulement le chapiteau avec la caisse à l'entrée et un stand à souvenirs qui fait aussi buvette. C'est toujours la même camelote qu'on y vend, dirait-on – pop-corn, bonbons, baudruches – mais les enfants ont aussi des épées lumineuses et d'autres jouets à piles que je distingue mal à cette distance. Les parents ont dû dépenser des fortunes. C'est toujours pareil. Les « paysans » seront toujours les « paysans », et on ne peut pas confondre artistes et manœuvres.

– Monsieur Jankowsky ?

Rosemary est penchée au-dessus de moi ; elle cherche mon regard.

– Euh... ?

– Vous êtes prêt à déjeuner, monsieur Jankowsky ?

– Il n'est pas encore l'heure... je viens juste d'arriver !

Elle consulte sa montre – une vraie, avec des aiguilles. La mode des montres à affichage digital est heureusement révolue. Quand comprendra-t-on que toute innovation technologique n'est pas forcément synonyme de progrès ?

– Il est midi moins trois, dit-elle.

– Oh ! Quel jour est-on, au fait ?

– Dimanche, monsieur Jankowsky ! Le jour du Seigneur. Le jour où vous avez de la visite...

– Ça, je sais. Je voulais dire : c'est le jour où on mange quoi... ?

– Rien qui puisse vous plaire, à coup sûr...

Je redresse la tête, prêt à me fâcher.

– Allons, monsieur Jankowsky, dit-elle en riant. Je plaisantais !

– Je sais ! Vous allez m'accuser, en plus, de ne pas avoir le sens de l'humour ?

Mais je suis grincheux, car je ne l'ai peut-être plus, en effet. C'est à se demander... Je suis si habitué à être grondé, materné et manipulé que je ne sais plus comment réagir quand on me traite en être humain.

Rosemary tente de me piloter vers mon ancienne table, mais pas question. Pas avec ce vieux con de McGuinty là-bas. Il a encore son chapeau de clown – il a dû demander aux aides-soignantes de le lui remettre à la première heure ce matin, le vieux fou, à moins qu'il n'ait dormi avec – et il y a encore des ballons qui flottent, attachés à son fauteuil. Enfin, ça ne flotte plus vraiment. Ça commence à se friper, et les ficelles ne sont plus aussi tendues.

Lorsque Rosemary me dirige vers lui, j'aboie :

– Oh, non ! Non ! Là-bas. Là-bas !

Je désigne une table libre dans un coin. C'est la plus éloignée de l'autre. J'espère qu'on n'y entend pas les conversations.

– Oh, allons, monsieur Jankowsky !

Rosemary s'arrête et contourne mon fauteuil pour me regarder en face.

– Ça ne peut pas durer jusqu'à la fin des temps !

– Pourquoi ? La fin des temps, c'est peut-être seulement dans une semaine pour moi...

Elle met les mains sur ses hanches.

– Vous rappelez-vous, au moins, pourquoi vous lui en voulez tant ?

– Tout à fait. Il a menti...

– Vous faites encore allusion à cette histoire d'éléphant... ?

Pour toute réponse, je fais la moue.

– Il voit les choses à sa façon, vous savez.

– Cette bonne blague ! Quand on ment, on ment !

– C'est un vieillard...

– Il a dix ans de moins que moi ! dis-je en me redressant, indigné.

– Oh, monsieur Jankowsky...

Elle soupire, et regarde vaguement vers le ciel comme pour implorer de l'aide, puis s'accroupit et place la main sur la mienne.

– Je croyais qu'on s'était mis d'accord, tous les deux... ?

Je fronce les sourcils. Voilà qui ne fait pas partie du laïus habituel.

– Il se trompe peut-être sur des points de détail, mais il ne ment pas. Il croit sincèrement avoir porté de l'eau aux éléphants. Il le croit !

Je ne réponds pas.

– Parfois, quand on vieillit – et je ne parle pas de vous, je parle en général, car chacun vieillit à sa façon – on finit par prendre ses désirs pour la réalité. On croit avoir réellement vécu certaines choses, et si jamais quelqu'un tente de vous détromper, on s'en offusque. Car tout ce qu'on voit, c'est qu'on s'est fait traiter de menteur. Donc, même si vous avez raison dans le détail, pouvez-vous comprendre pourquoi M. McGuinty a été si contrarié ?

Je lance à mes genoux un regard furibond.

– Monsieur Jankowsky... ? Laissez-moi vous amener à votre table, où sont vos amies. Allons, pour me faire plaisir... !

Ça, c'est la meilleure ! Pour une fois qu'une femme me demande de lui faire plaisir, je n'en ai aucune envie.

– Monsieur Jankowsky ?

Je la regarde. Son visage lisse est tout près du mien ; elle me regarde dans les yeux, dans l'attente d'une réponse.

– Bon, d'accord, mais ne croyez pas que je vais ouvrir la bouche, dis-je en agitant la main pour exprimer tout mon dégoût.

Et je ne l'ouvre pas. J'écoute ce vieux menteur de McGuinty déblatérer sur les merveilles du cirque et ses expériences de jeunesse, et je vois les vieilles dames aux cheveux bleutés se pencher pour l'écouter, les yeux embués d'admiration. Ça me débecte.

Au moment où je m'apprête à dire quelque chose, j'aperçois Rosemary. Elle est de l'autre côté de la salle, penchée sur une vieille femme. Elle est en train de lui fourrer une serviette dans le col, mais ne me quitte pas des yeux.

Je referme la bouche. J'espère seulement qu'elle apprécie mes efforts.

Oui, elle apprécie. Quand elle vient me chercher après que le pudding couleur ocre, garanti à la margarine, a fait son apparition dans mon assiette pour être ensuite remporté, elle se penche et chuchote :

— J'étais certaine que vous pouviez y arriver, monsieur Jankowsky. Certaine !

— Oui, eh bien... ça n'a pas été facile.

— C'est mieux, tout de même, que d'être tout seul dans son coin, non ?

— Peut-être...

De nouveau, elle lève les yeux au ciel.

— Bon, oui, dis-je en râlant. Je suppose que c'est mieux que d'être tout seul.

14

S IX JOURS ONT PASSÉ depuis l'accident de Marlène, et elle
n'est pas réapparue. August ne venant plus prendre ses
repas à la cantine, je reste seul à notre table, au vu et au su
de tous. Quand on se croise dans le cadre du travail, il est
poli mais distant.

Pour sa part, Rosie est trimballée à travers chaque ville sur
le char de l'hippopotame puis exhibée dans la ménagerie. Elle
a appris à suivre August depuis son wagon jusqu'à la tente de
la ménagerie, et en contrepartie il a cessé de la battre comme
plâtre. À présent, elle marche d'un pas lourd à son côté, le
crochet piqué fermement dans la chair de sa patte. Une fois
dans la ménagerie, elle se tient derrière sa corde et ne se fait
pas prier pour charmer les foules et accepter des bonbons.
Oncle Al n'a rien dit de précis, mais on a apparemment laissé
tomber l'idée du numéro d'éléphant.

Les jours passant, je me fais de plus en plus de souci pour
Marlène. Chaque fois que j'arrive à la cantine, j'espère l'y
trouver. Et chaque fois que mon espoir est déçu, mon cœur
défaille.

C'est la fin d'une longue journée, dans une ville quelconque – vues d'une voie de garage, elles se ressemblent toutes –

et l'Escadron Volant se prépare à partir. Je me repose sur mon sac de couchage, à lire *Othello* pendant que Walter lit du Wordsworth. Queenie est couchée en boule contre lui.

Elle relève la tête et grogne. Nous nous redressons brusquement, Walter et moi.

La large tête chauve d'Earl se dessine dans notre champ de vision.

— Doc ! dit-il en me regardant. Hé, Doc !

— Salut, Earl. Qu'est-ce qu'il y a ?

— J'ai besoin de toi.

— Bon, quel est le problème ? dis-je en reposant mon bouquin.

Je jette un coup d'œil à Walter, qui a plaqué Queenie contre son flanc. Elle gronde toujours.

— C'est Camel... il a des ennuis.

— Quel genre d'ennuis ?

— C'est les pieds. Il les sent plus... Ses mains, c'est pas terrible non plus...

— Il est ivre ?

— Pas en ce moment, mais c'est pas la question.

— Il doit voir un médecin.

Le front d'Earl se plisse.

— Ouais. C'est bien pour ça que je suis là.

— Je ne suis pas médecin !

— T'es le docteur des bêtes...

— Ce n'est pas pareil !

Je regarde Walter, qui fait mine de lire. Earl attend ma réponse.

— Bon, écoute, s'il est mal en point, je vais parler à August ou Oncle Al et voir si on peut dénicher un médecin à Dubuque.

— Ils feront pas venir le docteur pour lui.

— Pourquoi ?

Earl a un sursaut de vertueuse indignation.

— T'es vraiment naïf, toi ! Tu sais rien de rien... ?

224

— Si c'est grave, je suis sûr qu'ils...

— ... le jetteront du train, je te le garantis. En revanche, si c'était une bête...

Je réfléchis un instant avant de comprendre qu'il a raison.

— OK, je me débrouillerai pour trouver tout seul un médecin.

— Comment ? Tu as de l'argent ?

— Euh... non, dis-je, embarrassé. Et lui ?

— S'il en avait, tu crois qu'il boirait ces tord-boyaux ? Tu veux pas venir ? Le pauvre vieux s'est décarcassé pour t'aider...

— Je sais, Earl, je sais. Mais je ne vois pas ce que je pourrais faire.

— T'es le docteur. Tu regardes...

Au loin, un coup de sifflet retentit.

— Viens ! On part dans cinq minutes. Faut pas traîner...

Je le suis jusqu'au wagon qui transporte le chapiteau. Les chevaux sont bien calés en rangs d'oignons, et partout les hommes de l'Escadron Volant relèvent les rampes, montent à bord, referment les portes.

— Hé, Camel ! crie Earl par la porte ouverte. J'ai amené le toubib.

— Jacob ? fait une voix enrouée de l'intérieur.

Je grimpe. Il me faut un moment pour m'habituer à la pénombre. Camel est dans un coin, prostré sur un tas de sacs en toile de jute. Je vais m'agenouiller auprès de lui.

— Alors, qu'est-ce que tu as ?

— J'sais pas trop, Jacob. Je m'suis réveillé il y a quelques jours avec les pieds tout mous. C'est plus comme avant...

— Tu peux marcher ?

— Un peu, mais je dois soulever les genoux très haut...

Sa voix s'amenuise jusqu'au murmure :

— Y a pas que ça. Y a c't'autre truc, aussi.

— Quel autre truc ?

Ses yeux s'ouvrent tout grands, effrayés.

225

– Ce truc des hommes. Je sens plus rien... de ce côté-là.

Le train s'ébranle, lentement, avec des secousses.

– On s'en va. Faut descendre, dit Earl en me tapant sur l'épaule.

Il s'approche du vide et me fait signe de venir.

– Je vais faire le trajet avec vous, dis-je.

– Impossible.

– Pourquoi ?

– Parce que, si jamais on apprend que t'es copain avec des tchécos, tu te feras larguer du convoi, ou plutôt : c'est les tchécos qui se feront larguer...

– Enfin, Earl, c'est pas toi qui es chargé de la sécurité ? Envoie-les paître...

– Moi, je bosse sur le convoi principal. L'Escadron Volant, c'est le territoire de Blackie, dit-il en me faisant signe de me dépêcher. Vite !

Je regarde Camel, qui me supplie des yeux.

– Il faut que je parte, dis-je. Je vous rejoindrai à Dubuque. Tout ira bien. Je ferai venir un médecin.

– J'ai pas d'argent...

– Pas de problème. On trouvera une solution.

– Vite ! s'écrie Earl.

Je pose la main sur l'épaule du vieillard.

– On trouvera un moyen, compris ?

Ses yeux chassieux tressaillent.

– Compris ?

Il acquiesce. Une seule fois.

Je me relève et rejoins Earl.

– Flûte ! dis-je en regardant défiler le paysage. On va déjà à cette vitesse-là... ?

– Et ça va pas ralentir, dit Earl, qui applique sa main entre mes omoplates et me pousse brutalement.

– Ça va pas ! dis-je en agitant les bras comme un moulin à vent.

Je tombe sur le ballast et roule sur le côté. Un choc sourd m'indique qu'un autre corps a atterri derrière moi.

— Tu vois ? dit Earl, qui se relève et s'essuie le derrière. J'avais raison de te dire que c'était grave...

Je le regarde, ahuri.

— Quoi ? dit-il, l'air déconcerté.

— Rien...

Je me lève et brosse poussière et gravier de mes habits.

— Viens, t'as intérêt à remonter avant qu'on te voie par ici.

— Tu n'auras qu'à leur dire que je soignais des percherons...

— Ah ! Oui, bien trouvé, t'es un malin, toi ! Ça explique que t'es toubib et pas moi, hein ?

La tête me tourne, mais comme il n'a pas l'air de plaisanter, j'abandonne et me mets à marcher vers le convoi principal.

— Qu'y a-t-il ? lance Earl dans mon dos. Pourquoi tu secoues la tête, toubib ?

— Alors, c'était quoi ? dit Walter, à mon retour.

— Rien...

— Allons, crache le morceau, *toubib* !

J'hésite.

— C'est l'un des gars de l'Escadron Volant. Il est mal en point.

— J'avais compris. Tu l'as trouvé comment, plus précisément ?

— Inquiet. Et très franchement, je ne peux pas lui donner tort. Je voudrais qu'il voie un médecin, mais il est complètement fauché — et moi aussi.

— Pas pour longtemps. Demain, c'est jour de paie. Quels sont les symptômes ?

— Perte de sensibilité dans les membres et... ailleurs.

— Comment ça : ailleurs ?

Je fuis son regard.

— Tu sais bien...

— Ah, merde ! dit Walter en se redressant. C'est bien ce que je pensais. Pas besoin de médecin. Il a la « paralysie de Jake ».

— Quoi ?

— La « paralysie de Jake ». La « maladie des jambes de bois ». C'est du pareil au même...

— Jamais entendu parler de ça.

— Quelqu'un a mis quelque chose dans du « Jake » – des plastifiants, ou autres. Le stock été écoulé dans tout le pays. Une bouteille empoisonnée, et t'es foutu...

— Comment ça, « foutu » ?

— Paralysé. Ça se déclare deux semaines environ après l'ingestion...

Je suis horrifié.

— Comment le sais-tu ?

Il hausse les épaules.

— C'est dans le journal. On vient d'identifier la cause du problème, mais il y a beaucoup de victimes. Des dizaines de milliers de personnes. Surtout dans le Sud. On est passés par là, en allant au Canada. C'est peut-être là qu'il a acheté la bouteille fatale...

Je prends mon temps avant de poser ma prochaine question :

— Ça se soigne ?

— Non.

— On ne peut rien faire du tout ?

— Je te l'ai dit : il est foutu. Mais si tu veux gaspiller ton fric avec un médecin, te gêne pas...

Des feux d'artifice en noir et blanc explosent dans mon champ visuel – un motif changeant, chatoyant, qui occulte tout le reste. Je m'affale sur mon sac de couchage.

— Hé, ça va pas ? dit Walter. T'es verdâtre... Tu vas pas dégobiller, hein ?

— Non...

Mon cœur bat très fort. Le sang chuinte à mes oreilles. Je viens de me rappeler la petite bouteille d'alcool au goût infect que Camel m'avait fait boire à l'issue de mon premier jour de travail.

— Je vais bien. Dieu merci.

Le lendemain, juste après le petit déjeuner, Walter et moi faisons la queue devant la voiture rouge de l'administration, comme tout le monde. À neuf heures pile, l'homme dans la voiture fait signe d'avancer au premier, un tchéco. Quelques instants plus tard, ce dernier redescend, pestant et crachant par terre. Le suivant – un autre tchéco – s'en va lui aussi en râlant.

Dans la file, les gens se tournent les uns vers les autres, marmonnent sous cape.

— Oh oh..., dit Walter.

— Que se passe-t-il ?

— On dirait qu'il fait des retenues, dans le style d'Oncle Al.

— Comment cela ?

— Dans la plupart des cirques, on retient une partie du salaire jusqu'à la fin de la saison. Mais quand Oncle Al est à court d'argent, il retient la totalité.

— Quoi ! dis-je au moment où un troisième quidam repart, l'air furieux.

Deux autres travailleurs, la mine lugubre et cigarette aux lèvres, quittent la file.

— Qu'est-ce qu'on fout là, alors ?

— Ça ne s'applique qu'aux ouvriers, dit Walter. Les artistes et les petits chefs sont toujours payés.

— Je ne suis ni l'un ni l'autre...

Walter me considère pendant quelques instants.

— Non, en effet. J'ignore quel est ton statut, mais le type qui s'assoit à la table du maître-écuyer n'est pas un ouvrier. Ça, c'est clair...

— Alors, ça arrive souvent ?

— Oui ! dit Walter.

Contrarié, il racle le sol du pied.

— Est-ce qu'il leur rend l'intégralité de leur dû, au final ?

— Qui sait ? L'opinion commune est que, lorsqu'il te doit plus que quatre semaines de salaire, t'as intérêt à plus te pointer le jour de paie...

— Pourquoi ? dis-je, tandis qu'un autre homme débraillé repart en lâchant une bordée de jurons.

Trois autres types quittent la file et retournent vers le train, les épaules basses.

— L'idée générale est qu'il ne faut surtout pas que Oncle Al voie en toi un débiteur. Car sinon, tu risques de disparaître au cours de la nuit...

— Quoi, on est largué du train ?

— Tout à fait.

— Ça me paraît un peu excessif. Pourquoi ne pas les laisser tout simplement sur place, à une étape ?

— Parce qu'il leur doit de l'argent. Sa réputation en souffrirait trop...

Je suis à présent le prochain à passer, derrière Lottie. Ses cheveux blonds, arrangés en boucles bien nettes, brillent au soleil. L'homme à la fenêtre de la voiture rouge lui fait signe d'approcher. Ils bavardent gentiment tandis qu'il prélève quelques billets de sa liasse. Quand il les lui remet, elle lèche son index et les compte, puis les roule et les glisse dans son corsage.

— Au suivant !

Je fais un pas en avant.

— Nom... ? dit l'homme sans relever la tête.

C'est un petit chauve qui a juste une frange de cheveux

très fins et des lunettes à monture métallique. Il a le nez sur son registre.

– Jacob Jankowsky.

L'intérieur est tapissé de lambris de bois mouluré et le plafond est peint. Il y a un secrétaire et un coffre-fort au fond, ainsi qu'un lavabo à côté. Sur le mur du fond, une carte des États-Unis truffée de punaises de couleur. Notre itinéraire, je suppose.

L'homme parcourt du doigt le registre, de haut en bas. Ce doigt s'arrête et va sur la colonne à droite.

– Désolé, dit-il.

– Comment ça : « Désolé » ?

Il lève les yeux sur moi, la sincérité en personne.

– Oncle Al n'aime pas que ses employés finissent sans un sou à la fin de la saison. Il retient toujours quatre semaines de paie. Vous toucherez le tout à la fin de la saison. *Au suivant !*

– Mais j'en ai besoin maintenant !

Il me fixe, inflexible.

– Vous l'aurez à la fin de la saison. *Au suivant !*

Comme Walter s'approche de la fenêtre, je repars, furieux, m'arrêtant juste le temps de cracher dans la poussière.

La solution me vient alors que je débite des fruits pour l'orang-outan. C'est comme un flash, un signe.

Pas d'argent ?

Qu'avez-vous d'autre ?

Nous prenons n'importe quoi !

Je fais les cent pas devant la voiture 48 avant d'oser monter et frapper à la porte de la cabine de luxe 3.

– Qui est-ce ? dit August.

– C'est moi, Jacob...

Légère hésitation.

– Entre...

J'ouvre la porte.

August est debout près d'une fenêtre. Marlène, assise dans l'un des fauteuils moelleux ; son pied nu repose sur un pouf.

— Bonjour ! dit-elle en rougissant.

Elle tire sa jupe sur ses genoux puis la lisse au niveau des cuisses.

— Bonjour, Marlène. Comment vas-tu ?

— Mieux. Je marche un peu, maintenant. Je serai bientôt remise en selle.

— Bon, qu'est-ce qui t'amène ? lance August. Outre le plaisir de ta visite... Tu nous as manqué... n'est-ce pas, chérie ?

— Euh... oui, dit Marlène.

Elle lève les yeux sur moi et je rougis à mon tour.

— Oh, où ai-je la tête ? Tu veux boire quelque chose ? dit August.

Ses yeux sont d'une dureté inhabituelle, sa bouche sévère.

— Non, merci.

Je suis surpris par son hostilité.

— Je ne peux pas rester. J'avais juste quelque chose à te demander.

— C'est-à-dire ?

J'hésite.

— J'ai besoin de faire venir un médecin.

— Pourquoi ?

J'hésite.

— Je préfère ne pas le dire.

— Ah ! dit-il en m'adressant un clin d'œil. Je comprends.

— Quoi ? Non, non ! Ce n'est pas ça...

Je jette un coup d'œil à Marlène, qui se tourne vivement vers la fenêtre.

— C'est pour un ami à moi...

— Oui, bien sûr ! dit August, amusé.

— Non, vraiment ! Et ce n'est pas pour... Écoute, je me demandais si tu connaissais quelqu'un... Ça ne fait rien. Je vais aller en ville...

232

Je tourne les talons.

— Jacob ! s'écrie Marlène.

Je me fige sur le seuil, les yeux fixés sur la fenêtre au bout de l'étroit couloir. Je reprends ma respiration avant de faire volte-face.

— Un médecin viendra m'examiner demain, à Davenport, dit-elle doucement. Je te l'envoie, après ?

— Ce serait très gentil, merci, dis-je.

J'effleure mon chapeau et je m'en vais.

Le lendemain matin, on jase devant les tables chaudes à la cantine.

— C'est à cause de cette maudite éléphante, dit l'homme qui me précède. Qui ne sait rien faire, d'ailleurs... !

— Pauvres bougres, dit son copain. C'est une honte quand un homme compte moins qu'une bête.

— Excusez-moi, dis-je. De quoi parlez-vous ?

Le premier me dévisage. Il est large d'épaules, porte un veston marron et crasseux. Sa face est burinée, tannée comme un vieux cuir.

— C'est qu'elle coûte cher. Et puis, il a fallu payer le wagon pour la transporter...

— Oui, je sais mais... qu'est-ce qu'il s'est passé ?

— Des hommes ont disparu cette nuit. Six, au moins, peut-être plus...

— Quoi... du train ?

— Ouais.

Je pose mon assiette à moitié pleine sur la table chaude et marche vers l'Escadron Volant. Au bout de quelques foulées, je me mets à courir.

— Hé, l'ami ! crie l'homme derrière moi. T'as pas encore mangé !

— Laisse, Jock, dit l'autre. Il a sûrement quelqu'un à aller voir d'urgence...

233

– Camel ! Camel, tu es là ?

Debout devant le wagon, je m'efforce de voir à l'intérieur.

– Camel, tu es là ?

Pas de réponse.

– Camel !

Rien.

Je pivote sur mes talons, face au campement.

– Merde !

Je shoote dans le gravier, à plusieurs reprises.

C'est alors que je perçois un gémissement.

– Camel, c'est toi ?

Un bruit étouffé provient d'un recoin dans la pénombre. Je saute à bord. Camel est couché contre le mur du fond.

Il est évanoui, une bouteille vide à la main. Je me penche pour la lui prendre – une saleté quelconque.

– Qui es-tu et qu'est-ce que tu fous là ? dit quelqu'un dans mon dos.

Je me retourne ; c'est Grady. Il est campé derrière moi, une cigarette aux lèvres.

– Oh, pardon, Jacob ! De dos, je t'avais pas reconnu...

– Salut, Grady. Comment va-t-il ?

– Difficile à dire. Il est soûl depuis hier.

Camel grogne et tente de rouler sur le côté. Son bras gauche retombe mollement en travers de sa poitrine. Il se pourlèche et se met à ronfler.

– Je vais faire venir un médecin aujourd'hui, dis-je. Entre-temps, surveille-le, d'accord ?

– Pour sûr, dit Grady, vexé. Tu me prends pour Blackie ? Qui l'a protégé hier soir, à ton avis ?

– Évidemment que je ne te prends pas pour... enfin, laissons cela. Écoute, s'il dessoûle, fais tout pour qu'il reste sobre, si tu peux... je viendrai tout à l'heure avec le médecin.

Le médecin soupèse la montre de gousset de mon père dans sa paume charnue, la retourne et l'inspecte à travers son pince-nez. Il fait sauter le couvercle pour examiner le cadran.

– Bon, ça ira... De quoi s'agit-il ? dit-il en la glissant dans la poche de son gilet.

Nous sommes dans le couloir, juste derrière la porte de la cabine de Marlène et August.

– Il faut aller ailleurs..., dis-je en baissant la voix.

Le médecin hausse les épaules.

– Entendu. Je vous suis...

Une fois dehors, il se tourne vers moi.

– Où allons-nous procéder à cet examen ?

– Ce n'est pas pour moi, mais pour un ami. Il a des problèmes avec ses... ses extrémités... enfin, ses mains, ses pieds... Il vous expliquera là-bas.

– Ah ! M. Rosenbluth m'avait laissé entendre que vous aviez des difficultés de... nature... personnelle.

Son expression change à mesure qu'il me suit le long de la voie ferrée. Au moment où nous laissons derrière nous les voitures pimpantes de la première section, il a l'air inquiet ; mais en arrivant aux wagons cabossés de l'Escadron Volant, son expression est carrément pincée.

– Nous y sommes ! dis-je en sautant à bord.

– Et comment, je vous prie, suis-je censé monter ? dit-il.

Earl sort de l'ombre avec une caisse en bois. Il saute à terre, place cette caisse devant l'entrée et y donne un bon coup du plat de la main. L'ayant considérée longuement, le médecin grimpe dessus, serrant sa sacoche noire devant lui d'un air guindé.

– Où est le patient ? dit-il en scrutant la pénombre.

– Par là, dit Earl.

Camel est blotti dans un coin. Grady et Bill sont penchés au-dessus de lui.

Le médecin s'avance.

– Laissez-nous, je vous prie.

Les autres se dispersent, tout en marmonnant. Ils vont au fond du wagon mais tendent le cou pour tenter de voir quelque chose.

Le médecin s'approche de Camel et s'accroupit auprès de lui. Je ne peux m'empêcher de remarquer qu'il préserve ses genoux de tout contact avec le plancher.

Quelques minutes plus tard, il se relève et dit :

– C'est une paralysie provoquée par la consommation de Ginger Jake.

Il est tout gonflé de sa propre importance en prononçant ces mots.

– Mais... comment ? Pourquoi ? dit Camel, dont les yeux cherchent désespérément les siens. Je comprends pas. J'en bois depuis des années !

– Je n'en doute pas, dit l'autre.

La moutarde commence à me monter au nez. Je m'approche de lui.

– Vous n'avez pas répondu à sa question, dis-je, avec tout le calme dont je suis capable.

Le médecin se tourne vers moi et me toise à travers son pince-nez. Au bout d'un moment, il lâche :

– C'est à cause du crésol ajouté par un fabricant.

– Mon Dieu...

– Je ne vous le fais pas dire...

– Pourquoi a-t-on mis cela dans la préparation ?

– Pour se conformer à la législation qui impose de le rendre impropre à la consommation.

Il se tourne vers Camel et ajoute, plus fort :

– *Afin que ça ne puisse pas être utilisé en tant que boisson alcoolique.*

– Ça va s'arranger ?

La voix de Camel est aiguë, déformée par la peur.

– Non, hélas.

Derrière moi, les autres retiennent leur souffle. Grady s'avance au point que son épaule touche la mienne.

– Attendez... ça veut dire que vous ne pouvez rien ?

Le médecin se redresse de toute sa hauteur et accroche ses pouces dans ses poches.

– Moi ? Non. Absolument rien.

Il est renfrogné comme un carlin ; on dirait qu'il veut se boucher les narines grâce à ses seuls muscles faciaux. Il reprend sa sacoche et repart vers la porte.

– Une seconde, dit Grady. Si vous, vous ne pouvez rien... alors qui ?

Le médecin se retourne pour s'adresser à moi en particulier, sans doute parce que c'est moi qui l'ai payé.

– Oh, un tas de gens vous prendront de l'argent en échange de soins – bains de pieds, électrochocs – mais ça ne donnera aucun résultat. Il pourra au mieux recouvrer certaines fonctions au fil du temps, mais ce sera minimal. Il n'aurait pas dû boire, pour commencer. C'est illégal, vous savez.

Je suis bouche bée – littéralement, me semble-t-il.

– Est-ce tout ? dit-il.

– Pardon ?

– Vous... avez... besoin... d'autre... chose ? dit-il comme si j'étais un imbécile.

– Non.

– Alors, bonsoir.

Il effleure son chapeau, descend avec précaution sur la caisse, puis par terre. Ayant fait une dizaine de mètres, il pose sa sacoche au sol, sort un mouchoir de sa poche, s'essuie les mains avec soin en le passant entre chaque doigt. Puis il reprend sa sacoche, se rengorge et s'en va, emportant le dernier espoir de Camel en même temps que la montre de mon père.

Lorsque je me retourne, Earl, Grady et Bill sont agenouillés autour de leur vieux copain. Ses larmes ruissellent.

— Walter, il faut que je te parle, dis-je en faisant irruption dans notre chambrette.

Queenie redresse la tête, constate que c'est moi et la remet sur ses pattes.

Walter repose son bouquin.

— Quoi ? Qu'y a-t-il ?

— J'ai un service à te demander.

— Accouche, c'est quoi ?

— Un de mes potes est mal en point.

— Le type paralysé ?

— ... Oui.

Je vais jusqu'à mon sac de couchage mais l'anxiété m'empêche de m'asseoir.

— Alors, dis !

— Je voudrais le ramener ici.

— *Quoi ?*

— Sinon, il va se faire larguer du train. Ses copains ont dû le cacher cette nuit...

— Tu plaisantes ?

— Écoute, je sais que ma venue ne t'a pas spécialement réjoui et que ce n'est qu'un ouvrier, mais c'est un vieux, il est mal en point et il a besoin d'aide.

— Et qu'est-on censé faire de lui ?

— Le cacher, pour que Blackie ne le voie pas...

— Pendant combien de temps ? Éternellement ?

Je me laisse choir au bord de mon sac de couchage. Il a raison, bien sûr. On ne pourra pas cacher éternellement Camel.

— Merde..., dis-je.

Je me frappe le front du plat de la main. Une fois. Deux fois. Trois fois.

— Hé, arrête ! dit Walter en se redressant, et il ferme son livre. Je suis sérieux. Que ferait-on de lui ?

— Je ne sais pas.

— Il n'a pas de famille ?

J'ai un sursaut.

— Il m'a parlé d'un fils, l'autre jour...

— OK. Là, on avance... Et ce fils, tu sais où il est ?

— Non, je crois qu'ils se sont perdus de vue.

Walter me dévisage, tout en pianotant sur sa jambe. Au bout d'une demi-minute, il dit :

— Bon, amène-le. Et arrange-toi pour que personne ne le voie, ou ça va barder.

Je dois avoir l'air surpris.

— Quoi ? dit-il en chassant une mouche de son front.

— Rien. Enfin, merci. Merci beaucoup...

— Hé oui, j'ai un cœur, dit-il en se rallongeant. (Il reprend son livre.) Pas comme d'autres...

Walter et moi, on se relaxe entre la représentation de début d'après-midi et celle du soir, quand quelqu'un frappe doucement à la porte.

Il bondit sur ses pieds, renversant la caisse, et rattrape en pestant la lampe à pétrole. Je m'approche de la porte et jette un coup d'œil nerveux en direction des malles alignées au fond.

Walter redresse la lampe et me fait un discret signe d'acquiescement.

J'ouvre la porte.

— Marlène ! dis-je en l'ouvrant davantage que je ne pensais. Qu'est-ce que tu fais debout ? Enfin, je veux dire : ça va ? Tu veux t'asseoir ?

— Non, dit-elle.

Sa figure est à quelques centimètres de la mienne.

— Je suis en forme. Mais j'ai à te parler. Tu es seul ?

— Euh... non. Pas exactement.

Je regarde Walter, qui secoue la tête et agite la main vigoureusement.

– Tu ne peux pas venir jusqu'à ma cabine ? dit-elle. Je n'en ai que pour un moment.

– Oui, bien sûr.

Elle se retourne et marche avec précaution vers la sortie. Je note qu'elle porte des chaussons, pas des souliers. S'étant assise au bord, elle se laisse couler jusqu'à terre. Je l'observe, soulagé de constater qu'elle ne boite plus de façon évidente.

Je referme la porte.

– C'était à un cheveu près ! dit Walter, secouant la tête. J'ai frisé la crise cardiaque. Où on va, mec... ?

– Hé, Camel ! dis-je. Ça va ?

– Ouais ! dit un filet de voix derrière les malles. Elle a vu quelque chose ?

– Non, on est bons, mais il va falloir être très prudents...

Marlène est dans un fauteuil, les jambes croisées. Au moment où j'entre, elle est penchée en avant, en train de se masser le pied. À ma vue, elle s'interrompt et se renverse en arrière.

– Jacob ! Merci d'être venu...

– C'est tout naturel, dis-je.

Je me découvre et tiens mon chapeau gauchement contre ma poitrine.

– Assieds-toi, je te prie.

– Merci, dis-je en m'asseyant du bout des fesses dans le fauteuil le plus proche.

Je regarde autour de moi.

– Où est August ?

– Lui et Oncle Al avaient rendez-vous avec les autorités du chemin de fer.

– Oh ! Rien de grave ?

– Des rumeurs. Quelqu'un a signalé qu'on aurait balancé des hommes en route. La situation va se clarifier, j'en suis sûre...

240

– Des rumeurs... oui.

Mon chapeau sur les genoux, j'attends, en effleurant son pourtour.

– Bon, voilà, je... euh... j'étais inquiète à ton sujet, dit-elle.

– Ah bon ?

– Tu vas bien ? demande-t-elle, doucement.

– Oui, bien sûr..., dis-je.

Puis, je comprends soudain le sens de sa question.

– Oh, mon Dieu... non, ce n'est pas ce que tu crois. Le médecin, ce n'était pas pour moi... C'était pour un ami, et ce n'était pas... ce n'était pas pour *ça* !

– Oh ! dit-elle avec un rire nerveux. J'en suis contente. Excuse-moi, Jacob, je ne voulais pas t'embarrasser. Seulement, j'étais inquiète...

– Je n'ai rien. Rien du tout.

– Et... l'autre ?

Je retiens mon souffle.

– Pas brillant...

– Ça va s'arranger pour elle ?

– *Elle ?*

Je suis complètement perdu.

Marlène baisse les yeux et se tord les doigts.

– Je croyais que c'était Barbara...

Je tousse, puis je m'étouffe.

– Oh, Jacob... oh, bonté divine ! Je suis en train de tout gâcher. Ça ne me regarde pas... Excuse-moi, s'il te plaît...

– Non, je... je la connais à peine, cette Barbara...

Je rougis si fort que mon cuir chevelu me démange.

– C'est bon, dit-elle. Je sais que c'est une...

Elle se tord les doigts gauchement et laisse sa phrase en suspens.

– Malgré tout, reprend-elle, ce n'est pas une mauvaise fille. C'est même quelqu'un de bien, en fait... quand on ne...

241

— Marlène ! dis-je avec assez de véhémence pour la réduire au silence.

Je m'éclaircis la voix avant de continuer :

— Ce n'est pas ma maîtresse, juste une connaissance. On n'a pas dû échanger plus d'une dizaine de mots...

— Oh ! Alors quand Auggie disait...

Nous restons là, assis, dans un silence torturant.

— Alors, ça s'arrange, ton pied ? dis-je.

— Oui, merci.

Elle serre si fort ses mains que ses phalanges sont blanches. Elle déglutit, regarde ses genoux.

— Il y avait autre chose dont je voulais te parler. Ce qui s'est passé dans la ruelle... À Chicago...

— C'était ma faute, dis-je, très vite. Je ne sais pas ce qui m'a pris. Un coup de folie... je suis confus. Je peux te garantir que ça n'arrivera plus jamais.

— Oh..., dit-elle, doucement.

Je sursaute. Si je ne me trompe, j'ai réussi à la vexer.

— Ce n'est pas ce que j'ai voulu dire... ce n'est pas que tu ne sois pas... je...

— Ainsi, tu n'avais pas envie de m'embrasser ?

Je lâche mon chapeau et lève les mains.

— Marlène, je t'en prie, ne me rends pas les choses aussi difficiles. Que veux-tu que je dise... ?

— Parce que, si tu ne voulais pas, ce serait plus facile...

— Si je ne voulais pas... quoi ?

— M'embrasser.

Ma mâchoire remue, mais il s'écoule quelques secondes avant que ça ne sorte.

— Marlène, qu'essaies-tu de me dire ?

— Je... je ne sais pas bien. Je ne sais plus où j'en suis. Je n'ai pas cessé de penser à toi. Je sais que c'est mal, mais je... je me demandais...

Quand je la regarde à nouveau, elle est cramoisie. Elle serre et desserre ses mains, fixant ses genoux.

242

— Marlène, dis-je en me levant, et je fais un pas en avant.

— Je crois que tu devrais partir...

Je la dévisage pendant plusieurs secondes.

— Je t'en prie..., dit-elle, sans me regarder.

C'est ainsi que je m'en vais, alors que toutes les fibres de mon corps protestent.

15

CAMEL PASSE SES JOURNÉES caché derrière les malles, allongé sur des sacs en jute que Walter et moi disposons pour l'isoler du sol. Sa paralysie est si grave que je ne suis pas sûr qu'il pourrait ramper à découvert s'il le voulait, mais il a si peur d'être pris qu'il n'essaie même pas. Chaque soir, une fois le train reparti, nous tirons les malles et le calons en position assise dans le coin, ou l'étendons sur le lit de camp, selon sa préférence. C'est Walter qui insiste pour qu'il prenne le lit de camp, et comme à mon tour j'insiste pour que Walter prenne le sac de couchage, j'en suis réduit à dormir de nouveau sur la couverture de paddock.

Deux jours après le début de notre cohabitation, les tremblements de Camel sont si forts qu'il ne peut plus parler. Walter constate cela à midi, alors qu'il lui apporte à manger. Il est tellement inquiet qu'il vient me trouver à la ménagerie, mais comme August ouvre l'œil, je ne peux pas retourner au train.

À presque minuit, Walter et moi sommes assis côte à côte sur le lit de camp, à attendre le départ du train. Dès qu'il s'ébranle, nous nous levons pour déplacer les malles.

Walter s'agenouille, saisit Camel par les aisselles, et le redresse. Puis il sort une flasque de sa poche.

Les yeux de Camel se remplissent de larmes.

245

– Qu'est-ce que c'est ? dis-je.

– Qu'est-ce que tu crois ? dit Walter. Du whisky. Du vrai. Et du bon !

Camel cherche la bouteille de ses mains tremblantes. Walter, qui le soutient toujours, la débouche et l'approche des lèvres du vieillard.

Une autre semaine s'écoule, et Marlène reste cloîtrée dans sa cabine. À présent, mon besoin de la voir est tel que j'échafaude des plans pour regarder par sa fenêtre sans me faire pincer. Heureusement, le bon sens l'emporte.

Chaque soir, je m'allonge sur ma couverture puante pour me remémorer notre dernière conversation, mot pour mot. Je repasse éternellement par le même chemin tortueux – depuis mon incroyable allégresse jusqu'à ma cruelle désillusion. Je sais qu'elle était obligée de me repousser, mais cela n'en reste pas moins insupportable. Rien que d'y penser, je suis si agité que je me tourne et retourne jusqu'à ce que Walter se plaigne que je l'empêche de dormir.

Toujours plus loin. En général, nous ne restons qu'un jour dans chaque ville, sauf le dimanche où c'est deux jours. Entre Burlington et Keokuk, Walter – avec l'aide de copieuses rasades de whisky – réussit à arracher à Camel le nom et la dernière adresse connue de son fils. Ensuite, profitant de chaque étape, il se rend en ville aussitôt après le petit déjeuner et ne revient qu'un peu avant l'heure de la représentation. À Springfield, le contact est établi.

Au début, le fils de Camel décline toute responsabilité, mais Walter est persévérant. Jour après jour, il se rend en ville d'un pas décidé, négocie par télégrammes, et le vendredi suivant le fils a accepté de nous rencontrer à Providence pour récupérer le vieil homme. Cela signifie qu'il nous faudra assurer son hébergement pendant encore plusieurs semaines, mais au moins une solution s'ébauche-t-elle. En tout cas, c'est mieux que rien.

À Terre-Haute, la belle Lucinda décède inopinément. Une fois Oncle Al remis de son violent mais bref désespoir, il organise des obsèques dignes de « notre chère Lucinda ».

Une heure après la signature de l'acte de décès, Lucinda est couchée dans l'abreuvoir du char de l'hippopotame auquel sont attelés vingt-quatre percherons noirs empanachés.

Oncle Al grimpe au côté du cocher, terrassé par son chagrin. Au bout d'un moment, il agite les doigts, et le cortège se met en marche. Lucinda est tractée lentement à travers la ville, suivie à pied par tous ceux des Frères Benzini – le Plus Grand Spectacle du Monde – qui ont été jugés présentables. Oncle Al, désolé, pleure et se mouche bruyamment dans son mouchoir rouge, mais se retourne aussi de temps en temps pour voir si le cortège est suivi par les badauds.

Juste derrière le char, il y a les femmes, tout en noir et pressant d'élégants mouchoirs de dentelle aux coins de leurs yeux. Je suis un peu plus loin, entouré de tous côtés par des hommes gémissants, au visage brillant de larmes. Oncle Al a promis trois dollars et une bouteille de whisky canadien à quiconque fera le meilleur numéro. Jamais on n'a vu une telle affliction – même les chiens hurlent à la mort.

Un millier de badauds nous suivent jusqu'au campement. Lorsque Oncle Al se dresse sur le char, le silence se fait.

Il ôte son chapeau et le presse contre sa poitrine. Il tire son mouchoir et se tamponne les yeux. Il délivre un discours poignant, si dévasté qu'il se maîtrise à grand-peine. À la fin, il explique que, s'il ne tenait qu'à lui, la

247

représentation de ce soir serait annulée, par égard pour Lucinda, mais ce n'est pas de son ressort. C'est un homme d'honneur, et sur son lit de mort, elle lui a étreint la main et fait promettre – non, *jurer* – qu'il ne laisserait pas son imminente fin empêcher la représentation et décevoir ainsi des milliers de spectateurs.

– Car après tout..., conclut-il, la main sur le cœur, et reniflant pitoyablement.

Il lève les yeux au ciel, tandis que des larmes ruissellent sur sa figure.

Femmes et enfants dans la foule pleurent sans retenue. Une femme en tête du cortège jette un bras en travers de son front et s'effondre, tandis que les hommes à ses côtés s'empressent de la retenir.

Oncle Al se ressaisit avec un effort manifeste, quoiqu'il ne puisse empêcher sa lèvre de trembler. Il opine lentement et poursuit :

– ... parce que, après tout, comme notre très chère Lucinda ne le savait que trop bien... *le spectacle doit continuer !*

Ce soir-là, le public est énorme et on fait une « bourrée » – c'est-à-dire que, une fois toutes les places vendues, les tchécos répandent de la paille aux abords de la piste, afin de permettre à la foule de s'asseoir.

La représentation commence par une minute de silence. Oncle Al baisse la tête, parvient à faire couler de vraies larmes et dédie le spectacle à Lucinda, dont l'altruisme seul explique que nous persévérions malgré ce deuil cruel. Et nous allons faire en sorte qu'elle aurait été fière de nous – oh, oui, notre amour pour Lucinda était tel qu'en dépit de la douleur qui nous consume, nous allons trouver la force de réaliser son vœu suprême. Vous allez voir des merveilles, mesdames et messieurs, des numéros et des artistes venus des quatre coins du monde pour votre plus grand plaisir, acrobates et voltigeurs, trapézistes de premier ordre...

Le spectacle a débuté depuis un quart d'heure environ quand elle entre dans la ménagerie. Je devine sa présence avant même d'avoir entendu les rumeurs étonnées tout autour de moi.

Je pose Bobo dans sa cage et me retourne. La voici, en effet, superbe dans son justaucorps à paillettes roses et sa coiffe à plumes. Elle est en train d'ôter les harnachements des chevaux et les laisse tomber par terre. Seul Boaz – un arabe noir, sans doute le partenaire de Silver Star – reste attaché, ce dont il est visiblement mécontent.

Je m'appuie à la cage de Bobo, fasciné.

Ces chevaux, avec qui je voyage de ville en ville, et qui d'ordinaire ressemblent à des bêtes quelconques, sont métamorphosés. Ils s'ébrouent, piaffent, l'encolure cambrée et la queue haute. Ils forment deux groupes – un blanc, un noir. Marlène leur fait face, une chambrière dans chaque main. Elle en brandit une, qu'elle agite au-dessus de sa tête. Puis elle recule, pour les conduire hors de la ménagerie. Ces chevaux sont totalement libres. Ils n'ont ni harnachement, ni rênes, ni sangles – rien. Et pourtant, ils la suivent d'une démarche altière tels de vrais chevaux de concours.

Je n'ai jamais vu son numéro – c'est un luxe que ceux qui travaillent dans les coulisses n'ont pas le temps de s'offrir – mais cette fois rien ne pourrait m'en empêcher. Ayant bien refermé la porte de la cage de Bobo, je me glisse par le passage de toile à ciel ouvert qui raccorde la ménagerie au chapiteau. Le vendeur de places réservées me lance un bref coup d'œil, et, réalisant que je ne suis pas un flic, retourne à ses affaires. Gonflées d'argent, ses poches sonnent. Je me tiens à son côté, survolant du regard la piste.

Oncle Al l'annonce, et elle fait son entrée. Elle pivote sur elle-même, les deux chambrières bien en l'air, en agite une et recule de quelques pas. Les deux groupes s'élancent.

Marlène avance en se déhanchant jusqu'au milieu de la piste, et ils suivent, nuages blancs et noir qui caracolent.

Une fois au centre de la piste, elle fait claquer légèrement un fouet. Les chevaux se mettent à faire le tour de la piste au trot, cinq blancs suivis de cinq noirs. Au bout de deux tours complets, elle fait claquer légèrement ce fouet et chaque noir accélère pour venir trotter à la hauteur d'un blanc. Nouveau coup de fouet, et ils s'intercalent de façon à former une ligne pointillée.

Elle bouge le moins possible ; ses paillettes roses brillent sous les lumières vives. Elle décrit un petit cercle au milieu de la piste, agite ses chambrières – ce qui correspond à une suite de signaux.

Les chevaux continuent à tourner ; les blancs doublent les noirs, et réciproquement, pour présenter toujours une alternance de blanc et noir.

Puis elle crie, et ils s'arrêtent. Elle ajoute quelque chose, et ils posent leurs antérieurs sur la banquette constituant le pourtour de la piste. Ils marchent latéralement, la queue vers Marlène et les sabots sur la bordure, font ainsi un tour complet, puis s'arrêtent à sa demande, redescendent et virevoltent pour lui faire face. C'est alors qu'elle fait avancer Midnight.

C'est un splendide arabe, tout noir, avec une étoile parfaite au front. Elle lui parle, tenant les deux fouets d'une seule main et lui offrant sa paume. Il y presse son museau, encolure cambrée et naseaux dilatés.

Marlène fait un pas en arrière et brandit un fouet. Les autres chevaux regardent, dansant sur place. Elle soulève l'autre fouet et agite sa pointe d'avant en arrière. Midnight se dresse sur ses postérieurs. Elle crie quelque chose et recule franchement. Le cheval suit, cabré et labourant l'air. Il fait ainsi tout le tour, puis, sur un signe d'elle, redescend. Un autre signal mystérieux du fouet, et il s'incline, un genou à terre. Marlène effectue alors une révérence et la foule se déchaîne. Midnight étant toujours incliné, elle soulève ses deux fouets et les agite. Les autres chevaux exécutent des pirouettes, c'est-à-dire qu'ils font des tours sur place sur un seul pied.

D'autres vivats, l'adulation est à son comble. Marlène tend les deux bras en l'air, se tourne pour donner à chaque section du public la possibilité de l'idolâtrer. Puis elle se tourne vers Midnight et se juche délicatement sur son dos. Il se relève, cambre l'encolure et l'emporte vers la sortie. Les autres chevaux suivent, les noirs avec les noirs, les blancs avec les blancs, serrés les uns contre les autres pour rester auprès de leur maîtresse.

Mon cœur bat si fort que, en dépit des acclamations de la foule, j'en ai des bourdonnements d'oreilles. Mon cœur déborde d'amour.

Cette nuit-là, Camel étant ivre mort et Walter en train de ronfler sur le sac de couchage, je quitte la chambre pour aller admirer les chevaux de la cavalerie.

Chaque jour, je m'occupe d'eux. Je nettoie les stalles, change l'eau des abreuvoirs, remplis les mangeoires, les panse avant le spectacle. J'examine leurs dents, brosse leur crinière, palpe leurs jambes pour déceler d'éventuelles inflammations. Je leur donne des friandises, caresse leur encolure. Ils font partie de mon environnement au même titre que Queenie, et pourtant, maintenant que j'ai vu ce numéro, je ne peux plus les considérer comme avant ; ces chevaux sont des prolongements de Marlène – une part d'elle-même qui est, en ce moment précis, ici, avec moi.

Tendant le bras par-dessus la séparation, je place la main sur une croupe noire et satinée. Midnight, qui dormait, renâcle et tourne la tête.

Voyant que ce n'est que moi, il se désintéresse. Ses oreilles tombent, ses yeux se ferment et il reporte tout son poids sur un seul postérieur.

Je reviens dans la chambre et vérifie que Camel respire

encore. Puis je m'allonge sur ma couverture et me laisse entraîner dans un rêve au sujet de Marlène qui me vaudra sûrement la damnation éternelle.

Le lendemain matin, devant les tables chaudes.

— Regarde ! dit Walter, levant le bras pour m'enfoncer deux doigts dans les côtes.

— Quoi ?

Il me désigne la scène.

August et Marlène sont à ma table. C'est la première fois qu'ils prennent un repas ensemble, et en public, depuis l'accident.

Walter me lance un regard.

— Ça ira ?

— Oui, bien sûr ! dis-je, irrité.

— OK. C'était juste une question, comme ça...

Nous passons devant le toujours vigilant Ezra et chacun se dirige vers sa table respective.

— Bonjour, Jacob, dit August au moment où je pose mon assiette sur la table et m'installe.

— August... Marlène, dis-je en opinant à l'adresse de l'un, puis de l'autre.

Marlène lève rapidement les yeux puis fixe de nouveau son assiette.

— Comment vas-tu, en cette belle journée ? dit August.

Il attaque une montagne d'œufs brouillés.

— Très bien. Et toi ?

— Très bien.

— Et toi, Marlène ?

— Bien mieux, merci, dit-elle.

— J'ai vu ton numéro, hier.

— Ah... ?

— Oui, dis-je, secouant ma serviette que j'étale sur mes

252

genoux. C'est... je ne sais pas trop quoi dire. C'était époustouflant. Je n'avais jamais rien vu de tel.

– Oh ? fait August, en sourcillant. Jamais ?

– Non, jamais.

– Vraiment... ?

Il me considère sans ciller.

– Je croyais que c'était le numéro de Marlène qui t'avait incité à te joindre à notre cirque, à l'origine. Je me trompe ?

Mon cœur fait un bond. Je prends mes couverts : la fourchette de la main gauche, le couteau dans la main droite – dans le style européen, comme ma mère.

– J'ai menti, dis-je.

Je pique le bout d'une saucisse et commence à la couper, dans l'attente d'une réaction.

– Quoi ? dit-il.

– J'ai menti. *Menti !*

Je flanque mes couverts sur la table, un petit morceau de saucisse empalé sur la fourchette.

– Compris ? Je n'avais jamais entendu parler des Frères Benzini avant de sauter dans votre train. Qui a entendu parler des Frères Benzini... ? Le seul cirque où je suis jamais allé, c'était Barnum, et c'était génial. *Génial !* Tu m'entends ?

Il y a un silence surnaturel. Je regarde autour de moi, horrifié. Chacun sous la tente me contemple. Walter est bouche bée. Les oreilles de Queenie sont plaquées contre sa tête. Au loin, on entend un chameau.

Enfin, je reporte mon attention sur August. Lui aussi me dévisage. La pointe de sa moustache tremble. Je fourre ma serviette sous le bord de mon assiette, en me demandant s'il va me frapper.

Ses yeux s'écarquillent encore davantage. Je serre les poings sous la table. Puis, c'est l'explosion. August rit si fort qu'il devient tout rouge, se tient le ventre, cherche à reprendre sa respiration. Il rit, s'esclaffe, ses larmes roulent et ses lèvres tremblent.

– Oh, Jacob, dit-il en s'essuyant les joues. Oh, Jacob ! Je crois que je t'ai mal jugé. Oui. Je crois que je t'ai mal jugé !

Il a un rire saccadé, renifle, s'éponge avec sa serviette.

– Oh, mon Dieu ! soupire-t-il. Oh, mon Dieu !

Il se racle la gorge, reprend ses couverts, amasse de l'œuf sur sa fourchette qu'il repose de nouveau, une fois de plus submergé par le fou rire.

Les autres retournent à leur repas, mais à contrecœur, comme la foule qui m'avait regardé expulser le spectateur mécontent du coin des phénomènes, le premier jour. Et je ne peux m'empêcher de remarquer leur air inquiet.

La mort de Lucinda laisse un vide conséquent dans le coin des phénomènes. Un vide qui doit être comblé – tous les grands cirques ont des femmes obèses.

Oncle Al et August parcourent le *Billboard* et à chaque arrêt téléphonent et envoient des télégrammes afin d'essayer d'en recruter une, mais toutes les femmes obèses connues semblent soit satisfaites de leur situation actuelle, soit prévenues contre Oncle Al. Après deux semaines et dix haltes, Oncle Al, en désespoir de cause, aborde une femme plantureuse repérée dans l'assistance. Hélas, il s'avère que c'est la shérif, et il écope d'un œil au beurre noir plutôt que d'un nouveau phénomène, assorti d'un ordre de quitter la ville.

Nous avons deux heures. Les artistes s'enferment aussitôt dans leurs voitures. Les tchécos, une fois prévenus, s'agitent comment des poulets sans tête. Oncle Al, hors d'haleine, violacé, brandit sa canne et flanque un coup à quiconque n'est pas assez vif à son goût. Les tentes tombent si rapidement que des hommes restent piégés dessous, et leurs camarades doivent les faire sortir avant qu'ils n'étouffent sous toute cette toile, ou – pire, pour Oncle Al – n'utilisent leur canif pour faire un trou et pouvoir respirer.

Une fois les bêtes à bord, je me retire dans mon wagon. Je n'aime pas la gueule des individus qui rôdent dans les parages. Beaucoup sont armés, et un sinistre pressentiment me ronge.

N'ayant pas encore vu Walter, je marche de long en large devant la porte, survolant le campement du regard. Les Noirs se sont cachés depuis longtemps à bord de l'Escadron Volant, et je me demande si la populace ne se contenterait pas d'un nain aux cheveux roux.

Une heure et cinquante-cinq minutes après que l'ordre de marche a été donné, il se pointe.

– Où étais-tu passé ?

– C'est lui ? gémit Camel derrière les malles.

– Oui, c'est lui... Monte ! dis-je en faisant signe à Walter. Il y a des sales types dehors.

Il ne bouge pas. Il est tout rouge, et hors d'haleine.

– Où est Queenie ? T'as pas vu Queenie ?

– Non, pourquoi ?

Il disparaît.

– Walter !

Je bondis et m'élance vers la porte.

– Walter ! Où tu vas ? On part ! J'ai déjà entendu le coup de sifflet...

Il court le long du train, regarde entre les roues.

– Viens, Queenie ! Viens, fifille !

Il se redresse, s'arrête devant chaque wagon pour crier à travers les lattes et attendre une réponse.

– Queenie, fifille !

À chaque appel, son ton est plus désespéré.

Un coup de sifflet, un long avertissement soutenu, suivi par les chuintements et crachements de la locomotive.

La voix de Walter se fêle. À force de crier, il s'est enroué.

– Queenie ! Où t'es ? Queenie ! Viens !

Plus loin, les retardataires sautent sur les wagons plats.

– Walter, monte ! Fais pas l'idiot... c'est maintenant ou jamais !

Il m'ignore. Il est au niveau des wagons plats à présent, et regarde entre les roues.

– Queenie, viens !

Soudain, il s'arrête et se redresse. Il a l'air perdu.

– Queenie ? dit-il, à personne en particulier.

– Ah, merde..., dis-je.

– Il se ramène, oui ou non ? dit Camel.

– Ça n'en a pas l'air.

– Alors, va le chercher !

Le train s'ébranle, avec de grandes secousses.

Je saute à terre et cours jusqu'aux wagons plats. Walter fait face à la locomotive.

Je lui touche l'épaule.

– Walter, il est temps...

Il se tourne vers moi, m'implorant du regard.

– Où est-elle ? Tu l'as vue ?

– Non. Allons, Walter. Il faut monter.

– Je peux pas, dit-il, livide. Je peux pas la laisser. Je peux pas...

Le convoi roule, prend de la vitesse.

Je jette un coup d'œil derrière moi. Les gens du coin, armés de fusils, de battes de base-ball ou de gourdins, s'élancent. Je regarde le train, juste le temps de me faire une idée de sa vitesse, en espérant ne pas me tromper : *un, deux, trois.*

Ramassant Walter comme un ballot, je le jette à l'intérieur. J'entends un choc, un cri. Puis je sprinte le long du train et saisis la barre d'acier. Je laisse le train m'entraîner pendant trois longues foulées, puis j'utilise sa vitesse pour sauter à bord.

Ma figure glisse sur les planches gauchies. Quand je réalise que je suis sain et sauf, je cherche Walter du regard, prêt à la bataille.

Blotti dans un coin, il pleure.

Walter est inconsolable. Il reste prostré quand je tire les malles pour faire sortir Camel. Je parviens à raser le bon-homme – tâche qui d'ordinaire nous occupe tous les deux, puis le traîne du côté des chevaux.

– Allons, Walter..., dit Camel.

Je le soutiens par les aisselles, le postérieur au-dessus de ce que Walter appelle le « seau à miel ».

– T'as fait ce que t'as pu...

Il me regarde, par-dessus son épaule.

– Plus bas, tu veux ? J'ai les fesses dans le courant d'air, là...

J'écarte les pieds pour le baisser le plus possible sans écoper d'un tour de reins. En général, c'est Walter qui se charge de cela, ayant la taille adéquate.

– Walter, tu pourrais pas me donner un coup de main ? dis-je, sentant une douleur fulgurante dans mon dos.

– La ferme !

Camel regarde de nouveau en arrière, cette fois très inquiet.

– C'est bon..., dis-je.

– Non, c'est pas bon ! crie Walter depuis son coin. C'est pas bon. Queenie, j'avais qu'elle au monde ! Tu comprends ?

Sa voix se brise.

– J'avais qu'elle au monde...

Camel me fait signe qu'il a fini. Je le traîne en arrière et le dépose sur le côté.

– Non, ça peut pas être vrai, dit-il alors que je le torche. Un jeune comme toi a forcément quelqu'un, quelque part.

– Tu sais pas de quoi tu parles...

– T'as pas une mère, quelque part ?

– Non... ou quasiment pas.

– On parle pas comme ça !

– Pourquoi ? Elle m'a vendu à ces gens-là quand j'avais quatorze ans ! Et me regarde pas comme si t'avais pitié de moi ! C'était une vieille sorcière, de toute façon... Bon débarras...

– Comment ça, *vendu* ? dit Camel.

– Je suis pas franchement taillé pour faire les foins, hein ? Et maintenant, fous-moi la paix !

Il nous tourne le dos.

Je reculotte Camel, l'attrape par les aisselles et le remorque jusque dans notre chambre. Ses jambes traînent, ses talons raclent le sol.

– Quelle misère, quelle misère..., dit-il alors que je le couche sur le lit de camp. Tu entends ça ?

– Tu as faim ? dis-je, essayant de changer de sujet.

– Non, pas encore. Mais une goutte de whisky me ferait du bien.

Il secoue la tête avec tristesse.

– J'aurais jamais cru qu'une femme pouvait être aussi dure.

– Je t'entends toujours, tu sais ! glapit Walter. Et puis t'es mal placé pour parler, le vieux... C'était quand, la dernière fois que t'as vu ton fils ?

Camel pâlit.

– Hein ? T'es bien en peine de répondre, hein ? Y a pas une grande différence entre ma mère et toi, pas vrai ?

– Si ! hurle Camel. Y a une grande différence ! Et comment tu sais ça, au fait ?

– Tu as parlé de ton fils un soir que tu étais bourré, dis-je doucement.

Camel me fixe longuement, puis sa figure se crispe. Il porte une main flasque à son front et se détourne de moi.

– Misère ! Ah misère, si j'avais su que tu savais... t'aurais dû me le dire !

– Je croyais que tu t'en souvenais, dis-je. D'ailleurs, il n'a pas dit grand-chose. Juste que tu avais quitté un jour la maison...

– Quoi ? Comment ?

La tête de Camel se tourne en tous sens.

– Il vous a parlé ?

Je m'affale par terre et pose la tête sur mes genoux. La nuit promet d'être longue.

– Hé, je t'ai posé une question !

Je soupire :

– Oui, il nous a parlé.

– Quand ?

– Il y a un certain temps.

Il a l'air complètement abasourdi.

– Mais... pourquoi ?

– On s'est donné rendez-vous à Providence. Il te ramène chez toi.

– Oh, non ! Pas question !

– Camel...

– Pourquoi vous avez fait ça ? Z'aviez pas le droit !

– On n'avait pas le choix !

Je m'interromps, ferme les yeux, me ressaisis et répète, moins fort :

– On n'avait pas le choix. Il fallait bien faire quelque chose.

– Je peux pas retourner là-bas. Vous savez pas ce qui s'est passé. Ils veulent plus de moi.

Sa lèvre tremble, sa bouche se ferme. Il se détourne. Un moment plus tard, ses épaules commencent à se soulever douloureusement.

– Ah là là...

J'élève la voix pour crier par la porte ouverte :

– Merci bien, Walter. Merci de ton aide ! J'apprécie !

– Va te faire f...

J'éteins la lampe à pétrole et rampe jusqu'à ma couverture. Je m'allonge sur sa surface rêche puis me redresse.

– Walter ! Hé, Walter ! Si tu reviens pas, je prends le sac de couchage.

Pas de réponse.

– Tu m'entends ? Je prends le sac de couchage...

J'attends une minute ou deux puis rampe dans l'autre sens.

Walter et Camel passent la nuit à faire les bruits que font les hommes qui s'efforcent de ne pas pleurer ; tandis que moi, de mon côté, je boxe mon oreiller par-dessus mes oreilles pour essayer de ne pas entendre.

C'est la voix de Marlène qui me réveille.

– Toc-toc ! Je peux entrer ?

Mes yeux s'ouvrent. Le train s'est arrêté sans perturber mon sommeil. Si je suis étonné, c'est aussi parce que j'étais en train de rêver d'elle, ce qui fait que je me demande si je ne suis pas encore endormi.

– Coucou ? Y a quelqu'un ?

Je me hausse sur les coudes et regarde Camel. Il est couché, sans défense, sur le lit de camp, les yeux dilatés par la peur. La porte intérieure est restée ouverte toute la nuit. Je bondis.

– Hé, une seconde !

Je me précipite à sa rencontre, fermant la porte derrière moi. Elle est déjà en train de grimper dans le wagon.

– Oh, bonjour ! dit-elle en regardant Walter, qui est toujours pelotonné dans son coin. C'est justement vous que je cherchais. C'est bien votre chienne ?

La tête de Walter se tourne brusquement.

– *Queenie !*

Marlène se penche pour la faire descendre, mais Queenie s'est déjà libérée en se trémoussant et heurte le sol avec un bruit sourd. Elle va se jeter sur Walter, lui lèche la figure et frétille tant et si bien qu'elle tombe à la renverse.

– Oh, Queenie ! Où étais-tu passée, vilaine fille ! J'étais si inquiet, *vilaine, vilaine fille !*

Il s'offre à ses coups de langue et Queenie gigote, ravie.

– Où était-elle ? dis-je en me tournant vers Marlène.

– Elle courait le long du train quand on est repartis hier, réplique-t-elle sans les quitter des yeux. Je l'ai aperçue de la fenêtre et j'ai envoyé Auggie dehors. Il s'est couché à plat ventre sur la plate-forme pour la récupérer.

– August a fait ça ? Pas possible ?

– Si ! Et pour sa peine, elle l'a mordu.

Walter enveloppe la chienne de ses bras et enfouit son visage contre ses poils. Marlène les considère encore un moment, puis se tourne vers la porte.

– Bon, j'y vais...

– Marlène..., dis-je en tendant le bras.

Elle s'arrête.

– Merci, dis-je, en laissant ma main retomber. Tu ne sais pas combien ça comptait pour lui. Pour nous...

Elle me jette un très rapide regard – avec un zeste de sourire – puis reporte son attention sur la croupe des chevaux.

– Si. Si, je crois le savoir.

Mes yeux se mouillent tandis qu'elle redescend.

– Eh bien, qu'en dites-vous ? fait Camel. Il est peut-être humain, après tout.

– Qui, August ? s'exclame Walter, qui se penche, saisit la poignée d'une malle et la traîne. Tu parles !

Nous sommes en train de redisposer la pièce dans sa configuration de jour, avec Walter qui fait tout au ralenti parce qu'il tient absolument à garder Queenie sous son coude.

– Tu peux la lâcher, tu sais ! dis-je. La porte est fermée.

– Il a sauvé ta chienne, dit Camel.

– Parce qu'il savait pas qu'elle était à moi. Queenie l'a senti, et c'est pour ça qu'elle l'a mordu. N'est-ce pas que tu le savais, ma beauté ? dit-il en se rapprochant de sa truffe. Oui, Queenie est très intelligente...

– Qu'est-ce qui te fait dire ça ? dis-je. Marlène savait bien, elle...

– Parce que je le sais, un point c'est tout ! Y a rien d'humain chez ce youpin...

– La ferme !

Walter s'arrête, interloqué.

– Quoi ? Hé, t'es pas juif, hein ? Pardon, je voulais pas dire ça. C'était rien qu'une vanne...

– Ouais, y a plein de vannes, comme ça, et je commence à en avoir marre. Les artistes vannent les manuels. Les manuels vannent les Polonais. Les Polonais vannent les Juifs. Quant aux nains... dis-moi, Walter ? C'est juste les Juifs et les manuels que tu détestes, ou les Polonais sont inclus dans le lot ?

Walter rougit et baisse les yeux.

– Je les déteste pas... Je déteste personne.

Au bout d'un moment, il ajoute :

– Bon, si : August, je le déteste, mais parce que c'est une ordure.

– Ça se discute pas, fait Camel.

Je les regarde alternativement.

– Non, dis-je avec un soupir. Ça se discute pas...

À Hamilton, la température grimpe jusqu'à 32°, le soleil tape impitoyablement sur notre campement, et la citronnade vient à manquer.

L'homme de la buvette, qui a laissé la grande cuve sans surveillance pendant quelques minutes, va aussitôt se plaindre auprès d'Oncle Al, convaincu que les tchécos sont les coupables.

Oncle Al les rassemble. Ils sortent de derrière la tente-écurie et la ménagerie, encore endormis, de la paille dans les cheveux. De loin, ils ont l'air plutôt innocent.

Apparemment, Oncle Al n'est pas de cet avis. Il marche de long en large, braillant tel Genghis Khan inspectant ses troupes. Il leur crie des mots au visage, précise le manque à gagner, et affirme qu'il y aura des retenues sur salaire si jamais il y a une prochaine fois. Puis, ayant distribué quelques calottes, il les congédie. Ils retournent là où ils se reposaient, se frottant la tête et se regardant mutuellement avec méfiance.

Une dizaine de minutes avant l'ouverture des portes, les hommes de la buvette préparent une autre cuvée de citronnade en prenant l'eau des abreuvoirs. Pour en prélever les flocons d'avoine, le foin et les poils, ils la filtrent à travers un pantalon donné par un clown, et au moment où ils jettent les tranches d'écorce de citron censées donner l'impression qu'il s'agit de jus de fruits véritable, une marée de « paysans » se lance déjà à l'assaut de l'allée centrale. J'ignore si ce pantalon était propre, mais je note que les gens du cirque s'abstiennent de boire de la citronnade, ce jour-là.

À Dayton, la citronnade vient de nouveau à manquer. Une fois de plus, une nouvelle cuvée est préparée avec l'eau des abreuvoirs, quelques minutes seulement avant l'arrivée du public.

Cette fois, Oncle Al réunit les mêmes, et, plutôt que de leur promettre une retenue sur salaire – menace dérisoire puisque aucun d'eux n'a été payé depuis plus de huit semaines –, il les oblige à fouiller dans la bourse en daim pendue à leur cou et à en prélever deux pièces de vingt-cinq cents chacun. La grogne devient audible.

Le voleur de citronnade a touché les tchécos là où ça fait mal, et ils se préparent à agir. Quand nous sommes arrivés à

Columbus, quelques-uns d'entre eux se planquent près de la cuve et attendent.

Peu avant le début du spectacle, August me fait venir dans la tente-loge de Marlène pour me montrer une annonce concernant un cheval blanc. Marlène en a besoin, car douze chevaux, c'est plus spectaculaire que dix – et le spectacle avant tout. En outre, elle pense que Boaz est déprimé de devoir rester tout seul dans la ménagerie pendant que les autres sont en piste. C'est ce qu'affirme August, mais moi je crois que je suis rentré en grâce après mon éclat à la cantine. Ou bien, c'est qu'August a décidé de garder ses amis près de lui – et ses ennemis encore plus près.

Je suis assis sur un pliant avec le *Billboard* sur mes genoux et une bouteille de salsepareille en main. Marlène est devant la glace, en train d'ajuster son costume, et j'essaie de ne pas la lorgner. La seule fois où nos regards se croisent dans la glace, je retiens mon souffle et rougis, et nous détournons pareillement les yeux.

August, qui ne se doute de rien, boutonne son gilet, tout en bavardant aimablement, quand Oncle Al fait son apparition.

Marlène se retourne, indignée.

– Hé ! Ça vous gênerait de vous annoncer avant de débarquer dans la loge d'une dame ?

Sans lui prêter la moindre attention, Oncle Al marche droit sur August et pointe le doigt sur lui.

– C'est ta foutue éléphante ! hurle-t-il.

August considère ce doigt sur sa poitrine, marque une pause, le saisit délicatement entre son pouce et son index. Ayant écarté la main d'Oncle Al, il secoue un mouchoir pour essuyer les postillons sur sa figure.

– Pardon ? dit-il, à la fin de cette opération.

– C'est ta foutue éléphante, la voleuse ! hurle Oncle Al,

en l'arrosant de nouveau copieusement. Elle arrache le pieu du sol, l'emporte avec elle, bois cette foutue citronnade, puis retourne à sa place et replante le pieu dans la terre.

Marlène plaque sa main sur sa bouche, mais pas assez vite.

Oncle Al fait volte-face, furieux.

— Vous trouvez ça drôle ? Vous trouvez ça drôle ?

Le sang se retire du visage de Marlène.

Je me lève et fais un pas en avant.

— Eh bien, vous avouerez que...

Oncle Al se retourne, plaque les mains sur ma poitrine, et me repousse si vivement que je tombe à la renverse sur une malle.

Il pivote vers August.

— Cette foutue éléphante m'a coûté une *fortune* ! C'est à cause d'elle que je n'ai pas pu payer nos hommes et que j'ai dû prendre des mesures qui m'ont valu de me faire engueuler par ces satanées autorités ferroviaires ! Et pourquoi ? Une saloperie qui ne veut pas bosser et siffle la citronnade !

— Al ! fait August sèchement. Surveille ton langage. Je te rappelle qu'il y a une dame ici.

Oncle Al tourne la tête. Il considère Marlène sans remords et revient à August.

— Woody va devoir compenser les pertes, dit-il. Ce sera retenu sur ta paie.

— Vous vous êtes déjà remboursé sur les tchécos, dit tranquillement Marlène. Vous comptez les rembourser ?

Oncle Al la fixe et j'aime si peu son expression que je m'avance pour m'interposer. Son regard se reporte sur moi ; la colère le fait grincer des dents. Puis, il se détourne et s'en va d'un pas martial.

— Quel con ! dit Marlène en retournant à sa coiffeuse. J'aurais pu être en petite tenue...

August se tient immobile. Puis il attrape son chapeau haut-de-forme et son crochet.

Marlène suit ses gestes dans la glace.

— Où vas-tu ? dit-elle, très vite. August, qu'est-ce que tu vas faire ?

Il se dirige vers la sortie, mais elle le retient par le bras.

— Auggie ! Qu'est-ce que tu vas faire ?

— Je ne vais pas être le seul à payer pour la citronnade, dit-il, en se dégageant.

— August, non !

De nouveau, elle lui saisit le coude. Cette fois, elle pèse de tout son poids, afin de l'empêcher de s'en aller.

— August, attends ! Pour l'amour du ciel, attends ! Elle ne savait pas. Dorénavant, on l'attachera plus...

August se libère et elle s'écroule sur elle-même. Il la contemple avec un dégoût profond, puis plante son chapeau sur sa tête et se détourne.

— August ! crie-t-elle d'une voix perçante. Stop !

Il écarte le pan de toile et le voilà parti. Marlène reste au sol, hébétée, à l'endroit où elle est tombée. Mon regard va d'elle au pan de toile, et du pan de toile à elle.

— Je vais le chercher, dis-je en faisant mine de sortir.

— Non, attends !

Je me fige.

— C'est inutile, dit-elle, d'une voix sourde. Tu ne pourras pas l'arrêter.

— Je peux toujours essayer. Je n'ai rien fait la dernière fois et je ne pourrai jamais me le pardonner.

— Tu ne comprends pas. Ce serait encore pire ! Jacob, je t'en prie ! Tu ne comprends pas...

Je pivote sur mes talons pour lui faire face.

— Non, en effet ! Je ne comprends plus rien à rien. Ça t'embêterait de m'expliquer ?

Ses yeux s'écarquillent ; sa bouche s'arrondit. Elle cache sa figure dans ses mains et fond en larmes.

Je la regarde, horrifié. Puis je tombe à genoux et la prends dans mes bras.

– Oh, Marlène, Marlène...

– Jacob, murmure-t-elle contre ma chemise.

Elle se cramponne à moi comme si je l'empêchais d'être aspirée par un tourbillon.

16

— Je ne m'appelle pas Rosie, mais *Rosemary*, monsieur Jankowsky...

Brusquement réveillé, je cille sous l'éclat blafard des néons.

— Quoi ? Quoi ?

Ma voix est grêle, flûtée. Une femme de couleur est penchée sur moi, et me borde ; ses cheveux sont doux et parfumés.

— Vous m'avez appelée Rosie, à l'instant. Mon prénom, c'est Rosemary, dit-elle en se redressant. Là... c'est mieux, n'est-ce pas ?

Je la dévisage. Mon Dieu, c'est vrai. Je suis vieux, et je suis alité. Hé, une seconde — je l'ai appelée Rosie ?

— J'ai parlé dans mon sommeil ? Tout haut ?

Elle rit.

— Et comment ! Oui, monsieur Jankowsky, vous avez parlé comme une pipelette depuis qu'on a quitté le réfectoire. J'en ai les oreilles toutes chaudes !

Je rougis, contemple mes mains crochues sur mes genoux. Qu'ai-je bien pu raconter ? Je me souviens seulement des pensées qui étaient les miennes, et encore... ! — avant de me retrouver ici, je me croyais bien *là-bas*...

— Pourquoi, qu'est-ce qui vous chiffonne ? dit-elle.

— Ai-je dit... quelque chose de... *gênant* ?

– Mon Dieu, non ! Je ne comprends pas pourquoi vous n'avez rien dit aux autres, aujourd'hui qu'ils vont tous au cirque, en plus... Je parie que vous n'y avez jamais fait la moindre allusion, n'est-ce pas ?

Elle m'observe attentivement. Puis son front se plisse et elle tire une chaise pour s'asseoir à côté de moi.

– Vous ne vous rappelez pas ce que vous m'avez dit... ?

Je fais non de la tête.

Elle prend mes deux mains dans les siennes, qui sont chaudes et charnues.

– Vous n'avez rien dit de gênant, monsieur Jankowsky. Vous êtes un gentleman, et je suis fière de vous connaître.

Mes yeux se mouillent de larmes ; je baisse la tête pour ne pas le montrer.

– Monsieur Jankowsky...

– Je ne veux pas en parler.

– Vous ne voulez pas parler du cirque ?

– Non. De... Oh, merde, vous êtes bouchée ou quoi ? Je n'avais même pas conscience d'être en train de parler ! C'est le début de la fin ! C'est la dégringolade à partir de maintenant... Moi qui avais bon espoir de garder toute ma tête...

– Vous avez toute votre tête, monsieur Jankowsky. Toute votre tête.

Nous gardons le silence un moment.

– Rosemary, j'ai peur...

– Vous voulez que je parle au Dr Rachid ?

J'opine. Une larme coule de mon œil. Je garde les yeux bien ouverts pour retenir les autres.

– Vous avez encore une heure devant vous, avant de vous préparer pour votre sortie. Voulez-vous faire la sieste ?

De nouveau, j'opine. Elle tapote une dernière fois ma main, abaisse le haut du lit, s'en va. Je reste étendu là, à écouter le bourdonnement des néons et à contempler les dalles du faux plafond – un pan de pop-corn aggloméré, de gâteau de riz insipide.

Pour être parfaitement honnête, il y avait eu des signes avant-coureurs.

La semaine dernière, quand ma famille est venue, je n'ai reconnu personne. J'ai fait semblant – quand ils se sont dirigés vers moi et que j'ai compris que c'était moi qu'on venait voir, j'ai souri et prononcé les mots habituels, les : « Oh, Seigneur » et : « mon Dieu, mon Dieu ! » qui forment l'essentiel de mes interventions, à présent. Je croyais faire illusion, quand la mère a pris un air spécial. Un air alarmé – front plissé, bouche entrouverte. J'ai repensé en vitesse aux dernières minutes de la conversation et compris que je m'étais trompé de réplique, que j'avais dit tout le contraire de ce qu'il aurait fallu dire, et cela m'a fait honte, car je ne déteste pas Isabelle. Je ne la connais pas, c'est tout, raison pour laquelle j'avais du mal à m'intéresser au récit de son désastreux spectacle de danse.

C'est alors que cette Isabelle s'est mise à rire et j'ai cru revoir ma femme. Du coup, j'en ai eu la larme à l'œil et ces inconnus ont échangé des regards furtifs avant d'annoncer qu'il était temps de partir car c'était l'heure de la sieste pour Grand-père. Ayant tapoté ma main, arrangé mon plaid, ils sont partis. Partis retrouver le monde, en me laissant en plan. Et aujourd'hui encore, j'ignore qui ils étaient.

Ne vous méprenez pas, je reconnais mes enfants – mais eux, ce ne sont pas mes enfants. Ce sont mes petits-enfants, mes arrière-petits-enfants, voire mes arrière-arrière-petits-enfants. Leur ai-je fait risette quand ils étaient tout petits ? Les ai-je fait sauter sur mes genoux ? J'ai eu trois fils et deux filles, de quoi remplir une maison, et eux-mêmes ont été plutôt prolifiques. Multipliez cinq par quatre, puis le résultat encore par cinq, et rien d'étonnant à ce que j'en oublie ! Ce qui complique les choses, c'est qu'ils viennent me voir à tour de rôle, car à supposer que je parvienne à inscrire un groupe dans ma mémoire, ils ne reviendront pas avant huit ou dix mois, date à laquelle je les aurai encore oubliés.

Mais ce qui est arrivé aujourd'hui est tout différent, et bien plus effrayant.

Qu'est-ce que j'ai pu dire ?

Fermant les yeux, je fouille les recoins de ma mémoire. Ils ne sont plus clairement définis. Mon cerveau est comme un univers dont les gaz sont de plus en plus raréfiés sur les bords. Mais il ne se dissout pas dans le néant. Je sens quelque chose par là, presque à ma portée, qui plane, attend – et il me semble glisser de nouveau dans cette direction, la bouche grande ouverte.

17

Tandis qu'august est allé faire Dieu sait quoi à Rosie, Marlène et moi sommes accroupis à même l'herbe, dans sa loge, à nous cramponner l'un à l'autre tels des ouistitis. Je ne dis presque rien, me contente de tenir sa tête contre ma poitrine tandis qu'elle me débite son histoire à mi-voix.

Elle évoque sa rencontre avec August – elle avait dix-sept ans et venait seulement de comprendre que tous les célibataires invités régulièrement à dîner à la maison étaient à considérer comme des époux potentiels. Un soir qu'un banquier d'un certain âge, au menton fuyant, aux cheveux clairsemés et aux doigts grêles, était venu dîner une fois de trop, elle avait cru voir les portes de son avenir se refermer devant elle.

Mais, au moment même où ce banquier lui glissait à l'oreille quelque chose qui la fit blêmir et baisser les yeux, horrifiée, sur son assiette, des affiches étaient placardées dans toute la ville. Le Destin était en marche. Le train des Frères Benzini – le Plus Grand Spectacle du Monde – roulait vers elle, apportant le rêve et une possibilité d'évasion qui devait se révéler aussi romantique que terrifiante.

Deux jours plus tard, par une belle journée ensoleillée, toute la famille L'Arche se rendit au cirque. Marlène se tenait dans la ménagerie, devant une ribambelle de splendides arabes bancs et noirs, quand August l'aborda pour la première fois. Ses parents étaient allés voir les fauves, sans se douter qu'une tornade était sur le point de bouleverser leur existence.

Car August était une tornade. Charmant, cordial, d'une beauté ombrageuse avec sa culotte de cheval d'un blanc immaculé, son chapeau haut de forme et sa queue-de-pie, il dégageait une autorité et un charisme irrésistibles. Au bout de quelques minutes, il avait arraché à la belle la promesse d'un rendez-vous, puis disparu avant le retour des parents.

À ce rendez-vous, dans une galerie d'art, il avait commencé à lui faire une cour assidue. Il avait douze ans de plus qu'elle et tout le prestige d'un directeur équestre. Ce jour-là, il lui demanda sa main.

Il était aussi tenace que charmant, et refusa de partir sans l'avoir épousée. Il la régala d'anecdotes sur le désespoir d'Oncle Al, qui joua même les entremetteurs. On avait déjà raté deux dates. Un cirque ne pouvait survivre s'il ne tenait pas ses engagements. C'était une décision grave, certes, mais comprenait-elle au moins le tort qu'elle leur faisait ? Le sort de bien des gens dépendait de sa décision.

Trois soirs durant, l'adolescente songea à l'avenir qui l'attendait dans cette ville de Boston. Le quatrième soir, elle fit sa valise.

À ce point de son récit, elle éclate en sanglots. Elle est toujours dans mes bras ; je la berce. Pour finir, elle me repousse, s'essuie les yeux.

— Tu devrais partir, dit-elle.

— Je n'en ai pas envie.

Elle pleurniche, me caresse la joue.

— Je voudrais te revoir, dis-je.

— On se voit tous les jours.

— Tu sais bien ce que je veux dire...

Un long silence s'ensuit. Elle baisse les yeux. Sa bouche remue un moment avant de proférer un son.

– C'est impossible...

– Marlène, pour l'amour du ciel...

– Je suis mariée. « Comme on fait son lit on se couche. »

Je m'agenouille devant elle, guettant sur son visage un signe qui me dira de rester. Au bout d'une longue et déchirante attente, je réalise que je n'en trouverai pas.

Je lui baise le front et m'en vais.

Au bout d'une quarantaine de mètres, j'en sais plus que je n'aurais voulu sur la façon dont Rosie a « payé » pour la citronnade.

Apparemment, August est entré comme un ouragan dans la ménagerie et a fait sortir tout le monde. Les hommes de bêtes, intrigués, ainsi que quelque autres, étaient restés à l'extérieur, l'oreille collée à la toile, tandis qu'un torrent de hurlements se faisait entendre, provoquant une belle panique parmi les animaux – les chimpanzés criaillaient, les fauves rugissaient, les zèbres hennissaient. Parmi tout ce vacarme, les hommes catastrophés distinguaient bien les coups sourds de crochet.

Au début, Rosie se contenta de geindre et mugir. Puis, quand elle se mit à pousser des cris déchirants, beaucoup s'en allèrent, incapables d'en supporter davantage. L'un d'eux alla chercher en courant Earl, qui entra dans la ménagerie et tira August par les aisselles. Ce dernier se débattit comme un forcené, alors même que le colosse le traînait à travers le campement et jusqu'à l'intérieur de sa voiture.

Sur place, on trouva Rosie couchée sur le flanc, tout frissonnante, le pied encore enchaîné au pieu.

– Je déteste ce type ! dit Walter à l'instant où je grimpe dans le wagon.

Assis sur le lit de camp, il caresse les oreilles de Queenie.

– Je le déteste à mort...

– Quelqu'un veut bien me dire ce qui se passe ? lance Camel de derrière la rangée de malles. Car je sens qu'il se passe quelque chose. Jacob ? Aide-moi... Walter veut pas causer.

Je ne dis rien.

– C'était pas la peine d'être aussi brutal, ajoute Walter. Les bêtes auraient pu s'échapper. On aurait pu tous y passer. T'étais où, toi ? T'as entendu quelque chose ?

Nos regards se croisent.

– Non, dis-je.

– Ben, moi j'aimerais bien savoir de quoi vous causez, dit Camel. Mais j'ai l'impression que je compte pour du beurre. Hé, ça serait-y pas l'heure de bouffer ?

– Je n'ai pas faim, dis-je.

– Moi non plus, renchérit Walter.

– Moi, si, dit Camel, renfrogné. Mais évidemment, tout le monde s'en fout, et j'imagine que vous m'avez même pas rapporté un bout de pain... ?

Walter et moi nous regardons.

– Ben moi, j'étais là, dit-il, les yeux accusateurs. Tu veux savoir ce que j'ai entendu ?

– Non, dis-je en fixant Queenie.

Elle croise mon regard et frappe la couverture de sa queue.

– T'es sûr ?

– Je suis sûr...

– Je croyais que ça intéresserait un véto...

– Ça m'intéresse ! dis-je d'une voix forte, mais je redoute aussi la réaction que ça pourrait provoquer chez moi...

Walter me contemple longuement.

– Alors, qui va chercher à bouffer pour le vieux fou ? Toi ou moi ?

– Hé ! Surveille ton langage ! s'écrie le vieux.

– Moi, j'y vais...

Je me retourne et quitte le wagon en direction de la cantine. À mi-chemin, je réalise que je grince des dents.

À mon retour, Walter n'est plus là. Quelques minutes plus tard, il revient, avec une grande bouteille de whisky dans chaque main.

— Béni sois-tu ! glousse Camel, qui est maintenant assis dans son coin.

Il désigne Walter d'une main flasque.

— Où t'as donc trouvé ça ?

— Un copain du snack-bar avait une dette envers moi. Je me suis dit que c'était le moment ou jamais de picoler pour oublier...

— Alors cesse de causer et passe la bouteille...

Walter et moi nous tournons d'un même mouvement pour le fusiller du regard.

Les rides sur le visage de Camel se creusent davantage.

— Quel tandem de rabat-joie ! Qu'est-ce qu'il y a ? Quelqu'un a craché dans votre soupe ?

— Tiens... Fais pas attention, dit Walter en me flanquant une bouteille contre la poitrine.

— Comment ça : « Fais pas attention » ? grogne le vieux De mon temps, les jeunes apprenaient à respecter les anciens.

Au lieu de répondre, Walter va s'accroupir auprès de lui avec l'autre bouteille. Camel faisant mine de s'en emparer, Walter lui donne une taloche.

— Oh, pas question, l'ancien ! Renverse ce truc-là et ça fera trois rabat-joie... !

Il porte la bouteille aux lèvres de Camel et la tient ainsi pendant que l'autre avale une demi-douzaine de fois. On dirait un bébé au biberon. Se mettant sur ses talons, Walter s'adosse au mur. Puis, il prend lui-même une longue rasade.

— Qu'est-ce qu'il y a... t'aimes pas le whisky ? dit-il en

277

s'essuyant la bouche, et il désigne la bouteille encore intacte dans ma main.

— Si, si... Écoute, je n'ai pas d'argent, donc je ne sais pas si je pourrai jamais te rembourser, mais je peux disposer de ça... ?

— Je viens de te la donner...

— Non, je veux dire... je peux la donner à quelqu'un d'autre ?

Walter me considère pendant un moment, l'œil allumé.

— C'est une femme, hein ?

— Pas du tout.

— Tu mens !

— Non !

— Je parie cinq dollars que c'est pour une femme, dit-il en prenant une autre gorgée.

Sa pomme d'Adam monte et descend tandis que le niveau du whisky baisse de presque trois centimètres. C'est étonnant la vitesse à laquelle lui et Camel sont capables d'écluser.

— C'est une... *femelle*, dis-je.

— Ah ! ricane Walter. J'espère pour toi qu'elle saura jamais que tu parles d'elle comme ça ! Enfin, j'ai beau pas savoir qui c'est, je préfère que tu la voies, *elle*, plutôt qu'une *certaine autre personne*...

— J'ai besoin de me racheter. Je l'ai laissée tomber aujourd'hui...

Walter relève les yeux, il a soudain compris.

— Hé, j'ai soif, moi ! proteste Camel, irrité. Lui, il aime peut-être pas ça, mais moi, oui... ! Enfin, je critique pas un garçon qui court la gueuse. C'est de son âge. Faut en profiter tant qu'on peut ! Même si ça coûte une bonne bouteille !

Walter sourit. De nouveau, il porte la bouteille aux lèvres de Camel qui prend de longues gorgées. Puis il la rebouche, se penche vers moi, toujours accroupi, et me la tend.

— Apporte-lui celle-là aussi. Tu lui diras combien je suis désolé pour elle.

– Hé ! s'écrie Camel. Y a pas une femme au monde qui vaille deux bouteilles de whisky !

Je me relève et glisse chacune dans une poche de ma veste.

– Ah ! C'est pas juste, se lamente Camel. C'est pas juste !

Ses plaintes et jérémiades m'accompagnent tout le long du chemin.

C'est le crépuscule et plusieurs petites fêtes battent déjà leur plein du côté des artistes, y compris – je le remarque malgré moi – chez Marlène et August. Je n'y serais pas allé, mais il est significatif que je n'aie pas été invité. August doit être encore fâché contre moi : ou plutôt, car je le déteste plus que je n'ai jamais détesté personne, c'est moi qui suis fâché contre lui.

Rosie est tout au fond de la ménagerie et, dans la demi-pénombre, j'aperçois une silhouette auprès d'elle. C'est Greg, l'homme du potager.

– Hé, salut ! dis-je en m'approchant.

Il tourne la tête. Il est en train d'appliquer de la pommade au zinc sur la peau blessée. Rien que sur ce flanc-ci, il y a une dizaine de plaies badigeonnées de blanc.

– Merde ! dis-je en la considérant.

Des gouttes de sang et d'histamine perlent à travers la pommade.

Les yeux ambrés de l'éléphante cherchent les miens. Ses très long cils battent et elle soupire, une grande exhalation qui fait trembler sa trompe.

Je suis bourrelé de remords.

– Qu'est-ce que tu veux ? bougonne Greg, sans s'interrompre dans sa tâche.

– Je voulais voir comment elle va...

– Ben, tu vois ! Et maintenant, si tu veux bien m'excuser...

Il me tourne le dos.

– *Nogę* lui dit-il. Non, *daj nogę !*

Au bout d'un moment, l'éléphante soulève son pied et le garde en l'air devant elle. Greg s'agenouille pour appliquer un peu de pommade au niveau de l'aisselle, juste avant ses étranges mamelles grises qui pendent comme celles d'une femme.

– *Jesteś dobrą dziewczynką,* dit-il en se relevant.

Il rebouche le tube.

– *Potóż nogę.*

Rosie repose son pied par terre.

– *Masz, moja piękna,* dit-il en fouillant dans sa poche.

La trompe se balance d'un côté et de l'autre, investigatrice. Il sort une pastille de menthe, la nettoie un peu et la lui tend. Elle la cueille promptement et l'enfourne dans sa gueule.

Je suis estomaqué – littéralement bouche bée. En l'espace de deux secondes, mon esprit a procédé à certains recoupements. Son refus de se produire sur la piste, son passé avec son ancien maître, l'affaire de la citronnade, du potager saccagé...

– Merde...

– Quoi ? dit Greg, qui lui caresse la trompe.

– Elle te comprend !

– Et alors ?

– *Et alors ?* Tu ne vois pas ce que ça signifie ?

– Une petite minute, toi ! dit Greg en me voyant m'approcher d'elle.

Il s'est interposé, l'air pas commode.

– Hé, du calme ! Je n'ai aucune intention de lui faire le moindre mal...

Il continue à me dévisager. Sans être tout à fait sûr qu'il ne va pas m'assommer par-derrière, je me tourne vers Rosie. Elle cligne des yeux.

– Rosie, *nogę !*

De nouveau ses yeux clignent, et sa bouche se fend d'un sourire.

— *Nogę*, Rosie.

Elle écarte les oreilles et soupire.

— *Proszę ?*

Elle soupire de nouveau. Puis elle bouge et soulève son pied.

— Jésus-Marie-Joseph...

Je m'entends parler comme de l'extérieur de moi-même. Mon cœur bat très fort, j'ai un vertige.

— Rosie, dis-je en lui touchant l'épaule. Une dernière chose...

Je la regarde droit dans les yeux, d'un air suppliant. Elle doit savoir combien c'est important. De grâce, Seigneur, de grâce, Seigneur, de grâce, Seigneur...

— *Do tyzu*, Rosie ! *Do tyzu !*

Nouveau soupir profond, nouveau changement subtil de position, puis elle fait quelques pas en arrière.

Je pousse un cri de joie et me tourne vers Greg, qui est stupéfait. Je fais un bond en avant, le saisis par les épaules et l'embrasse à pleine bouche.

— Ça va pas la tête ?

Je cours vers la sortie. Au bout d'une quinzaine de mètres, je m'arrête et me retourne. Greg est encore en train de cracher, de s'essuyer la bouche d'un air dégoûté.

Je sors les bouteilles de mes poches. Son visage prend une expression intéressée, alors que le dos de sa main est toujours au niveau de sa bouche.

— Tiens, attrape ! dis-je en lui lançant la première.

Il l'attrape au vol, considère l'étiquette, puis jette un coup d'œil plein d'espoir en direction de l'autre, que je lui lance aussi.

— Tu donneras ça à notre nouvelle vedette, tu veux bien ?

Il penche la tête pensivement et se tourne vers Rosie, qui sourit déjà et cherche à atteindre les bouteilles.

Pendant les dix jours qui suivent, j'enseigne le polonais à August. Dans chaque ville, il fait installer une piste d'entraînement, et jour après jour, nous passons tous les quatre – August, Marlène, Rosie et moi – les heures précédant la représentation de l'après-midi à répéter le numéro de Rosie. Bien qu'elle prenne déjà part à la parade dans la ville et à la présentation des artistes au début de chaque séance, elle ne fait pas encore partie du spectacle. Oncle Al a beau trouver cette attente insupportable, August ne veut pas lui dévoiler le numéro avant qu'il soit parfaitement au point.

Je passe mes journées sur une chaise, à l'extérieur du manège, avec un couteau dans la main et un seau entre les jambes, à débiter des fruits et des légumes pour les singes et à crier des phrases en polonais. L'accent d'August est affreux, mais Rosie – peut-être parce qu'il se contente de répéter ce que je viens de crier – obéit sans faillir. Il ne l'a pas battue depuis que nous avons découvert ce problème de langue. Il marche à côté d'elle en secouant le crochet sous son ventre et entre ses jambes, mais jamais – pas une seule fois – il ne l'a touchée.

C'est difficile de concilier cet August-ci avec l'autre et, pour être honnête, je ne fais guère d'efforts en ce sens. J'avais déjà entraperçu des fragments de cet August auparavant – cet entrain, cette convivialité, cette générosité – mais je sais de quoi il est capable et ne l'oublie pas. Que les autres pensent ce qu'ils veulent, pour ma part je ne crois pas que ceci soit le véritable August et l'autre une aberration. Pourtant, je vois bien comment on peut être abusé...

Il est charmant. Il est délicieux. Il brille comme le soleil.

Il est aux petits soins pour notre pachyderme et son petit cornac depuis l'instant où nous nous retrouvons le matin jusqu'à celui où ils disparaissent pour la parade. Il est attentif et tendre avec Marlène, gentil et paternel avec Rosie.

En dépit de ma réserve, il paraît avoir oublié qu'il y ait jamais eu le moindre différend entre nous. Il me sourit franchement, me tape dans le dos. Il remarque un beau jour que ma tenue laisse à désirer, et l'« Homme du Lundi » paraît dans l'après-midi. Il déclare que le véto ne devrait pas avoir à faire sa toilette avec des seaux d'eau froide et m'invite à venir prendre une douche dans sa cabine. Et, quand il découvre que Rosie aime le gin et le ginger ale plus que tout au monde – hormis, peut-être, les pastèques –, il veille à ce qu'elle en ait tous les jours. Il la bichonne. Il chuchote à son oreille et elle, jouissant de toute cette attention, barrit joyeusement à sa vue.

N'a-t-elle aucune mémoire ?

Je le scrute, cherchant la faille, mais le nouvel August tient bon. Bientôt, son optimisme gagne tout le crique. Même Oncle Al est conquis – il s'arrête chaque jour pour observer nos progrès et commande bientôt de nouvelles affiches où l'on voit Marlène à califourchon sur la tête de Rosie. Il cesse de frapper ses employés et les gars cessent de rentrer la tête dans les épaules. Il devient même positivement jovial. Des rumeurs circulent, selon lesquelles il y aura peut-être réellement de l'argent le prochain jour de paie, et même les travailleurs manuels esquissent un sourire.

C'est seulement le jour où je surprends Rosie à *ronronner* sous les attentions d'August que ma conviction commence à s'effriter. Et ce que je découvre à la place est quelque chose d'affreux.

Peut-être est-ce moi. Peut-être était-ce moi qui voulais le détester parce que je suis amoureux de sa femme et, dans ce cas, quelle espèce d'homme suis-je ?

À Pittsburgh, je vais enfin me confesser. Dans le confessionnal, je craque et sanglote comme un gosse, parle de mes parents, de ma nuit de débauche, de mes pensées adultères. Un peu interloqué, le prêtre marmonne quelques paroles de réconfort, m'ordonne d'aller réciter un certain nombre de Pater en égrenant mon rosaire – et d'oublier Marlène. La honte m'empêche d'avouer que je n'ai pas de rosaire, et quand je retourne au wagon, je demande à Walter et Camel s'ils en ont un. Walter me regarde de travers et Camel m'offre un collier vert avec une dent d'élan.

Je connais l'opinion de Walter. Sa haine pour August est profonde et tenace, et même s'il ne dit rien, je sais exactement ce qu'il pense de ma propre versatilité. Nous continuons à nous occuper ensemble de Camel, mais n'échangeons plus d'anecdotes durant les longues nuits passées sur les rails. Dorénavant, Walter lit Shakespeare, tandis que Camel se soûle et devient de plus en plus grognon et insupportable.

À Meadville, August décide que le grand moment est arrivé.

Apprenant la bonne nouvelle, Oncle Al reste pantois. Il plaque la main sur sa poitrine et regarde vers le ciel, les yeux pleins de larmes. Puis, tandis que ses courtisans s'éclipsent, il donne à August une bonne claque dans le dos. Ensuite, il lui serre virilement la main, après quoi, trop bouleversé pour parler, il remet ça.

Je suis en train d'examiner un sabot fendu chez le maréchal-ferrant, quand August envoie quelqu'un me chercher.

— August ? dis-je, plaçant mon visage près de l'ouverture de la loge de Marlène.

Le pan de toile se gonfle légèrement, claque au vent.

— Tu voulais me voir ?

– Jacob ! lance une voix de stentor. Je suis ravi que tu aies pu venir. Entre, mon cher, entre... !

Marlène est en costume. Elle est assise devant sa coiffeuse, un pied posé sur le bord, et lace les longs rubans roses d'un chausson autour de sa cheville. August est assis à son côté, en queue-de-pie et chapeau haut de forme. Il fait tournoyer une canne ferrée. La poignée en est recourbée, comme un crochet à éléphant.

– Assieds-toi, je t'en prie ! dit-il en se levant et tapotant la place.

J'hésite une fraction de seconde puis traverse l'espace de la tente. Une fois que je suis assis, August se campe devant nous. Je jette un coup d'œil à Marlène.

– Marlène, Jacob... mes chers, chers amis, dit-il en ôtant son haut-de-forme avant de nous couver d'un regard embué. Cette semaine a été extraordinaire à tout point de vue. Il ne serait pas exagéré de parler d'un « voyage spirituel ». Voilà seulement deux semaines, ce cirque était au bord de la faillite. Les moyens d'existence – ou plutôt, au vu de la conjoncture actuelle, il me semble qu'on peut dire l'existence même... – oui l'existence même de chacun était menacée. Et savez-vous pourquoi ?

Ses yeux brillants vont de moi à Marlène, et de Marlène à moi.

– Pourquoi ? dit docilement Marlène, qui lève son autre jambe et enroule le large ruban de satin autour de sa cheville.

– Parce que nous nous étions mis dans une situation dramatique en achetant un animal qui était censé sauver notre spectacle. Et que nous avions aussi dû acheter un wagon spécial pour le transporter. Et que nous avions découvert que cet animal ne savait rien faire, à part manger. Et que, pour le nourrir, il fallait priver nos employés et même en laisser partir quelques-uns...

Je sursaute en entendant cette allusion biaisée aux « délestages », mais le regard d'August fixe la toile derrière moi. Son silence se prolonge désagréablement, presque comme s'il nous avait oubliés.

— Mais nous avons été sauvés, reprend-il en me regardant avec affection. Et la raison de cela, c'est que nous avons été doublement bénis. La Providence nous souriait en ce jour de juin où Elle nous a amené Jacob. Nous avons hérité d'un vétérinaire qui est non seulement diplômé d'une prestigieuse école – comme il sied à un cirque comme le nôtre – mais si dévoué par ailleurs à ses ouailles qu'il a fait une découverte extraordinaire. Une découverte qui devait sauver le spectacle.

— Non, en fait, je...

— Pas un mot, Jacob ! Je ne te laisserai pas sous-estimer ton mérite. J'ai eu un pressentiment le jour où je t'ai vu. N'est-ce pas, chérie ?

Il se tourne vers Marlène et agite le doigt.

Elle opine. Son second chausson attaché, elle retire son pied du bord de sa coiffeuse et croise les jambes. Aussitôt, son pied se met à battre la breloque.

— Mais Jacob n'a pas œuvré seul, dit-il en la couvant du regard. Toi, ma belle et talentueuse épouse, tu as été géniale. Et Rosie – elle moins que tout autre – ne doit pas être oubliée dans cette équation. Si patiente, si bien disposée, si...

Il s'interrompt et inspire si profondément que ses narines se dilatent. Lorsqu'il se reprend, c'est d'une voix brisée :

— Car c'est un splendide, un magnifique animal au cœur plein d'indulgence et de charité. Ainsi, grâce à vous trois, notre cirque est sur le point d'accéder à un nouveau degré d'excellence. Nous allons égaler les plus grands, ce qui n'aurait pas été possible sans vous.

Il nous sourit de toutes ses dents, les joues si rouges que j'ai peur qu'il fonde en larmes.

— Oh, j'allais oublier, dit-il en frappant dans ses mains.

Il se précipite vers une malle, fouille à l'intérieur et en

sort deux écrins. L'un est comme un cube, l'autre plat et rectangulaire. Tous deux sont enveloppés d'un papier-cadeau.

– Pour toi, ma chérie, dit-il en tendant ce dernier à Marlène.

– Oh, Auggie ! Il ne fallait pas !

– Ne te réjouis pas trop vite. C'est peut-être une parure de stylos !

Marlène déchire le papier, révélant un écrin de velours bleu. Elle lance un coup d'œil timide à August, fait jouer le fermoir. Une rivière de diamants brille sur fond de satin rouge.

– Oh, Auggie...

Son regard se reporte sur August, inquiet.

– Auggie, c'est magnifique, mais nous n'avons sûrement pas les moyens...

– Chut ! dit-il en se penchant pour lui prendre la main.

Il dépose un baiser dans sa paume.

– Ce soir, c'est une ère nouvelle qui s'ouvre. Rien n'est trop beau pour toi...

Elle soulève le collier, le laisse pendiller entre ses doigts. Visiblement, elle est sidérée.

August me tend l'autre boîte.

J'ôte le ruban, déplie avec soin le papier. L'écrin est également en velours bleu. Ma gorge se noue.

– Allons, dit August, impatient, ouvre ! Ne fais pas le timide.

Le couvercle s'ouvre. C'est une montre de gousset en or.

– August...

– Ça ne te plaît pas ?

– C'est superbe, mais je ne peux pas accepter.

– Bien sûr que si ! Et tu vas le faire ! dit-il en prenant la main de Marlène qui se lève.

Il lui reprend la rivière de diamants.

– Non, je ne peux pas. C'est vraiment très gentil, mais c'est trop...

– Non, ce n'est pas trop, et tu dois accepter, dit-il avec fermeté. Je suis ton patron, et ceci est un ordre. D'ailleurs, pourquoi ne pourrais-tu l'accepter ? Si j'ai bonne mémoire, tu as donné la tienne pour un ami, il n'y a pas si longtemps.

Je ferme les yeux. Quand je les rouvre, Marlène tourne le dos à August et tient ses cheveux en l'air tandis qu'il attache le collier à son cou.

– Là..., dit-il.

Elle pivote sur elle-même et se penche au-dessus du miroir de sa coiffeuse. Ses doigts effleurent avec respect les diamants.

– Donc, tu aimes... ? dit-il.

– Je ne sais que dire. C'est magnifique... Oh ! s'écrie-t-elle. J'allais oublier ! Moi aussi, j'avais une surprise...

Elle ouvre le troisième tiroir de sa coiffeuse et en fouille l'intérieur, écarte des coupons de tulle, sort une grande étoffe d'un rose chatoyant. La tenant par un bord, elle l'agite de façon à la faire miroiter.

– Alors, qu'est-ce que tu en dis ? fait-elle avec un sourire radieux.

– C'est... c'est... c'est... quoi ? dit August.

– Un diadème pour Rosie, dit-elle en en coinçant une pointe sous son menton, avant d'étaler le reste sur sa poitrine. Vois-tu, ceci se fixe à l'arrière, cela sur les côtés, et cette partie descend sur le front. Je l'ai fait moi-même. Ça représente deux semaines de travail. Il est assorti au mien...

Elle relève la tête. Il y a une petite tache rouge sur chacune de ses joues.

August la dévisage. Sa mâchoire remue, puis il lui ouvre ses bras et la serre contre sa poitrine.

Je dois détourner la tête.

Grâce au génie publicitaire d'Oncle Al, le grand chapiteau est plein à craquer. On a vendu trop de billets et il a beau adjurer la foule de se serrer pour la quatrième fois, cela ne suffira pas.

Les tchécos sont chargés d'aller répandre de la paille autour de la piste. Pour empêcher que le public ne s'ennuie pendant ce temps, l'orchestre joue et les clowns, parmi lesquels Walter, parcourent les gradins, distribuant des bonbons et caressant les mentons des bambins.

Artistes et animaux se sont rangés en file indienne à l'arrière du chapiteau, prêts à défiler. Voilà vingt minutes qu'ils attendent et la nervosité les gagne.

Oncle Al apparaît en coup de vent.

— Bon, les enfants, écoutez-moi bien ! Ce soir, on fait une « bourrée », alors restez bien dans vos marques et qu'il y ait bien un mètre cinquante entre les bêtes et le public... Si jamais un gosse se faisait marcher sur les pieds, je massacrerais personnellement le fautif, pigé ?

Acquiescement, murmures ; ultimes vérifications.

Oncle Al passe la tête à l'intérieur du chapiteau et fait signe au chef d'orchestre.

— Allez ! On y va ! Et mettez-leur-en plein la vue...

Aucun gosse n'est piétiné. En fait, tout le monde est fantastique, surtout Rosie. Durant la parade, elle promène Marlène sur sa tête parée de sa coiffe rose, sa trompe enroulée en guise de salut. Il y a un clown devant elle, un grand maigre qui exécute alternativement roues et sauts périlleux. À un moment donné, Rosie l'attrape par son fond de culotte et le fait décoller. Il se retourne, indigné, mais elle-même sourit. La foule siffle, applaudit, mais par la suite le clown garde ses distances.

Juste avant le numéro de Rosie, je me faufile sous le grand chapiteau et me fais tout petit. Tandis que les acrobates recueillent leurs applaudissements, des tchécos se ruent sur la piste, roulant deux ballons devant eux : un petit et un grand, tous deux décorés d'étoiles rouges et de rayures bleues. Oncle Al lève ses bras et jette un coup d'œil en arrière. Son regard m'ignore et va croiser directement celui d'August. Il hoche très discrètement la tête et fait signe au chef d'orchestre, qui enchaîne sur la *Valse* de Gounod.

Rosie pénètre sous le grand chapiteau, marchant aux côtés d'August à un pas de promenade. Elle porte Marlène sur sa tête, trompe enroulée, tout sourires. Arrivée sur la piste, elle soulève Marlène et la repose à terre.

Marlène gambade gracieusement autour de la bordure – un tourbillon rose et étincelant. Souriante, elle virevolte, jette les bras en l'air et lance des baisers à la foule. Rosie la suit d'un pas rapide, sa trompe toujours enroulée en l'air, tandis qu'August se déplace à son côté, brandissant la canne à bout ferré plutôt que le crochet. De loin, je vois ses lèvres prononcer les phrases en polonais apprises par cœur.

Une fois de plus, Marlène sautille autour de la piste puis s'arrête près du petit ballon. August amène Rosie au milieu de la piste. Marlène la regarde, puis se tourne face au public. Elle gonfle les joues et passe la main sur son front pour montrer combien elle est exténuée. Elle s'assoit ensuite sur le ballon, croise les jambes et pose les coudes sur ses cuisses, le menton dans la main. Elle tape du pied, roule les yeux au ciel. Rosie l'observe, souriante, trompe en l'air. Quelques instants plus tard, elle se retourne lentement et abaisse son énorme derrière sur le gros ballon. Des rires fusent.

Marlène, qui fait mine de ne pas en croire ses yeux, se lève, l'air scandalisé. Elle tourne le dos à Rosie. L'éléphante aussi se lève et pivote en traînant les pieds pour lui présenter sa queue. Franche hilarité dans le public.

Marlène regarde en arrière et fronce les sourcils. D'un air théâtral, elle met un pied sur le ballon, puis croise les bras et opine une fois, profondément, comme pour dire : *tiens, prends ça !*

Rosie enroule sa trompe, soulève son pied droit, et le pose délicatement sur son propre ballon. Marlène la foudroie du regard, furieuse. Elle écarte les bras et s'élève, dépliant lentement sa jambe, l'autre jambe tendue sur le côté, orteils pointés comme ceux d'une ballerine. Une fois sa première jambe bien droite, elle rabaisse l'autre, de façon à se retrouver campée sur le ballon. Elle sourit franchement, sûre d'avoir été plus maligne que sa rivale. L'assistance applaudit et siffle, tout aussi sûre de sa victoire. Marlène pivote à petits pas afin de tourner le dos à Rosie et lève les bras en l'air, triomphante.

Rosie attend, puis met l'autre pied sur le ballon. La foule se déchaîne. Marlène tourne deux fois de suite la tête par-dessus son épaule. Elle pivote de nouveau sur elle-même pour faire face à Rosie et met les mains sur ses hanches. Elle fronce très fort les sourcils, secoue la tête pour exprimer sa frustration, se met à secouer un doigt à l'intention de Rosie, mais au bout d'un moment elle se fige. Son visage s'illumine. Une idée ! Elle lève le doigt en l'air, se tourne afin que le public comprenne qu'elle est sur le point de river son clou à l'éléphante une bonne fois pour toutes.

Elle se concentre, fixant ses chaussons en satin. Puis, sur un roulement de tambour, commence à faire de tout petits pas qui font rouler le ballon. Elle avance de plus en plus vite, – si vite qu'on ne voit plus distinctement ses pieds – faisant le tour de la piste sous les applaudissements et vivats du public. Puis, c'est l'explosion de joie...

Marlène s'arrête, regarde. Elle était si concentrée qu'elle n'a pas remarqué la grotesque scène derrière elle. Le pachyderme est perché sur son gros ballon, ses quatre pattes jointes, le dos rond. Le roulement de tambour reprend. Au début, rien. Puis, lentement, lentement, le ballon commence à rouler sous les pieds de Rosie.

Le chef d'orchestre fait signe aux musiciens d'enchaîner sur un air enlevé, et Rosie parcourt trois mètres environ. Ravie, Marlène sourit, lui tend les mains et invite la foule à l'aduler. Puis elle bondit à terre et sautille jusqu'à Rosie, qui descend bien plus prudemment de son propre perchoir. Elle abaisse sa trompe et Marlène s'y assoit, passe un bras autour, et tend gracieusement ses orteils. Rosie la soulève dans les airs, puis la dépose sur sa tête et quitte le grand chapiteau sous les exclamations de la foule en délire.

Ensuite, c'est la pluie de petite monnaie – la douce, douce pluie d'argent. Oncle Al est aux anges. Debout au milieu de la piste, les bras en l'air, le visage offert, il jouit de cette pluie qui s'abat sur lui. Et il reste ainsi, même quand des piécettes ricochent sur ses joues, son nez, son front. On dirait qu'il pleure.

18

JE LES RATTRAPE AU MOMENT où Marlène se laisse glisser à terre.

— Vous avez été fantastiques ! Fantastiques ! dit August qui l'embrasse sur la joue. Tu as vu, Jacob ? Tu as vu comme elles ont été fantastiques ?

— Ça, j'ai vu...

— Fais-moi plaisir et emmène Rosie, veux-tu ? Je dois y retourner...

Il me tend sa canne à bout ferré. Il regarde Marlène, pousse un profond soupir, met la main sur son cœur.

— Fantastiques ! Tout bonnement fantastiques. N'oublie pas..., dit-il en s'en retournant. Tu passes avec les chevaux juste après Lottie.

— Je vais les chercher tout de suite.

August repart vers le grand chapiteau.

— C'était merveilleux ! dis-je.

— Oui, elle s'est bien comportée, n'est-ce pas ?

Marlène se penche et plante un gros baiser sur l'épaule de Rosie, y laissant l'empreinte parfaite de ses lèvres, qu'elle efface avec son pouce.

— Je parlais de toi, en particulier...

Elle sourit, le pouce toujours sur l'épaule de Rosie.

Je regrette aussitôt mes paroles. Certes, elle a été merveilleuse, mais ce n'était pas le sens de ma remarque, elle le sait et, à cause de moi, la voilà gênée. Je décide de battre promptement en retraite.

– *Chodź*, Rosie, dis-je en lui faisant signe d'avancer. *Chodź, mój malutki pączuszek.*

– Jacob, attends !

Marlène pose ses doigts au creux de mon coude.

Au loin, juste à l'entrée du grand chapiteau, August s'arrête et se raidit. C'est comme s'il avait senti ce contact physique. Il pivote lentement sur lui-même, l'air furieux. Nos regards se croisent.

– Tu veux me faire plaisir ? me demande Marlène.

– Bien sûr...

Je jette un coup d'œil inquiet à August. Marlène n'a pas remarqué qu'il nous surveillait. Je place la main sur ma hanche, et ses doigts me quittent.

– Peux-tu emmener Rosie jusqu'à ma tente ? J'ai préparé quelque chose.

– Euh... bon, entendu. Quand... ?

– Maintenant. J'arrive dans un moment. Oh, et fais-toi beau ! Je veux que ce soit une vraie petite fête.

– Moi ?

– Oui, toi, bien sûr ! J'ai mon numéro à faire, mais ce ne sera pas long. Et si jamais tu vois August avant moi, pas un mot, OK ?

J'acquiesce. Lorsque je regarde vers le grand chapiteau, August a disparu à l'intérieur.

Rosie se plie volontiers à ce changement de programme. Elle m'accompagne docilement jusqu'à la loge de Marlène et patiente pendant que Grady et Bill détachent le bas de la toile.

– Au fait, comment va Camel ? demande Grady, qui s'est accroupi au-dessus d'un filin.

Rosie tend sa trompe, curieuse.

— Toujours pareil. Il croit que son état s'améliore, mais à mon avis, c'est parce qu'il n'a rien à faire, en ce moment, et puis, c'est vrai qu'il est toujours ivre...

— Fidèle à lui-même..., dit Bill. D'où le sort-il, son whisky ? Parce que c'est bien du whisky, hein ? Il boit plus de cette saleté... ?

— Non, c'est bien du whisky. C'est mon compagnon de chambre qui lui en procure.

— Quoi, le nain ? dit Grady.

— Oui.

— Je croyais qu'il détestait les manuels...

Rosie attrape son chapeau. Il se retourne et fait le geste de le reprendre, mais elle le tient en hauteur.

— Hé, ça t'ennuierait de la faire obéir ?

Je la regarde, mais elle me fait un clin d'œil.

— *Potóz !* dis-je, sévère, malgré mon envie de rire.

Elle rabat en avant ses grandes oreilles et lâche le chapeau. Je me penche pour le ramasser.

— Walter – le nain – n'a pas toujours les manières, dis-je en le rendant à Grady, mais il est vraiment sympa avec Camel. Il lui a donné son lit. Il a même retrouvé son fils. Grâce à lui, ce gars viendra nous attendre en gare de Providence pour se charger de son père.

— Pas possible ! dit Grady, qui me regarde avec surprise. Camel est au courant ?

— Euh... oui.

— Et il prend ça comment ?

Je fais la grimace.

— Pas trop bien, hein ?

— On n'avait pas le choix.

— Non...

Grady marque une pause.

— Ce n'est pas vraiment sa faute, ce qui est arrivé. Sa famille a dû finir par comprendre... La guerre a rendu beaucoup d'hommes mabouls. Tu savais qu'il était dans l'artil-lerie ?

— Non, il n'en a jamais parlé.

— Dis, tu crois qu'il pourrait se tenir debout dans une file indienne ?

— Ça m'étonnerait. Pourquoi ?

— Il paraît qu'on va enfin toucher du fric... même nous, les manuels... J'y croyais pas trop jusqu'à présent, mais après ce qui vient de se passer sous le grand chapiteau, je commence à me dire que c'est possible.

Le bas de la toile est à présent détaché. Bill et Grady le relèvent, dévoilant l'intérieur transformé de la loge de Mar-lène. Il y a une table à une extrémité, recouverte d'une belle nappe en lin, ainsi que trois couverts. L'autre extrémité est complètement dégagée.

— Où veux-tu le pieu... là-bas ? dit Grady en désignant cet espace découvert.

— Je crois...

— Je reviens dans une seconde, dit-il, et il disparaît.

Quelques minutes plus tard, il est de retour, avec des mas-ses de huit kilos dans chaque main. Il en lance une à Bill, qui, le plus naturellement du monde, l'attrape avant de suivre son copain sous la tente. Le pieu est planté en terre à l'issue d'une série de coups parfaitement synchronisés.

Je mène Rosie à l'intérieur et m'accroupis pour fixer sa chaîne. Elle laisse cette patte-là plantée fermement à terre, mais pousse très fort sur les autres. Quand je me relève, je constate que c'est un grand tas de pastèques qui l'attire.

— Tu veux qu'on remette ça comme c'était ? dit Grady, qui me désigne le pan de toile flottant.

— Oui, si ça ne vous embête pas. Je crois que Marlène veut lui faire la surprise.

Grady hausse les épaules.

— M'est égal...

– Dis, Grady... tu veux bien la surveiller un moment ? Le temps que je me change...

– Je sais pas..., dit-il en la regardant d'un air méfiant. Elle va pas déterrer son pieu, au moins ?

– Ça m'étonnerait. Mais là..., dis-je en marchant jusqu'au tas de pastèques.

Rosie enroule sa trompe et ouvre sa gueule dans un large sourire. Je lui rapporte une pastèque que je flanque par terre, devant elle. Elle éclate, et la trompe plonge aussitôt dans la chair rouge. Rosie en enfourne de gros morceaux – peau comprise.

– Comme ça, on sera tranquilles, dis-je.

Je passe sous la toile en baissant la tête pour aller me changer.

À mon retour, Marlène est là. Elle a passé la robe en soie brodée de perles qu'August lui avait offerte le soir où nous avons dîné ensemble dans leur cabine. À son cou, la rivière de diamants brille de tous ses feux.

Rosie est en train de mastiquer joyeusement une autre pastèque. C'est au moins la deuxième, mais il en reste une demi-douzaine dans le coin. Marlène l'a débarrassée de son diadème, qui est suspendu à la chaise, devant la coiffeuse. À présent, il y a une petite table roulante, chargée de plats sous cloches d'argent et de bouteilles. Ça sent le rôti de bœuf, et la faim contracte mes entrailles.

Tout empourprée, Marlène est en train de fouiller dans un tiroir de la coiffeuse.

– Oh, Jacob ! dit-elle en regardant par-dessus son épaule. Bien. Je commençais à m'inquiéter. Il va arriver d'un instant à l'autre. Oh, Seigneur ! Et moi qui ne le retrouve plus...

Elle se redresse soudain, laissant le tiroir ouvert. Des foulards de soie en débordent.

– Tu veux me rendre un service ?

— Bien sûr.

Elle tire une bouteille de champagne d'un seau en argent. Les glaçons tintent. De l'eau dégouline de la bouteille qu'elle me tend.

— Tu peux la déboucher au moment où il arrive ? Et tu crieras aussi : « Surprise ! »

— D'accord...

Je prends la bouteille, défais le fil de fer entortillé et attends, le pouce sur le bouchon. Rosie tend sa trompe, cherchant à s'insinuer entre mes doigts et la bouteille. Marlène continue à fouiller son tiroir.

— C'est quoi, ça ?

Je lève les yeux. August se tient devant nous.

— Oh ! s'écrie Marlène en tournoyant sur elle-même. Surprise !

Hurlant : « Surprise ! » j'écarte la trompe et débouche la bouteille.

Le bouchon ricoche sur la toile et atterrit dans l'herbe. Le champagne m'arrose les doigts, ce qui me fait rire. Marlène arrive aussitôt avec deux flûtes, et tente de récupérer ce qui déborde. Le temps de coordonner nos efforts, nous avons perdu le tiers du contenu de la bouteille, que Rosie cherche toujours à me dérober.

Je baisse les yeux. Les escarpins en soie rose de Marlène sont tachés.

— Oh, je suis désolé ! dis-je, hilare.

— Penses-tu ! On a une autre bouteille.

— J'ai dit : *c'est quoi, ça ?*

Marlène et moi nous pétrifions sur place, nos mains encore mêlées. Elle relève la tête, le regard soudain inquiet. Elle a une flûte presque vide dans chaque main.

— C'était une surprise. Pour célébrer l'événement...

August nous fixe. Son nœud papillon est défait, sa veste ouverte. Son visage est vide de toute expression.

— Une surprise, oui...

Il ôte son haut-de-forme et le retourne entre ses mains, l'examine. Ses cheveux ondulent au-dessus de son front. Soudain, il relève la tête, un sourcil en accent circonflexe.

— Du moins, c'est ce que tu croyais...

— Que veux-tu dire ? s'exclame Marlène, d'une voix blanche.

D'un coup de poignet, il envoie son chapeau voler dans un coin, puis ôte sa veste, lentement, méthodiquement. Il va vers la coiffeuse, fait mine de suspendre son vêtement au dossier de la chaise, mais, y voyant la coiffe de Rosie, il se ravise, plie sa veste et la dépose soigneusement sur l'assise. Son regard se reporte sur le tiroir vide et les foulards de soie qui en débordent.

— Je tombe mal ? dit-il en nous regardant, sur le ton de celui qui demande le sel.

— Chéri, je ne vois pas de quoi tu parles, dit doucement Marlène.

August retire un long foulard orange, presque transparent, qu'il passe entre ses doigts.

— Tu faisais encore ton petit numéro, hein ?

Il tire l'extrémité du foulard, le repasse entre ses doigts.

— Oh, quelle coquine tu fais ! Mais ce n'est pas nouveau...

Marlène ouvre de grands yeux, sans voix.

— Alors, c'était bien, vous deux ? Je vous ai laissé assez de temps ? Ou bien dois-je m'absenter encore un moment ? La présence de l'éléphante ajoute sans doute du piquant à la chose... Quand j'y pense...

— De quoi est-ce que tu parles ? dit Marlène.

— Deux flûtes..., dit-il en désignant ses mains.

— Quoi ?

Elle brandit les verres si vivement que des gouttes tombent dans l'herbe.

— C'est de ça que tu parles ? La troisième est juste...

— *Tu me prends pour un imbécile ?*

— August..., dis-je.

— *La ferme, toi ! La ferme !*

Sa face est violacée. Ses yeux sont exorbités. Il tremble de rage.

Marlène et moi restons parfaitement immobiles, figés dans un silence hébété. Puis, le visage d'August, subissant une nouvelle métamorphose, se fond dans quelque chose qui ressemble à de la suffisance. Il continue de jouer avec le foulard, lui sourit même. Enfin il le plie avec soin et le range dans le tiroir, se redresse, secoue lentement la tête.

— Vous... vous... vous...

Il lève la main, brassant l'air de ses doigts, mais sa phrase reste en suspens, son attention étant retenue par la canne à bout ferré. Elle est appuyée à la cloison de toile, près de la table, là où il l'a laissée. D'un pas nonchalant, il va la chercher.

J'entends un jet arroser le sol et je me retourne. Rosie est en train d'uriner dans l'herbe, les oreilles plaquées en arrière, la trompe enroulée sous sa bouche.

August tient la canne et en frappe sa paume de façon insistante.

— Vous croyiez pouvoir me cacher ça longtemps ?

Il s'interrompt une seconde, puis me regarde droit dans les yeux.

— Hein ?

— August, dis-je. Je ne vois pas du tout...

— La ferme !

Il fait volte-face et balance la canne par-dessus la table roulante, envoyant valser plats, argenterie, bouteille. Puis d'un coup de pied, il renverse cette table. Elle bascule sur le côté, ce qui fait voler porcelaine de Chine, verres, et nourriture.

Ayant contemplé ce désastre, August relève les yeux.

— Tu me crois aveugle ?

Ses yeux forent ceux de Marlène. La veine à sa tempe palpite.

— Oh, tu es maligne, ma chérie...

301

Il agite le doigt dans sa direction et sourit.

— Je dois le reconnaître. Très maligne.

Il retourne à la coiffeuse et dépose la canne dessus, se penche pour se scruter dans le miroir. Il repousse la mèche qui lui barre le front et la lisse de sa paume, s'interrompt, la main toujours sur le front.

— Coucou ! dit-il à nos reflets. Je vous vois !

Le visage horrifié de Marlène me regarde dans le miroir.

August se retourne et prend la coiffe rose de Rosie.

— C'est bien le problème, hein ? Je vous vois ! Vous croyez que je suis aveugle, mais non. C'était bien joué, je dois l'admettre, dit-il en retournant la chatoyante étoffe entre ses mains. L'épouse dévouée, qui se cache dans un placard, pour faire ses saletés... Était-ce dans un placard, d'ailleurs ? Ça s'est peut-être passé ici même ! Ou alors dans la tente de la putain... ? Entre putains, on s'entraide, non ?

Il me regarde.

— Alors, c'était où, Jacob ? Où, exactement, as-tu baisé ma femme ?

Je prends Marlène par le coude.

— Viens, on s'en va...

— Ah ! Tu ne nies même pas ! hurle-t-il.

Attrapant la pièce de tissu entre ses poings dont les phalanges blanchissent, il tire dessus, et crie entre ses dents serrées, jusqu'à ce que l'étoffe commence à se déchirer.

Marlène pousse un cri perçant. Elle lâche les flûtes et plaque une main sur sa bouche.

— Espèce de putain ! Traînée ! Roulure !

À chaque insulte, le tissu se déchire davantage.

— August ! s'écrie Marlène, qui fait un pas en avant. Arrête ! Arrête !

Le cri semble l'ébranler, car il s'arrête. Il la regarde, cille, contemple le bout de tissu, la regarde de nouveau, confus.

Quelques instants plus tard, Marlène s'avance de nouveau.

Auggie, dit-elle timidement.

Elle le regarde d'un air implorant.

– Ça va mieux, maintenant ?

August la dévisage, déconcerté, comme s'il venait tout simplement de se réveiller. Marlène s'approche lentement.

– Chéri... ?

Sa mâchoire remue. Son menton se plisse, la coiffe de Rosie tombe par terre.

Je crois que j'ai cessé de respirer.

Marlène s'arrête juste devant lui.

– Auggie ?

Il baisse les yeux sur elle. Ses narines frémissent. Puis il la repousse si brutalement qu'elle s'écrase sur les plats et la nourriture. Il fait un grand pas en avant, se penche et tente de lui arracher le collier. Comme le fermoir résiste, il finit par la traîner par le cou, malgré ses hurlements.

M'élançant à travers l'espace dégagé, je me jette sur lui. Rosie pousse un barrissement tandis que nous tombons à la renverse sur les plats cassés et le jus du rôti. Au début, j'ai le dessus, et je lui boxe la figure. Puis, c'est lui qui a le dessus, et qui me fait un œil au beurre noir. D'une ruade, je me dégage et le relève par le col.

– Auggie, Jacob, ça suffit ! s'écrie Marlène.

Je le pousse, mais il s'accroche à moi et nous basculons ensemble contre la coiffeuse. Je sens de vagues picotements alors que le miroir se désintègre autour de nous. August se libère et nous nous empoignons au milieu de la tente.

Nous roulons ensemble et je sens son haleine sur ma figure. À présent je suis sur lui, à le marteler de coups. Et puis, le voici sur moi, qui me cogne la tête contre le sol. Marlène nous crie d'arrêter, mais nous ne pouvons pas. Ou du moins, moi je ne peux pas – toute la colère, la douleur et la frustration des mois passés sont concentrées dans mes poings.

À présent, je suis face à la table renversée. Face à Rosie qui tire sur sa chaîne et barrit. De nouveau sur nos pieds, nous nous agrippons mutuellement, donnant et encaissant à tour de rôle des coups. Pour finir, nous rebondissons contre l'entrée de la tente pour atterrir au milieu de la foule rassemblée à l'extérieur.

Quelques secondes plus tard, je suis entraîné en arrière, maîtrisé par Grady et Bill. Pendant un moment, August semble prêt à me poursuivre, mais l'expression de son visage tuméfié change. Il se relève et, calmement, s'essuie. Je crie :

— Tu es dingue ! Dingue !

Il m'observe froidement, tire sur ses manches et retourne sous la tente.

— Lâchez-moi ! dis-je en cherchant le regard de Grady et Bill. Pour l'amour du ciel, lâchez-moi ! Il est fou. Il va la tuer... !

Je me débats tant et si bien que je parviens à les traîner sur quelques mètres. De la tente, me parviennent des bruits de vaisselle cassée, et Marlène pousse un hurlement.

Les deux hommes, grognant, se raidissent sur leurs jambes pour m'empêcher de m'échapper.

— Mais non ! dit Grady. Te bile pas...

Earl surgit de la foule et s'élance sous la tente. Les bruits de vaisselle cessent. On entend deux coups mats, un autre, plus fort, puis un silence suspect.

Je me fige, les yeux sur le vaste pan de toile.

— Là, tu vois ? dit Grady, qui tient toujours fermement mon bras. Ça va ? On peut te lâcher, maintenant ?

J'opine, le regard toujours braqué dans la même direction.

On me relâche, mais par étapes. D'abord ils desserrent leur étreinte, puis me libèrent, mais restent là, l'œil sur moi.

Une main me touche la taille. Walter se tient à mon côté.

— Viens, Jacob, dit-il. On s'en va...

— Je ne peux pas...

— Si, viens. On s'en va.

Je regarde la tente d'où ne sort plus aucun bruit. Au bout

de quelques secondes, je m'arrache à cette vision pour m'en aller.

Walter et moi grimpons dans le wagon. Queenie émerge de la rangée de malles, derrière laquelle ronfle Camel. Elle remue la queue puis s'arrête, reniflant l'air.

– Assis ! me lance Walter, désignant le lit de camp.

Queenie s'assied au milieu de la pièce. Moi, au bord du lit. Maintenant que mon taux d'adrénaline est retombé, je réalise combien je suis amoché. Mes mains sont écorchées ; à m'entendre, on dirait que je respire grâce à un masque à gaz, et je regarde à travers la fente formée par les paupières enflées de mon œil droit. Après avoir touché mon visage, j'ai les mains en sang.

Walter se penche par-dessus une malle ouverte. Quand il se retourne, il tient un cruchon d'alcool de contrebande et un mouchoir. Il vient le déboucher devant moi.

– Hé, c'est toi, Walter ? lance Camel de sa cachette.

C'est bien lui de se réveiller en entendant un bruit de bouchon.

– Tu es dans un état ! dit Walter, qui l'ignore royalement.

Il presse le mouchoir contre le goulot et renverse le cruchon, applique le linge imbibé contre ma figure.

– Bouge pas... ça va piquer !

L'euphémisme du siècle – quand l'alcool entre en contact avec ma peau, je fais un bond en arrière en glapissant.

Walter attend, mouchoir en l'air.

– T'as besoin de mordre un truc ?

Il se penche pour ramasser le bouchon.

– Tiens...

– Non, dis-je en serrant les dents. Laisse-moi une seconde.

Je croise les bras sur ma poitrine, me balance sur place.

– J'ai une meilleure idée, dit Walter. (Il me tend le cruchon.) Vas-y. Ça brûle atrocement, mais au bout de quelques gorgées, ça n'a plus d'importance. Alors, que s'est-il passé, exactement ?

Je prends le cruchon et me sers de mes deux mains pour le soulever jusqu'à mes lèvres. Je suis aussi maladroit que si j'avais enfilé des gants de boxe. Walter m'aide. L'alcool brûle mes lèvres tuméfiées, se fraie un passage dans ma gorge, explose dans mon estomac. J'ai un hoquet et repousse le récipient si vivement que des gouttes jaillissent du goulot.

— « Le velours de l'estomac... », commente Walter.

— Quand c'est que vous me tirez de là, qu'on partage ? rouspète Camel.

— La ferme ! dit Walter.

— Quoi ? C'est pas des façons de parler à un pauvre...

— J'ai dit : « La ferme » ! J'ai une urgence à gérer, ici. Allez, dit-il en me repassant le cruchon. Prends-en encore un peu...

— Quelle urgence ? dit Camel.

— Jacob s'est bagarré.

— Comment ça ? Avec des spectateurs ?

— Non, fait Walter, lugubre. C'est pire.

Je prends une autre gorgée de cet alcool qui, en dépit des assurances de Walter, me brûle toujours comme un vrai poison. Je pose le cruchon par terre et ferme les yeux.

— T'es prêt ?

— Oui, je crois...

Me prenant le menton, il fait pivoter ma tête à droite puis à gauche, pour évaluer les dégâts.

— Bon Dieu, Jacob ! Que s'est-il passé ? dit-il en écartant les cheveux à l'arrière de ma tête.

Apparemment, il a découvert une nouvelle horreur.

— Il a brutalisé Marlène.

— Tu veux dire : physiquement ?

— Oui.

— Pourquoi ?

— Il est devenu fou. Je ne vois pas d'autre explication.

— T'as du verre dans les cheveux... Bouge pas.

Ses doigts palpent mon cuir chevelu, soulèvent et séparent mes cheveux.

— Et pourquoi est-il devenu fou ? dit-il en déposant des morceaux de verre sur le livre le plus proche.

— Qu'est-ce que j'en sais, moi ?

— T'aurais pas conté fleurette à sa femme, par hasard ?

— Quoi ? Pas du tout, dis-je, tout en sachant que je rougirais si ma figure n'était pas comme du steak haché.

— J'espère pour toi que c'est vrai. Dans ton propre intérêt...

J'entends un remue-ménage à ma droite. J'essaie de regarder, mais Walter me tient fermement par le menton.

— Camel, qu'est-ce que tu fabriques ? aboie-t-il, en me soufflant son haleine brûlante à la figure.

— Je veux voir si Jacob n'a rien...

— Bon sang, reste où t'es, d'accord ? Ça m'étonnerait pas qu'on ait de la visite tantôt. C'est peut-être Jacob qu'on viendra chercher, mais si tu crois qu'on t'épargnerait...

Lorsque Walter a fini de nettoyer mes plaies et d'ôter les morceaux de verre dans mes cheveux, je rampe jusqu'au sac de couchage et m'efforce de trouver une place confortable pour ma tête, qui est toute cabossée. Mon œil droit est enflé et complètement fermé. Queenie vient aux nouvelles, reniflant timidement, puis elle recule et se couche, sans me quitter de l'œil.

Walter repose le cruchon dans la malle et reste penché par-dessus, à fourrager au fond. Quand il se redresse, il tient un grand coutelas.

Il ferme la porte intérieure, la bloque avec une cale, puis se rassoit, le dos au mur et le coutelas à son côté.

Quelques instants plus tard, on entend des martèlements de sabots sur la rampe. Pete, Otis et Diamond Joe se parlent à voix basse dans l'autre partie du wagon, mais personne ne frappe à la porte ni n'essaie de l'ouvrir. Au bout d'un moment, on les entend retirer la rampe et refermer la porte coulissante.

Lorsque le train finit par s'ébranler, Walter pousse un gros soupir. Je le regarde. Il baisse la tête et reste assis là un moment. Puis il se lève et glisse le coutelas derrière la malle.

— T'en as de la veine, mon salaud, dit-il en ôtant la cale.

Ayant rouvert la porte, il va jusqu'à la rangée de malles derrière laquelle Camel est dissimulé.

— Moi ? dis-je à travers les brumes de l'alcool.

— Ouais... jusqu'à présent.

Il dégage les malles et fait sortir Camel, le traîne jusqu'à l'autre partie du wagon pour s'occuper de sa toilette.

Je somnole, abruti tant par les coups que par l'alcool de piètre qualité. J'entends vaguement Walter aider Camel à manger. Je me rappelle m'être accoudé pour accepter une gorgée d'eau avant de m'effondrer de nouveau sur le sac de couchage. Lorsque je reprends connaissance, Camel ronfle, affalé sur le lit de camp, tandis que Walter est assis sur la couverture de paddock, dans le coin, la lampe près de lui et un livre sur les genoux.

J'entends des pas sur le toit, et, quelques instants plus tard, un coup discret à la porte. Mon corps revient brutalement à la vie.

Walter se précipite sur ses courtes jambes pour récupérer le coutelas derrière la malle. Il va se placer tout près de la porte, son arme au poing. Il me fait signe d'aller éteindre la lampe. Je plonge, mais, avec mon œil enflé, je n'ai plus la perception de la profondeur et rate mon coup.

La porte s'entrouvre en grinçant. Les doigts de Walter se serrent autour du manche du coutelas.

— Jacob ?

— Marlène !

— Merde, alors ! s'écrie Walter, qui lâche son couteau. J'aurais pu vous tuer, vous !

Il attrape le bord de la porte, essaie de voir si on l'accompagne.

— Vous êtes seule ?

— Oui. Excusez-moi, je venais parler à Jacob.

Walter ouvre un peu plus franchement la porte, puis se détend.

— Bon, alors entrez...

Lorsqu'elle apparaît, je soulève la lampe à pétrole. Son œil gauche est enflé et violacé.

— Seigneur ! C'est lui qui t'a fait ça ?

— Oh, mon Dieu... et toi ! dit-elle en tendant le bras.

Ses doigts frôlent mon visage.

— Tu devrais voir un docteur...

— Ça ira...

— Qu'est-ce qui se passe, nom d'une pipe ? dit Camel. C'est une dame ? Je vois rien. Quelqu'un m'a mis dans le mauvais sens...

— Oh, je vous demande pardon, dit Marlène, surprise de voir l'infirme sur le lit de camp. Je croyais que vous n'étiez que deux... Oh, je regrette infiniment. Je vais retourner là-bas, maintenant.

— Pas question ! dis-je.

— Je ne voulais pas dire... chez *lui*.

— Je ne veux pas que tu te promènes sur le toit d'un train en marche, et en sautant de wagon en wagon, par-dessus le marché... !

— Je suis d'accord, dit Walter. On va s'installer chez les chevaux, vous aurez votre intimité...

— Non, je ne peux pas accepter...

— Alors, laisse-moi t'installer là-bas avec le sac de couchage...

— Non, je ne suis pas venue pour...

Elle secoue la tête.

– Oh, je n'aurais pas dû venir.

Elle se cache le visage, puis se met à pleurer.

Je tends la lampe à Walter et attire Marlène contre moi. Elle s'effondre, en pleurs, la figure pressée contre ma chemise.

– Allons bon, dit Walter, voilà qui fait de moi un complice...

– Allons parler, dis-je à Marlène.

Elle renifle, s'écarte de moi, s'en va vers les chevaux et je la suis, en refermant la porte derrière nous.

Les chevaux nous accueillent par des hennissements. Marlène s'avance tranquillement et caresse le flanc de Midnight. Je m'affale contre le mur, et l'attends. Au bout d'un moment, elle me rejoint. Dans une courbe, les planches se mettent à vibrer, nous projetant l'un contre l'autre ; nos épaules se heurtent.

Je parle en premier :

– Il t'avait déjà frappée, avant ?

– Non.

– S'il recommence, je te jure que je le tue.

– S'il recommence, tu n'auras pas à le faire, dit-elle doucement.

Je la regarde. Le clair de lune filtre entre les lattes mais son profil reste dans le noir, vague.

– Je vais le quitter, dit-elle en baissant la tête.

Spontanément, je cherche sa main. Son alliance n'y est plus.

– Tu le lui as dit ?

– Sans aucune ambiguïté.

– Comment a-t-il réagi ?

– Tu as vu sa « réponse »...

Nous restons ainsi, à entendre le cliquetis des traverses. Je contemple la croupe des chevaux endormis et les fragments de ciel à travers les lattes.

– Qu'est-ce qu'on va faire ?

– Je compte aller parler à Oncle Al, une fois à Érié, pour

310

voir s'il peut me trouver une couchette dans la voiture des filles.

— Et en attendant ?

— En attendant, je coucherai à l'hôtel.

— Tu ne souhaites pas retourner dans ta famille ?

— ... Non. Je ne crois pas qu'ils voudraient de moi, de toute façon.

Nous restons adossés à la cloison, en silence, nous tenant par la main. Au bout d'environ une heure, elle s'endort, la tête sur mon épaule. Moi, je reste éveillé, conscient par toutes les fibres de mon corps de sa proximité.

19

– MONSIEUR JANKOWSKY ? C'est l'heure de vous préparer...

Mes yeux s'ouvrent en entendant cette voix toute proche.
Rosemary est là, au-dessus de moi. Sa tête se détache contre
les dalles du faux plafond.

– Euh... ? Ah, oui...

Je me hausse avec difficulté sur mes coudes. La joie m'envahit quand je réalise que, non content de savoir où et qui je
suis, je me rappelle également que je vais au cirque aujour-
d'hui. Peut-être ce qui s'est passé tout à l'heure n'était-il
qu'un léger raté dans le moteur ?

– Restez sage. Je relève la tête du lit... Vous avez besoin
d'aller aux toilettes ?

– Non, mais il me faut ma belle chemise, et mon nœud
papillon.

– Votre nœud papillon ! s'exclame-t-elle, avant de rire à
gorge déployée.

– Parfaitement, mon nœud papillon !

– Oh, par exemple... par exemple ! Vous êtes un drôle de
numéro, vous ! dit-elle en allant au placard.

À son retour, j'ai réussi à défaire trois boutons de mon
actuelle chemise. Pas mal, quand on a des doigts tout crochus. Je suis plutôt content de moi. Tout fonctionne.

Tandis que Rosemary m'aide à retirer cette chemise, je contemple ma pauvre carcasse. On voit mes côtes, et les quelques poils encore sur ma poitrine sont blancs. Ça me rappelle les lévriers, tout en tendons et cage thoracique saillante. Rosemary m'aide à enfiler ma belle chemise, et quelques minutes plus tard se penche pour tirer sur les ailes de mon nœud papillon. Elle se redresse, penche la tête sur le côté, procède à une ultime rectification.

— Pour être honnête, je dois avouer que ça vous va à la perfection, dit-elle en opinant.

Sa voix est bien timbrée, chantante, lyrique. Je pourrais l'écouter à longueur de journée.

— Vous voulez vous regarder ?

— C'est bien droit ?

— Bien sûr !

— Alors, pas la peine. Je n'aime plus guère les miroirs, à l'heure actuelle...

— Moi, je vous trouve très bien, dit-elle en me considérant, les mains sur ses hanches.

— Peuh !

Je la chasse d'une main osseuse.

Elle se remet à rire et sa voix est comme du miel dans ma gorge.

— Alors, vous préférez attendre votre famille ici, ou dans le hall ?

— C'est à quelle heure, le spectacle ?

— Ça commence à trois heures. Il est deux heures.

— Je vais attendre dans le hall. Comme ça, on ne perdra pas de temps...

Rosemary attend patiemment que j'aie casé ma vieille carcasse raidie dans le fauteuil roulant. Sur le chemin du hall, je joins les mains sur mes genoux, fébrile.

L'entrée est pleine d'autres vieux en fauteuils roulants, alignés devant les sièges en plastique moulé destinés aux visiteurs. Rosemary me gare au fond, près d'Ipphy Bailey.

Cette dernière est si bossue qu'elle doit en permanence contempler ses genoux. Ses cheveux sont blancs et tout fins et quelqu'un – pas elle-même, en tout cas – les a coiffés avec soin de façon à dissimuler les parties dégarnies. Elle se tourne soudain vers moi. Son visage s'illumine.

– Morty ! s'écrie-t-elle, tendant une main de squelette qui se referme sur mon poignet. Oh, Morty, tu es revenu !

Je cherche à me dégager, mais sa main ne me lâche pas. Elle m'attire à elle, tandis que je me recule avec dégoût.

– Infirmière ! Infirmière !

Quelques secondes plus tard, quelqu'un vient me libérer d'Ipphy, qui est persuadée que je suis son défunt époux. Plus encore, elle est convaincue que je ne l'aime plus. Penchée par-dessus son accoudoir, elle pleurniche, gesticule dans une tentative désespérée pour m'atteindre. L'infirmière au visage chevalin recule mon fauteuil, m'éloigne, et place mon déambulateur entre nous.

– Oh, Morty, Morty ! Ne sois pas comme ça ! gémit Ipphy. Tu sais que ça ne compte pas. Ce n'est rien – rien qu'une terrible bêtise. Oh, Morty ! Tu ne m'aimes donc plus... ?

Je reste assis là, à me masser le poignet, outré. Pourquoi n'y a-t-il pas un quartier réservé à ces gens-là ? La pauvre est visiblement folle. Elle aurait pu me blesser. Certes, si cet endroit existait, c'est sans doute là qu'on m'aurait mis après l'épisode de ce matin. Une idée germe dans mon esprit. C'est peut-être le nouveau médicament qui a causé ce « raté dans le moteur » – il faudra demander à Rosemary. Non, pas forcément. Cette idée m'a réconforté et je préfère m'y accrocher. Il me faut préserver mes petites poches d'espoir.

Les minutes s'égrènent, les vieillards disparaissent peu à peu, si bien que la rangée de fauteuils finit par ressembler à la dentition inégale d'une citrouille d'Halloween. Les familles débarquent l'une après l'autre, chacune réclamant un aïeul décrépit dans une cacophonie à vous percer les tympans ; des corps solides se penchent au-dessus d'organismes débiles ; on se fait la bise. On ôte des freins et, un par un, les vieillards sortent par les portes automatiques, entourés des leurs.

Lorsque la famille d'Ipphy arrive, elle manifeste de façon outrancière sa joie de la revoir. Elle-même regarde vaguement ces visages, yeux et bouche grands ouverts, à la fois déroutée et ravie.

Nous ne sommes plus que six à présent, et chacun lorgne les autres avec méfiance ; chaque fois que les portes vitrées s'écartent, nos visages se tournent en même temps et l'un d'eux s'éclaire. Finalement, il ne reste plus que moi.

Je consulte la pendule. Deux heures quarante-cinq. Bon sang ! S'ils ne se pointent pas tout de suite, je vais rater le début. Je m'agite dans mon fauteuil, me sentant bougon et vieux. Certes, je suis effectivement bougon et vieux, mais il faudra essayer de ne pas m'emporter quand ils arriveront. Je les entraînerai vers la porte, en leur faisant bien sentir qu'il n'est plus temps de plaisanter. Ils me parleront des promotions de l'un ou des vacances de l'autre après le spectacle.

La tête de Rosemary apparaît par la porte. Elle enregistre le fait que je suis seul dans le hall, va derrière le guichet des infirmières et dépose son bloc sur le comptoir. Puis elle vient s'asseoir à côté de moi.

— Ils ne sont toujours pas là, monsieur Jankowsky ?

— Non ! Et si ça continue, ça ne sera plus la peine de venir. Je suis sûr que les bonnes places sont déjà prises et que je vais rater le début.

Je me tourne vers la pendule, pitoyable.

— Qu'est-ce qui leur prend ? C'est la première fois qu'ils sont aussi en retard.

Rosemary consulte sa montre. Une montre dorée, aux maillons extensibles qui donnent l'impression de pincer sa peau. Moi, je ne serrais jamais le bracelet de ma montre, à l'époque où j'en avais une.

— Vous savez qui vient, aujourd'hui ?

315

– Non, je ne sais jamais à l'avance. D'ailleurs, ça n'a aucune importance, du moment qu'ils sont à l'heure.

– Bon, je vais tâcher de me renseigner.

Elle se relève et va au guichet des infirmières.

Je suis du regard tous les passants sur le trottoir, guettant un visage familier. Mais leurs silhouettes floues se confondent. Postée au guichet, Rosemary parle au téléphone. Elle me jette un coup d'œil, raccroche, compose un autre numéro.

À la pendule, il est quatorze heures cinquante-trois – dans sept minutes, le spectacle commence. Ma tension est si forte que tout mon corps bourdonne comme les néons du plafond.

J'ai complètement abandonné l'idée de ne pas m'emporter. Celui qui va arriver connaîtra le fond de ma pensée, je vous prie de le croire. Tous les autres vieux débris auront vu l'intégralité du spectacle, depuis le début – est-ce juste, ça ? S'il y en a un qui devrait être là-bas, c'est bien moi ! Oh, il n'a qu'à bien se tenir, celui qui va se pointer. Si c'est l'un de mes enfants, je lui fonce dans les plumes. Si c'en est d'autres, eh bien, ils devront attendre que...

– Je suis navrée, monsieur Jankowsky.

– Euh ?

Je relève la tête. Rosemary s'est rassise auprès de moi. Dans ma panique, je n'avais rien remarqué.

– Ils se sont complètement embrouillés dans leur planning.

– Alors, qui va venir ? Et dans combien de temps ?

Rosemary marque une pause. Elle pince les lèvres et me prend la main. C'est l'expression des porteurs de mauvaises nouvelles, et déjà mon taux d'adrénaline est en hausse.

– Ils ne viendront pas. C'était le tour de votre fils, Simon. Quand je l'ai appelé, la mémoire lui est revenue, mais il avait pris entre-temps d'autres engagements. Les autres numéros ne répondaient pas.

– D'autres engagements ?

– Oui.

— Vous lui avez parlé du cirque ?

— Oui, et il regrette énormément, mais il ne peut pas se libérer.

Mon visage se crispe, et me voilà qui pleurniche comme un môme.

— Je suis navrée, monsieur Jankowsky. Je sais combien ça comptait pour vous. Je vous y aurais bien emmené moi-même, mais je suis de garde...

Je porte mes mains à ma figure, pour tâcher de cacher ces larmes de vieillard. Quelques secondes plus tard, un mouchoir danse sous mes yeux.

— Vous êtes une brave fille, Rosemary, dis-je en m'essuyant le nez. Vous le savez, n'est-ce pas ? Je me demande ce que je ferais sans vous.

Elle me regarde longuement. Trop longuement.

— Monsieur Jankowsky, dit-elle enfin, vous savez que je m'en vais demain, n'est-ce pas ?

Comme mue par un ressort, ma tête se relève.

— Quoi ? Pour combien de temps ?

Oh, zut ! C'est le bouquet. Si jamais elle prend des vacances, j'aurai sans doute oublié son nom à son retour.

— On déménage à Richmond. Pour nous rapprocher de ma belle-mère. Elle n'est pas en très bonne santé.

Je suis ahuri. Ma bouche reste un moment ouverte, le temps que je trouve mes mots.

— Vous êtes mariée ?

— Depuis vingt-six ans, monsieur Jankowsky.

— Vingt-six ans ? Non, c'est une blague. Vous êtes toute jeune !

Elle rit.

— Je suis grand-mère, monsieur Jankowsky. J'ai quarante-sept ans.

Nous restons là sans rien dire. Elle fouille dans sa poche rose pâle et remplace mon mouchoir trempé par un autre. Je tamponne les profondes orbites qui abritent mes yeux.

– Il a bien de la chance, votre mari, dis-je en reniflant.

– Moi aussi, j'en ai. Nous sommes bien tombés, tous les deux.

– Votre belle-mère aussi. Vous savez qu'aucun de mes enfants n'a voulu de moi ?

– Eh bien... ce n'est pas toujours facile, vous savez...

– Je n'ai jamais prétendu le contraire.

Elle me prend la main.

– Je sais, monsieur Jankowsky. Je sais.

L'injustice de tout cela me révolte. Je ferme les yeux et imagine cette vieille gâteuse d'Ipphy Bailey en train de baver sous le grand chapiteau. Elle ne comprendra même pas ce qui se passe – alors, s'en rappeler ?

Au bout de quelques minutes, Rosemary dit :

– Puis-je faire quelque chose pour vous ?

– Non, dis-je, et c'est vrai – à part me conduire elle-même au cirque ou faire venir le cirque jusqu'ici...

Ou m'emmener avec elle à Richmond.

– Je crois que je préfère rester seul, maintenant.

– Je comprends, dit-elle doucement. Je vous ramène dans votre chambre ?

– Non, je préfère rester ici.

Elle se lève, me baise le front, et disparaît dans le couloir en faisant couiner ses semelles de caoutchouc sur le carrelage.

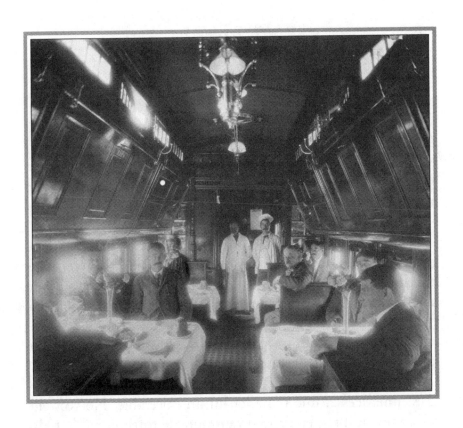

20

À MON RÉVEIL, Marlène n'est plus là. Aussitôt, je pars à sa recherche et la trouve en train de sortir de la voiture d'Oncle Al avec Earl. Ce dernier l'accompagne jusqu'à la voiture 48 dont il fait sortir August avant qu'elle ne monte à l'intérieur.

Je suis content de voir qu'August a la même tête que moi – genre tomate qui a très mal voyagé. Lorsque Marlène grimpe dans la voiture, il l'insulte et tente de la suivre, mais Earl lui barre la route. August est agité, désespéré. Il va d'une fenêtre à l'autre, s'y hissant par le bout des doigts, pleurnichant – la contrition en personne.

Cela ne se reproduira pas. Il l'aime plus que sa vie – elle doit le savoir, tout de même. Il ne sait pas ce qui lui a pris. Il ferait n'importe quoi – n'importe quoi – pour réparer. C'est une déesse, une reine, et lui un misérable. Ne voit-elle pas combien il regrette ? Elle veut donc le torturer ? N'a-t-elle pas de cœur ?

Quand elle réapparaît avec une valise, elle le croise sans lui jeter un seul regard. Une capeline dissimule son œil au beurre noir.

– Marlène ! crie-t-il, en la saisissant par le bras.

– Lâche-la, dit Earl.

– Je t'en prie. Je t'en supplie...

320

Il tombe à genoux. Sa main glisse le long du bras de Marlène, saisit sa main qu'il porte à son visage, l'arrose de larmes et la baise, mais elle-même regarde droit devant elle.

— Marlène... chérie. Regarde-moi. Je suis à genoux. Je t'implore. Ma chérie, ma douce, je t'en prie, rentre avec moi. On discutera. Ça s'arrangera.

Il fouille dans sa poche et en sort un anneau, qu'il tente de lui glisser au doigt. Elle se dégage rudement et se met à marcher.

— Marlène ! Marlène !

Il hurle à présent, et même les parties intactes de son visage deviennent violacées. Des mèches balaient son front.

— Tu n'as pas le droit ! Ce n'est pas la fin ! Tu m'entends ? Tu es ma femme, Marlène ! « Jusqu'à ce que la mort nous sépare », tu te souviens... ?

Il se remet debout et se tient là, les poings serrés.

— Jusqu'à ce que la mort nous sépare !

Marlène me tend sa valise sans s'arrêter. Je lui emboîte le pas, les yeux fixés sur sa taille fine tandis qu'elle foule à grandes enjambées l'herbe brunie. Ce n'est qu'à la limite du campement qu'elle ralentit pour me laisser marcher à son côté.

— Vous désirez... ? dit le réceptionniste de l'hôtel, qui a relevé les yeux au moment où la clochette de la porte a annoncé notre arrivée.

Son expression serviable fait place d'abord à l'inquiétude, puis au dédain. J'ai vu cela sur le visage de tous ceux que nous avons croisés jusqu'à présent. Un couple de personnes âgées, assis sur un banc près de la porte, nous lorgne sans vergogne.

C'est vrai que nous faisons la paire. Le contour de l'œil de Marlène a pris une impressionnante teinte bleue, mais au moins son visage a-t-il conservé son modelé – le mien est tout tuméfié, et les ecchymoses suintent.

– Une chambre, dit Marlène.

L'employé la dévisage avec répugnance.

– On est complet, réplique-t-il, repoussant ses lunettes d'un doigt.

Il se concentre de nouveau sur son registre.

Je pose la valise de Marlène et me campe là.

– Votre écriteau indique le contraire !

Ses lèvres se pincent.

– C'est une erreur...

Marlène m'effleure le coude.

– Viens, Jacob...

– Non, pas question... Cette dame désire une chambre, et vous avez de la place.

L'employé jette un coup d'œil à la main gauche de Marlène et sourcille.

– Nous n'acceptons pas les couples illégitimes.

– Ce n'est pas pour nous. Juste pour elle.

– Oui, c'est cela...

– Attention, mon vieux, je n'apprécie pas vos insinuations...

– Viens, Jacob, répète Marlène.

Elle est encore plus pâle, et a les yeux baissés.

– Quelles insinuations ? dit l'employé.

– Jacob, je t'en prie. Allons ailleurs...

Ayant gratifié l'autre d'un ultime regard qui lui laisse deviner ce que je ferais si elle n'était pas là, je reprends la valise. Marlène marche jusqu'à la porte.

– Oh, je vous reconnais, dit la femme sur le banc. C'est vous sur les affiches ! Oui, j'en suis sûre...

Elle se tourne vers son mari.

– Norbert, c'est la fille sur les affiches. N'est-ce pas ? Mademoiselle, vous êtes la vedette du cirque, n'est-ce pas ?

Marlène ouvre la porte, ajuste son chapeau, fait un pas au-dehors. Je suis.

— Attendez ! lance l'employé. Je crois qu'on a...

Je claque la porte derrière moi.

À l'hôtel qui se trouve un peu plus loin, on n'a pas de tels scrupules, même si le réceptionniste ne me plaît pas plus que l'autre. Il meurt d'envie de connaître la vérité. Ses yeux nous balaient, luisants, curieux, lubriques. Je sais ce qu'il penserait s'il n'y avait que Marlène de blessée, mais comme je suis nettement plus amoché qu'elle, l'histoire n'est pas claire.

— Chambre 2B, dit-il en agitant une clé devant lui sans cesser de nous dévisager. En haut de l'escalier à droite, au fond du couloir...

Je suis Marlène, les yeux sur ses mollets galbés qui montent devant moi.

Elle bataille avec la clé pendant une minute, puis s'écarte, la laissant engagée dans la serrure.

— Je n'y arrive pas. Tu ne veux pas essayer ?

Je la remplace et, au bout de quelques secondes, le pêne cède. Je pousse la porte et m'efface pour laisser entrer Marlène. Elle flanque sa valise sur le lit et va à la fenêtre, qui est ouverte. Une bourrasque gonfle le rideau, qui vole d'abord dans la pièce avant d'être plaqué contre la mousti-quaire.

L'intérieur est simple, mais correct. Il y a des fleurs sur le papier peint et les rideaux, et un couvre-lit en chenille. La porte de la salle de bains est ouverte. Elle est grande, avec une baignoire à pattes de lion.

Je pose la valise et reste là, gauchement. Marlène me tourne le dos. Il y a une coupure sur sa nuque, là où le fermoir du collier s'était incrusté.

323

— Tu as besoin de quelque chose ? dis-je en tripotant mon chapeau.

— Non, merci.

Je l'observe pendant encore un moment. J'aimerais traverser l'espace qui nous sépare pour la prendre dans mes bras, mais je m'en vais, en fermant doucement la porte.

Comme je ne sais que faire, je me dirige vers la ménagerie pour vaquer aux tâches quotidiennes. Débiter, remuer, mesurer la nourriture. Je m'occupe de l'abcès dentaire d'un yak et, main dans la main avec Bobo, vais me rendre compte de l'état de santé des autres bêtes.

J'en suis à pelleter du fumier, quand Diamond Joe surgit derrière moi.

— Oncle Al te demande...

Je le dévisage un moment, puis pose ma pelle dans la paille.

Oncle Al est dans le wagon-restaurant, attablé devant un steak-frites. Il tient un cigare et souffle des ronds de fumée. Son entourage est derrière lui, morose.

Je me découvre.

— Vous vouliez me voir ?

— Ah, Jacob, dit-il en se penchant en avant. Content de te voir. Pour Marlène, c'est arrangé ?

— Elle a trouvé une chambre en ville, si c'est ce que vous voulez dire.

— En partie, oui...

— Je ne comprends pas.

Il se tait, puis repose son cigare et joint les mains, formant comme un clocher avec ses doigts.

— C'est tout simple. Je ne peux pas me permettre de me passer de leurs services.

— Pour autant que je sache, elle n'a pas l'intention de quitter le cirque.

— Lui non plus. Imagine, si tu peux, ce qui arrivera s'ils

restent tous les deux ici, mais sans se remettre ensemble. August est accablé...

– Vous ne souhaitez tout de même pas qu'elle reprenne la vie commune ?

Il a un demi-sourire.

– Il l'a frappée ! *Frappée !*

Oncle Al se masse le menton et réfléchit.

– Oui, c'est vrai. Je n'y pensais plus, à vrai dire.

Il m'indique le siège d'en face.

– Assieds-toi.

Je m'approche, m'assieds sur le bout des fesses.

Oncle Al penche la tête sur le côté, et m'observe.

– Alors, c'est vrai ?

– Quoi ?

Ses doigts pianotent sur la table et il fait la moue.

– Toi et Marlène – *hum*, comment dire...

– Non.

– Hum... Tant mieux. Je croyais pourtant que... Enfin, tant mieux. Dans ce cas, tu vas pouvoir m'aider.

– Quoi ?

– Je vais parler à August, et toi à Marlène...

– Pas question !

– Ta position est délicate, en effet. Tu es l'ami de l'un comme de l'autre.

– Lui, ce n'est pas mon ami.

Il soupire et prend une expression de patience infinie.

– Il faut comprendre August. Il lui arrive de perdre son sang-froid. Ce n'est pas sa faute.

Il se penche en avant, me scrute.

– Mon Dieu, il faudrait montrer ça à un docteur...

– Inutile. Et bien sûr que c'est sa faute.

Il me dévisage, puis s'adosse à son fauteuil.

– C'est un malade, Jacob.

Je ne dis rien.

– C'est un skizo...

– Quoi ?

– Un skizo.

– Vous voulez dire : un schizophrène ?

– Oui, c'est ça. Le fond de l'affaire, c'est qu'il est complètement marteau. Bien entendu, il est génial aussi, alors on fait avec... Pour Marlène, c'est plus dur, évidemment. C'est pourquoi il faut la soutenir.

Je hoche la tête, abasourdi.

– Vous vous entendez parler ?

– Je ne peux perdre ni l'un ni l'autre. Et s'ils ne se remettent pas ensemble, August sera intenable.

– Il l'a frappée...

– Oui, je sais, c'est très regrettable. Mais c'est son mari, n'est-ce pas ?

Je remets mon chapeau et me lève.

– Où vas-tu ?

– Bosser. Je ne vais pas rester ici à vous écouter dire que ce type a le droit de battre sa femme puisqu'ils sont mariés. Ou que ce n'est pas sa faute, puisqu'il est fou. S'il est fou, elle a d'autant plus intérêt à ne pas l'approcher.

– Si tu veux garder ton boulot, je te conseille de te rasseoir.

– Vous savez quoi ? Je m'en fous, de ce boulot, dis-je en gagnant la porte. Au revoir. J'aurais aimé pouvoir ajouter : ce fut un plaisir.

– Et ton pote, le nain ?

Je suis pétrifié sur place. Ma main est sur le bouton de la porte.

– Cette petite merde et son toutou... Et l'autre... c'est quoi son nom, déjà ?

Il claque des doigts et tâche de se rappeler.

Je pivote lentement sur moi-même. Je sais ce qui va suivre.

– Tu sais qui je veux dire. Cet éclopé qui voyage à mes frais depuis des semaines sans rien foutre... ?

Brûlant de haine, j'ouvre de grands yeux.

— Tu croyais vraiment pouvoir le planquer sans que je sois au courant ? Sans que *lui* soit au courant ?

Son expression est dure, ses yeux métalliques.

Mais soudain ses traits s'adoucissent ; il a un sourire chaleureux, écarte les mains comme pour se faire pardonner.

— Tu m'as mal compris, tu sais ! Mes employés, c'est toute ma famille. Je veille au bien-être de chacun. Mais ce que j'ai compris, contrairement à toi, c'est qu'il est parfois nécessaire qu'un individu se sacrifie dans l'intérêt général. Et l'intérêt général, c'est que Marlène et August se réconcilient. C'est bien compris ?

Je sonde ses yeux brillants. Comme j'aimerais pouvoir flanquer un coup de hache là, au milieu, entre les deux !

— Oui, patron. C'est bien compris.

Rosie a un pied sur un baquet retourné et je lui lime les ongles. Elle en a cinq à chaque pied, comme les humains. Tandis que je m'affaire, je réalise soudain qu'il n'y a plus aucune activité dans la ménagerie. Les hommes se sont figés sur place et regardent vers l'entrée avec effarement.

Je relève la tête. August s'avance et s'arrête devant moi. Ses mèches retombant sur son front, il les lisse en arrière d'une main enflée. Sa lèvre supérieure est bleuâtre, fendue comme une saucisse grillée. Son nez est aplati et de travers, couvert de croûtes. Il tient une cigarette.

— Bonté divine...

Il s'efforce de sourire, mais sa lèvre fendue l'en empêche. Il prend une bouffée.

— On se demande bien qui a dégusté le plus, hein ?

— Qu'est-ce que tu veux ? dis-je en râpant le pourtour d'un ongle énorme.

— Encore fâché ?

Je ne réponds pas.

Il me regarde travailler pendant un moment.

— Écoute, je sais que j'ai eu tort. Parfois, mon imagination me joue des tours.

— Ah, c'est ce qui est arrivé... ?

— Écoute, dit-il en soufflant de la fumée. J'espérais qu'on pourrait tourner la page. Qu'est-ce que tu en dis – sans rancune ?

Il me tend la main.

Je me redresse, les bras le long du corps.

— Tu l'as frappée, August.

Les autres nous regardent sans mot dire. August a l'air stupéfait. Sa bouche remue. Il retire sa main et y transfère sa cigarette. Ses mains sont tuméfiées, ses ongles fendillés.

— Oui, je sais.

Je me recule et apprécie le résultat de mon travail.

— *Potóź nogę. Potóź nogę*, Rosie !

Son pied gigantesque se soulève et se repose à terre. Je pousse le baquet en direction de l'autre.

— *Nogę ! Nogę !*

Rosie déplace son centre de gravité et pose l'autre pied au milieu du baquet.

— *Teraz do przodu*, dis-je en tâtant l'arrière de sa jambe jusqu'à ce que ses ongles dépassent du bord.

— Bravo ! dis-je en lui tapotant l'épaule.

Elle soulève sa trompe et se fend d'un sourire ; je lui caresse la langue.

— Tu sais où elle est ?

Je me penche pour évaluer l'ampleur du travail, passe les mains sous ses orteils.

— J'ai besoin de la voir, dit-il.

Je me mets à limer. Un fin jet de poudre d'ongles jaillit.

— Bien. À ta guise, dit-il d'une voix acide. Mais c'est ma femme, et je la trouverai. Même si je dois faire tous les hôtels, je la trouverai.

Je relève la tête au moment où il balance sa cigarette, qui décrit une courbe dans les airs pour atterrir dans la gueule de Rosie, et touche sa langue en grésillant. Elle rugit, balance sa tête et fouille l'intérieur de sa bouche avec sa trompe.

August s'en va d'un pas martial. Je me tourne vers l'éléphante. Elle me contemple, avec une tristesse indicible. Ses yeux ambrés sont pleins de larmes.

J'aurais dû prévoir qu'il irait d'hôtel en hôtel, mais j'ai manqué de réflexion, et elle se trouve dans le second qui était sur notre chemin. La tâche lui sera facile.

Me sachant surveillé, je prends mon temps. À la première occasion, je m'éclipse et me précipite là-bas. J'attends un certain temps au coin de la rue, pour vérifier qu'on ne m'a pas suivi. Ayant repris haleine, j'ôte mon chapeau, m'essuie le front, et pénètre dans l'établissement.

Le réceptionniste relève la tête. C'est un nouveau. Il prend un air glacé.

— Qu'est-ce que vous voulez, *vous* ? dit-il comme s'il me connaissait, comme si des tomates cabossées passaient sa porte tous les jours.

— Je viens voir Mlle L'Arche, dis-je en me rappelant que Marlène s'est inscrite sous son nom de jeune fille. Marlène L'Arche.

— Il n'y a personne de ce nom, ici.

— Mais si. C'est moi qui l'accompagnais matin.

— Je regrette, vous vous trompez.

Je le dévisage un moment, puis m'élance dans l'escalier.

— Hé, vous ! Descendez !

J'escalade les marches deux par deux.

— Si vous allez là-haut, j'appelle la police !

— Vous gênez pas !

— Je vais le faire ! J'appelle !

— Tant mieux !

Je frappe à la porte avec mes phalanges les moins endolories.

— Marlène ?

Une seconde plus tard, l'employé m'empoigne et me fait pivoter, avant de me coller au mur. Il m'a saisi par les revers de ma veste, et me regarde bien en face.

— Je vous ai dit qu'elle n'est pas là !

— Tout va bien, Albert ! C'est un ami...

Marlène est sortie dans le couloir derrière nous.

Il se fige, me souffle son haleine brûlante à la figure. La perplexité lui fait écarquiller les yeux.

— Quoi ? dit-il.

— Albert ? dis-je, tout aussi dérouté. Albert ?

— Et tout à l'heure, alors... ? bredouille Albert.

— Ce n'est pas le même... Lui, c'est quelqu'un d'autre.

— August est venu ? dis-je, comprenant soudain. Tu n'as rien ?

Le regard d'Albert va de l'un à l'autre.

— C'est un ami. Celui qui s'est battu avec lui.

Albert me lâche. Il fait une tentative maladroite pour défriper ma veste puis me tend la main.

— Désolé, mon vieux. Vous avez exactement la tête de l'autre.

— Euh... ça va bien, dis-je en lui serrant la main.

Il serre la mienne un peu trop, ce qui me fait tressaillir.

— Il est à ta recherche, dis-je à Marlène. Il faut déménager.

— Ne dis pas de bêtises.

— Il est déjà venu, dit Albert. J'ai dit qu'elle n'était pas là et il a semblé le croire. Voilà pourquoi j'ai été si étonné de le voir réapparaître...

En bas, la cloche tinte. Nos regards se croisent. Je fais rentrer Marlène dans sa chambre, tandis qu'il s'empresse de redescendre.

— Que désirez-vous ? dit-il alors que je referme la porte.

À son ton, je devine qu'il ne s'agit pas d'August.

Je m'adosse à la porte avec un soupir de soulagement.

— Ça me rassurerait beaucoup, si tu me laissais te trouver une autre chambre.

— Non, je préfère rester ici.

— Pourquoi ?

— Il est déjà venu et me croit ailleurs. D'ailleurs, je ne pourrai pas l'éviter éternellement. Je devrai retourner au train demain.

Je n'y avais pas pensé.

Elle traverse la pièce, laissant traîner sa main sur une petite table au passage. Puis elle s'affale dans un fauteuil et y appuie sa tête.

— Il m'a présenté ses excuses, dis-je.

— Tu les as acceptées ?

— Bien sûr que non !

Elle hausse les épaules.

— Ça te simplifierait la vie, pourtant. Sinon, tu vas finir par te faire virer.

— Il t'a frappée, Marlène !

Elle ferme les yeux.

— Mon Dieu... a-t-il toujours été ainsi ?

— Oui. Enfin, il ne m'avait jamais frappée. Mais ces sautes d'humeur... oui. Je ne sais jamais à quoi m'attendre.

— Oncle Al dit qu'il est schizophrène.

Elle laisse tomber sa tête.

— Comment as-tu fait pour résister ?

— Je n'avais pas trop le choix, hein ? Je l'ai épousé avant d'avoir compris. Tu l'as vu... dans ses bons jours, c'est le plus charmant des hommes. Mais qu'une chose le contrarie...

Elle soupire, et attend si longtemps que je me demande si elle va poursuivre. Quand elle le fait, c'est avec des trémolos dans la voix.

— La première fois, nous n'étions mariés que depuis trois

semaines et j'ai eu la peur de ma vie. Il a battu l'un des hommes de la ménagerie si fort que l'autre en a perdu un œil. J'étais là ! J'ai téléphoné à mes parents pour leur demander la permission de rentrer, mais ils n'ont même pas voulu me parler. Déjà que j'avais épousé un Juif, alors le divorce ! Mon père m'a fait dire par ma mère que, à ses yeux, j'étais morte le jour où j'avais fugué...

Je traverse la chambre pour m'agenouiller auprès d'elle. Je caresse ses cheveux, puis repose la main sur l'accoudoir de son fauteuil.

— Trois semaines plus tard, un autre homme a perdu son bras en l'aidant à nourrir les fauves. Il a succombé à l'hémorragie avant qu'on puisse comprendre les détails de l'affaire. Plus tard, j'ai découvert que la seule raison pour laquelle il avait une ribambelle de chevaux à me confier, c'était que leur précédente maîtresse avait sauté du train en marche après avoir passé la soirée avec August dans sa cabine. Il y a eu d'autres accidents, mais c'était la première fois qu'il s'en prenait à moi...

Son corps s'affaisse en avant. Un moment plus tard, ses épaules se mettent à trembler.

— Allons, allons, dis-je, désarmé. Marlène, regarde-moi...

Elle se redresse et sèche ses pleurs, me regarde droit dans les yeux.

— Tu vas rester avec moi, Jacob ?

— Marlène...

— Chut !

Elle glisse jusqu'au bord de son siège et pose un doigt sur mes lèvres ; puis glisse au sol. Elle s'agenouille devant moi, tout près de moi, son doigt tremble contre mes lèvres.

— Je t'en prie, dit-elle. J'ai besoin de toi.

Au bout d'une courte pause, elle passe le doigt sur mes traits — timidement, doucement, m'effleurant la peau. Je retiens mon souffle et ferme les yeux.

— Marlène...

– Plus un mot, dit-elle.

Ses doigts papillonnent autour de mon oreille et se posent dans mon cou. J'en frissonne. Tout les poils de mon corps sont hérissés.

Lorsque ses mains atteignent ma chemise, je rouvre les yeux. Elle la déboutonne lentement, méthodiquement. Je la surveille, sachant qu'il faudrait l'arrêter. Mais c'est impossible. Je suis désarmé.

Ma chemise ouverte, elle la tire hors du pantalon et me regarde dans les yeux. Elle se penche et ses lèvres viennent effleurer les miennes – si légèrement que ce n'est même pas un baiser, à peine un contact. Elle s'interrompt pendant un très bref instant, si proche que je sens son haleine. Puis elle s'appuie contre moi et m'embrasse, délicatement. C'est un baiser timide mais insistant. S'ensuit un second, encore plus insistant, puis un troisième, et sans vraiment l'avoir voulu, me voilà en train de l'embrasser à mon tour, prenant son visage à deux mains tandis que ses doigts parcourent ma poitrine et s'aventurent plus bas. Quand elle atteint mon pantalon, je manque m'étrangler. Elle s'interrompt, tout en dessinant les contours de mon érection.

Elle s'arrête. Je vacille, titube sur mes genoux. Son regard toujours attaché au mien, elle prend mes mains et les porte à ses lèvres. Ayant baisé chaque paume, elle les applique sur ses seins.

– Touche-moi, Jacob.

Je suis perdu, fini.

Ses seins sont petits et ronds, comme des citrons. Je les prends dans mes paumes, y passe les pouces et sens les pointes durcir sous sa robe. J'écrase ma bouche tuméfiée contre la sienne, passe les mains par-dessus sa cage thoracique, sa taille, ses hanches, ses cuisses.

Quand elle dégrafe mon pantalon et me tient dans sa main, je me dégage.

— Je t'en prie ! dis-je d'une voix brisée. Je t'en prie. Laisse-moi entrer en toi...

Je ne sais comment, nous arrivons au lit. En me glissant enfin en elle, je pousse un cri.

Ensuite, je suis recroquevillé contre elle. Nous restons là sans parler, jusqu'au crépuscule, et là, de façon saccadée, elle se met à parler. Elle glisse les pieds entre mes chevilles, joue avec le bout de mes doigts, et bientôt c'est un flot de paroles. Elle parle sans avoir besoin de réponse – et je me contente donc de la tenir dans mes bras en caressant ses cheveux. Elle parle de la douleur, du chagrin, de l'horreur de ces quatre années passées avec un homme si violent et imprévisible que son simple contact lui glaçait les sangs. Jusqu'à très récemment, elle se croyait résignée. Mais mon apparition l'avait forcée à comprendre que ce n'était qu'une illusion.

Quand enfin elle se tait, je continue à la caresser, à passer mes mains délicatement sur ses cheveux, ses épaules, ses bras, ses hanches. Puis je lui parle. Je lui parle de mon enfance, des gâteaux polonais de ma mère. Je lui raconte que j'accompagnais mon père dans ses tournées de vétérinaire et évoque ma fierté d'avoir été admis à Cornell. Je lui parle de Cornell, et de Catherine, dont je me croyais amoureux. Je lui parle du vieux McPherson, qui a provoqué l'accident, du fait que la banque a saisi notre maison et du jour où je me suis effondré et où j'ai dû m'enfuir de la salle d'examen, parce que tous les visages avaient perdu leurs traits.

Au matin, nous refaisons l'amour. Cette fois, elle prend ma main et guide mes doigts, les presse contre sa chair ; au début, je ne comprends pas, mais quand elle tremble et se darde à mon contact, je comprends ce qu'elle me montre et voudrais en crier de joie.

Ensuite, elle reste lovée contre moi, ses cheveux chatouillant mon visage. Je la caresse légèrement, comme pour mémoriser son corps. Je voudrais me fondre en elle, tel du beurre sur une tartine grillée. Je voudrais l'absorber et l'emporter partout avec moi.

Je reste étendu, immobile, jouissant de la sensation de son corps contre le mien. Je me retiens de respirer, de peur de rompre le charme.

21

Soudain, Marlène s'étire. Puis elle se redresse comme un ressort et attrape ma montre sur la table de chevet.

— Oh, Seigneur ! dit-elle en la lâchant, et elle rejette les couvertures.

— Quoi ? Quoi ?

— Déjà midi ! Je dois rentrer.

Elle file dans la salle de bains. Un moment plus tard, j'entends la chasse d'eau et un autre jet d'eau. Puis elle revient en trombe et ramasse ses affaires par terre.

— Marlène, attends-moi ! dis-je en me levant.

— Impossible. J'ai mon numéro..., dit-elle en se battant avec ses bas.

J'arrive par-derrière et la prends par les épaules.

— Marlène, je t'en prie...

Elle s'arrête et se retourne lentement. D'abord, elle regarde ma poitrine, puis le sol.

Je la considère, rendu muet.

— Hier soir, tu as dit que tu avais besoin de moi. Tu n'as pas prononcé le mot « amour ». Aussi, je sais seulement ce que moi, je ressens...

Je déglutis, cille, les yeux sur la raie divisant ses cheveux.

— Je t'aime, Marlène, de tout mon cœur, et je veux partager ta vie.

Elle continue à contempler le sol.

– Marlène ?

Elle relève la tête. Il y a des larmes dans ses yeux.

– Je t'aime aussi, murmure-t-elle. Il me semble que je t'ai aimé dès le premier jour. Mais je suis mariée...

– Nous pouvons y remédier.

– Mais...

– Mais rien. Je veux partager ta vie. Si c'est aussi ton souhait, on trouvera un moyen.

Il y a un long silence.

– C'est ce que je désire le plus au monde, dit-elle enfin.

Je prends son visage et l'embrasse.

– Il faudra quitter le cirque, dis-je en essuyant ses larmes avec mes pouces.

Elle acquiesce, en reniflant.

– Mais pas avant Providence.

– Pourquoi ?

– Parce que c'est là qu'on a donné rendez-vous au fils de Camel. Il le ramène à la maison.

– Walter ne pourrait pas s'occuper de lui... ?

Je ferme les yeux et appuie mon front contre le sien.

– C'est un peu plus compliqué...

– Comment cela... ?

– Oncle Al m'a convoqué hier. Il voulait que je te pousse à te réconcilier avec August. Il m'a menacé...

– Bien sûr ! C'est son style.

– Non, je veux dire qu'il a menacé de larguer Walter et Camel en cours de route.

– Oh, ce sont des paroles en l'air. N'y fais pas attention. Il n'a jamais fait ça...

– Qui ça : « Il » ? August ? Oncle Al ?

Elle prend un air alarmé. Je poursuis :

– Tu te rappelles, quand les autorités ferroviaires sont venues à Davenport ? Six hommes de l'Escadron Volant avaient disparu la veille, sur le trajet...

Elle fronce les sourcils :

– Je croyais que c'était parce que quelqu'un essayait de chercher des noises à Oncle Al...

– Non, ils sont venus parce qu'une demi-douzaine de types avaient été balancés le long de la voie. Camel aurait dû être de la « fournée »...

Elle me dévisage.

– Mon Dieu ! Mon Dieu ! Comme j'ai été stupide...

– Non, pas stupide. C'est difficile de concevoir une telle noirceur, dis-je en la prenant dans mes bras.

Sa figure se presse contre ma poitrine.

– Oh, Jacob... qu'est-ce qu'on va faire ?

– Je n'en sais rien, dis-je en caressant ses cheveux. Il va falloir réfléchir, mais on devra être très, très prudents...

Nous retournons au cirque en douce. À un certain endroit, je lui rends sa valise et la regarde traverser le campement et s'introduire dans sa tente. Je reste là pendant quelques minutes, au cas où August s'y trouverait aussi, puis, le calme se prolongeant, je retourne à mon wagon.

– Tiens, notre chat de gouttière est de retour ! dit Walter.

Il est en train de repousser les malles contre le mur, pour dissimuler Camel. Ce dernier est allongé, les yeux clos et la bouche ouverte ; il ronfle. Walter a dû le faire boire.

– Ce n'est plus la peine..., dis-je.

Walter se redresse.

– Quoi ?

– Ce n'est plus la peine de le cacher.

Il ouvre de grands yeux.

– De quoi tu parles ?

Je m'assieds sur le sac de couchage. Queenie arrive, toute frétillante. Je lui gratte la tête. Elle flaire chaque centimètre de ma personne.

– Jacob, que se passe-t-il ?

Une fois au courant, il exprime d'abord la surprise, puis l'horreur et l'incrédulité.

– Quel salaud tu fais..., dit-il à la fin.

– Walter, je t'en...

– Donc, tu vas te tirer à Providence ? C'est vraiment sympa d'avoir été aussi patient.

– C'est à cause de Cam...

– Je le sais bien, que c'est à cause de lui ! hurle-t-il, et il se frappe la poitrine. Et moi... ?

Ma bouche s'ouvre, mais rien n'en sort.

– Ouais ! C'est bien ce que je pensais, dit-il, d'une voix lourde de sarcasmes.

– Pars avec nous !

– Oh, ça serait chouette, ça ! Nous trois, ensemble. Et où on irait, au fait ?

– On ferait les annonces du journal, pour voir ce qu'on propose...

– On propose rien ! Les cirques font faillite les uns après les autres dans ce fichu pays ! Des gens crèvent de faim. Crèvent de faim ! Aux États-Unis !

– On trouvera quelque chose, quelque part.

– Tu parles ! dit-il, en secouant la tête. Bon sang, Jacob, j'espère qu'elle en vaut la peine, c'est tout ce que je peux dire...

Je me dirige vers la ménagerie, en guettant August. Il n'est pas là, mais la tension parmi les hommes est sensible.

Au milieu de l'après-midi, je suis convoqué dans la voiture-privilège.

– Assieds-toi, dit Oncle Al en me voyant entrer.

Il me désigne le siège d'en face.

J'obéis.

339

Il se renverse dans son fauteuil, tortille sa moustache. Ses yeux sont deux meurtrières.

– Alors, des progrès à me signaler... ?

– Pas encore, mais je crois qu'elle va finir par céder.

Ses yeux s'écarquillent. Ses doigts cessent de tripoter sa moustache.

– Pas possible ?

– Pas maintenant, bien sûr. Elle lui en veut encore.

– Oui, bien sûr, dit-il en se penchant avidement en avant. Mais tu crois vraiment...

Sa phrase reste en suspens. L'espoir fait pétiller son regard.

Je pousse un profond soupir et m'adosse à mon siège, croise les jambes.

– Quand deux êtres sont faits l'un pour l'autre, ils finissent toujours par se réconcilier. C'est fatal.

Il me dévisage carrément, et un sourire effleure son visage. Puis il lève la main et claque des doigts.

– Un cognac pour Jacob ! Et un autre pour moi aussi.

Une minute plus tard, chacun de nous tient un grand verre.

– Alors, dis-moi... combien de temps crois-tu... ? dit-il avec un petit moulinet du doigt.

– Je crois qu'elle veut marquer le coup.

– Oui, oui, bien sûr... Oui, je comprends.

– Et puis, il faut qu'elle sente qu'on la soutient, elle. Vous connaissez les femmes. Si elle croit que la balance penche en sa faveur à lui, tout sera à recommencer.

– Bien entendu, dit-il en acquiesçant avec vigueur. Absolument. Et que préconises-tu à cet égard ?

– Eh bien, naturellement August devrait garder ses distances. Cela lui donnerait l'occasion, à elle, de le regretter. Il pourrait feindre l'indifférence. Les femmes sont ainsi. Surtout, il ne faut pas qu'elle croie qu'on pousse à la réconciliation. Elle doit penser que l'idée vient d'elle.

– Hum, oui, dit-il en opinant, songeur. Compris. Et dans combien de temps crois-tu que... ?

– Pas avant plusieurs semaines.

Il cesse d'opiner, écarquille les yeux.

– Vraiment ?

– Je peux tenter d'accélérer le processus, mais on risque un retour de manivelle. Vous connaissez les femmes...

Je hausse les épaules.

– Ça peut prendre deux semaines, ou bien un jour. Mais si jamais elle sent qu'on la talonne, elle mettra son point d'honneur à nous contrarier.

– Oui, sûrement, dit Oncle Al en mettant un doigt devant ses lèvres.

Il me scrute pendant ce qui me semble une éternité.

– Dis-moi, qu'est-ce qui t'a fait changer d'avis ?

Je lève mon verre et remue son contenu, en fixant le point où le pied rencontre la partie arrondie.

– Disons que la situation m'a soudain paru très claire.

Il prend un air méfiant.

– À August et Marlène ! dis-je en brandissant mon verre.

Le contenu danse contre les parois.

Il lève le sien lentement. J'avale mon cognac d'un trait et souris.

Il rabaisse son verre sans avoir bu. Je penche la tête de côté et garde le sourire. Qu'il m'examine à loisir. Oui, qu'il m'examine... Aujourd'hui, je suis invincible.

Il se met à hocher la tête, satisfait, prend une gorgée.

– Bien. Je dois avouer que je n'étais plus sûr de toi, hier. Je suis content de voir que tu t'es ressaisi. Tu ne le regretteras pas. C'est mieux pour tout le monde – et surtout pour toi, dit-il en me désignant avec le verre.

Il le renverse en arrière et boit.

– Je soigne mes amis...

Il se pourlèche, me regarde encore, et ajoute :

– Quant à mes ennemis, je les soigne aussi...

Ce soir-là, Marlène masque son œil au beurre noir sous un fond de teint épais et exécute son numéro de dressage en liberté. Mais August étant par trop épouvantable à voir, il n'y aura pas de numéro d'éléphant tant qu'il n'aura pas repris figure humaine. Les gens du coin – qui ont eu constamment sous les yeux les affiches représentant Rosie perchée sur son ballon depuis deux semaines – sont extrêmement déçus quand le spectacle s'achève et qu'ils réalisent que le pachyderme qui acceptait si gracieusement bonbons, pop-corn et cacahuètes dans la ménagerie ne fera pas d'apparition sous le grand chapiteau. Une poignée d'hommes souhaitant être remboursés sont pris en charge par nos gros bras avant qu'ils n'aient eu le temps de faire des émules.

Quelques jours plus tard, la coiffe à paillettes réapparaît – soigneusement raccommodée avec du fil rose – et notre Rosie a plus belle allure que jamais quand elle charme le public dans la ménagerie ; mais elle n'exécute pas son numéro, et après chaque représentation, il y a des plaintes.

La vie reprend son cours fragile. Le matin, je vaque à mes tâches quotidiennes et me retire quand la foule arrive. Oncle Al estime que ma face de boxeur malchanceux n'est pas une bonne publicité, et je ne peux lui donner tort. Mes plaies passent par toutes les couleurs de l'arc-en-ciel et, quand la tuméfaction diminue, il est clair que mon nez ne sera plus jamais tout à fait droit.

Sauf à l'heure des repas, August reste invisible. Oncle Al l'a réaffecté à la table d'Earl, mais comme il ne fait que rester assis là, à bouder et dévisager Marlène, ordre lui est donné de prendre désormais ses repas en compagnie d'Oncle Al ; et c'est ainsi que, trois fois par jour, Marlène et moi nous retrouvons face à face, étrangement seuls dans le lieu le plus public qui soit.

Oncle Al s'efforce de respecter sa part du contrat, il faut le reconnaître, mais August est devenu incontrôlable. Le lendemain de son expulsion de la cantine, Marlène se sent suivie.

Une heure plus tard, il l'aborde, tombe à genoux et s'accroche à ses jambes. Comme elle cherche à se dégager, il la renverse dans l'herbe et l'immobilise, tente de lui remettre de force son alliance, alternant cajoleries et menaces.

Walter vient me chercher à toute vitesse, mais au moment où j'arrive, Earl a déjà entraîné August. Fulminant, je me rends chez Oncle Al.

Lorsque je lui explique que, à cause d'August, nous voici revenus à la case départ, il s'énerve et fracasse une carafe contre le mur.

August disparaît entièrement pendant trois jours, et Oncle Al recommence à gifler ses hommes.

August n'est pas le seul à se consumer d'amour pour Marlène. Allongé sur ma couverture de paddock, j'ai tellement envie d'elle que j'en ai mal partout. Une partie de moi-même voudrait qu'elle vienne me rejoindre – mais pas vraiment, car c'est trop dangereux. De mon côté, je ne peux pas aller la retrouver, car elle partage la couchette d'une ballerine dans le wagon des filles.

Nous réussissons à faire l'amour deux fois en l'espace de six jours – planqués derrière des tentes, nous nous empoignons frénétiquement, sans nous déshabiller, par manque de temps. Je sors de ces rencontres à la fois épuisé et ressourcé, désespéré et ragaillardi. Le reste du temps, à la cantine, nous affichons une réserve de bon aloi. Nous sommes si attachés à sauver les apparences que, bien que personne ne puisse nous entendre, nous faisons comme s'il y avait du monde à notre table. Même ainsi, je me demande si notre liaison ne saute pas aux yeux. Il me semble que ça doit se voir.

La nuit suivant notre troisième étreinte, ayant encore le goût de son corps sur mes lèvres, je fais un rêve saisissant. Le train s'est arrêté dans la forêt, Dieu sait pourquoi car c'est la nuit et personne ne bouge. On entend des aboiements à l'extérieur, insistants, désespérés. Quittant le wagon, je vais jusqu'au bord d'un ravin. Queenie est en train de lutter là, au fond, avec un blaireau qui s'accroche à sa patte. Je l'appelle, cherchant de tous côtés un moyen de l'aider. J'attrape une branche noueuse et je m'y cramponne pour tenter de descendre, mais ça glisse, et je finis par remonter.

Entre-temps, Queenie s'est libérée et me rejoint. Je la soulève et regarde si elle est blessée. Par miracle, elle n'a rien. Je la fourre sous mon bras et retourne au train. Un énorme alligator me barre la route. Je me dirige vers le wagon suivant, mais l'alligator prend la même direction, la gueule ouverte. Je me retourne, paniqué. Un autre vient de l'autre côté.

Derrière nous, on entend des bruits de feuilles froissées et de brindilles qui se cassent. Je pivote sur moi-même pour découvrir que le blaireau est là et qu'il s'est multiplié.

Derrière nous, une colonie de blaireaux. Devant, une douzaine d'alligators.

Je me réveille, baigné d'une sueur froide.

La situation est intenable, et j'en suis bien conscient.

À Poughkeepsie, la police fait une razzia et pour une fois les barrières sociales sont renversées : ouvriers, artistes, et chefs, tous pleurent et se lamentent tandis que le bon scotch, le bon vin, le bon bourbon canadiens, toute cette bière, tout ce gin, et même le whisky de contrebande – tout est répandu sur le ballast par des hommes armés à la mine revêche. Sous nos yeux, le flot se faufile entre les pierres, s'infiltre dans la terre qui ne le méritait pas.

Et puis, on ne veut plus de nous.

À Hartford, une poignée de clients se fâche pour de bon en constatant que Rosie n'a pas exécuté son numéro et que la banderole annonçant la Superbe Lucinda est toujours là, en dépit de la regrettable absence de ladite Lucinda. Nos gros bras ne sont pas assez rapides, et voilà que des hommes en colère se pressent à la caisse pour exiger le remboursement. Sous les pressions conjointes de la police et des spectateurs, Oncle Al est forcé de restituer toute la recette de la journée.

Après quoi, nous sommes chassés de la ville.

Le lendemain matin, c'est jour de paie et les employés font la queue devant la voiture rouge. Les ouvriers sont en rogne – ils savent de quel côté tourne le vent. Le premier à s'approcher est un tchéco et, quand il s'en va les mains vides, des jurons s'élèvent dans la file. Le reste des manuels repartent à grands pas, crachant et pestant, ne laissant que des artistes et de petits chefs derrière eux. Quelques minutes plus tard, une autre rumeur parcourt la file, à laquelle se mêle une certaine surprise. Pour la première fois, il n'y a pas d'argent pour les artistes. Seuls les chefs reçoivent leur paie.

Walter est scandalisé.

– C'est quoi, ce bordel ? lance-t-il en pénétrant dans le wagon.

Il jette son chapeau dans le coin et se laisse choir sur le sac de couchage.

Sur le lit de camp, Camel se lamente. Depuis la descente de police, il passe son temps, soit à fixer le mur, soit à pleurer. Les seuls moments où il parle, c'est quand on essaie de le faire manger ou de lui faire sa toilette, et encore, c'est seulement pour nous supplier de ne pas le livrer à son fils. Nous lui marmonnons de bonnes paroles, mais nous avons tous deux des doutes. J'ignore comment il était quand il a abandonné le toit familial, mais c'est bien pire aujourd'hui – à se demander même si ses proches le reconnaîtront. Et s'ils ne sont pas disposés à lui pardonner, quel sera son sort, entre leurs mains ?

– Du calme, Walter, dis-je.

Assis sur ma couverture de paddock, je chasse les mouches

qui me tourmentent depuis le début de la matinée, allant de plaie en plaie.

— Non, je ne me calme pas ! Je suis un artiste ! Un artiste ! Les artistes, ça se paie ! hurle-t-il en se frappant la poitrine.

Il ôte une chaussure et la jette contre le mur, fixe un moment le point d'impact, puis ôte l'autre et la jette dans le coin. Elle atterrit sur son chapeau. Le poing de Walter s'abat sur sa couverture et Queenie court se réfugier derrière la rangée de malles qui dissimulait naguère Camel.

— C'est temporaire, dis-je. Il faut juste tenir pendant quelques jours.

— Ah oui ? Et pourquoi ?

— Parce que, dans quelques jours, Camel sera tiré d'affaire – une plainte funèbre s'élève du lit de camp – et on se tirera...

— Ah ? Et pour aller où, je te prie ? Tu y as pensé ?

Je croise son regard et l'affronte. Puis je détourne la tête.

— Ouais, c'est bien ce que je pensais... Voilà pourquoi j'ai besoin d'être payé. On va finir clodos...

— Non, dis-je, sans conviction.

— Tu ferais mieux de trouver une solution, Jacob. C'est toi qui nous as foutus dans ce merdier, pas moi. Toi et ta petite amie, vous êtes peut-être capables de prendre la route, mais pas moi. Pour vous, c'est peut-être un jeu...

— Ce n'est pas un jeu !

— Mais pour moi, c'est une question vitale. Toi, tu auras toujours la possibilité de prendre des trains en marche et de changer de décor. Pas moi...

Il se tait. Je contemple ses membres courts, trapus.

Il a un coup de menton bref, amer.

— Oui, exactement... Et comme je te l'ai déjà dit, je ne suis pas non plus taillé pour les travaux des champs...

L'esprit en ébullition, je vais faire la queue à la cantine. Walter a tout à fait raison – c'est moi la cause de nos malheurs, et je dois trouver un moyen d'en sortir. Mais comment ? Aucun de nous n'a un foyer qui l'attend. Et non seulement Walter sera incapable de prendre un train en marche – mais, de toute façon, jamais je ne laisserai Marlène passer la nuit parmi des clodos. Je suis si préoccupé que j'arrive pratiquement à ma table sans avoir relevé les yeux. Marlène est déjà là.

– Salut, dis-je en m'installant.

– Bonjour, dit-elle après une hésitation, et je flaire aussitôt un problème.

– Quoi ? Que s'est-il passé ?

– Rien.

– Ça va ? Il ne t'a pas frappée ?

– Non, je vais bien, dit-elle, fixant son assiette.

– Menteuse. Qu'est-ce qu'il y a ? Qu'est-ce qu'il a fait ?

Des gens attablés se retournent sur nous.

– Rien ! siffle-t-elle entre ses dents. Moins fort...

Je me redresse et, non sans un grand effort, étale ma serviette sur mes genoux. Saisissant mes couverts, je découpe avec soin ma côtelette.

– Marlène, je t'en conjure, parle ! dis-je à voix basse.

Je m'efforce d'avoir l'air de celui qui discute de la pluie et du beau temps. Lentement, les curieux retournent à leur assiette.

– J'ai du retard..., dit-elle.

– Pardon ?

– J'ai du retard.

– C'est-à-dire ?

Elle relève la tête et devient écarlate.

– Je crois que je suis enceinte.

Lorsque Earl vient me chercher, je n'en suis même pas étonné. Vu la façon dont la journée a commencé...

Oncle Al est dans son fauteuil, l'air pincé et en rogne.

Aujourd'hui, pas de cognac. Il mordille le bout de son cigare et frappe régulièrement le tapis avec sa canne.

– Ça fait presque trois semaines, Jacob...

– Je sais.

Ma voix tremble. J'en suis encore à digérer la déclaration de Marlène.

– Tu me déçois. Je croyais que nous avions un accord ?

– C'est le cas.

Je m'agite, mal à l'aise.

– Écoutez, je fais de mon mieux, mais August n'y met pas du sien. Elle serait revenue depuis longtemps s'il lui avait foutu la paix...

– J'ai fait ce que j'ai pu, dit Oncle Al.

Il retire son cigare de ses lèvres, le considère, ôte un bout de tabac sur sa langue et le projette contre le mur, où il reste collé.

– Eh, bien, ce n'est pas assez ! dis-je. Il la suit partout. Il l'insulte. Il va crier à sa fenêtre. Elle a peur de lui. Le faire suivre et alpaguer par Earl chaque fois qu'il passe les bornes, ce n'est pas assez. À la place de Marlène, qu'est-ce que vous feriez, vous ?

Il me dévisage. Soudain, je réalise que j'ai crié.

– Pardon. Je lui parlerai. Je vous jure, si vous pouviez empêcher August de l'importuner pendant encore quelques jours...

– Non, dit-il doucement. Dorénavant, on va appliquer ma méthode.

– Quoi ?

– On va appliquer ma méthode. Tu peux disposer.

Ses doigts m'indiquent la porte.

– Va !

Ensuite, je sais seulement que les bras d'acier d'Earl me ceinturent. Il m'arrache de mon siège et m'emporte. Je hurle par-dessus son épaule :

— Qu'est-ce que vous voulez dire ? Je veux savoir ! Qu'est-ce que vous allez faire ?

Earl se montre bien moins brutal une fois la porte refermée. M'ayant déposé à terre, il essuie ma veste.

— Désolé, mon vieux, j'ai essayé..., dit-il.

— Earl !

Il s'arrête et se retourne, lugubre.

— Qu'est-ce qu'il a en tête ?

Il me regarde mais ne dit rien.

— Earl, je t'en prie. Je t'en supplie. Qu'est-ce qu'il va faire ?

— Désolé, Jacob...

Il rentre à l'intérieur.

Sept heures moins le quart. Dans un quart d'heure, le spectacle commence. La foule flâne à travers la ménagerie, admire les bêtes avant d'aller sous le grand chapiteau. Je me tiens à côté de Rosie, qui accepte bonbons, chewing-gums et même de la citronnade. Du coin de l'œil, je vois un grand type avancer vers moi. C'est Diamond Joe.

— Tu ferais mieux de te tirer, dit-il en enjambant la corde.

— Pourquoi ?

— August va arriver. Ce soir, Rosie fait son numéro.

— Quoi ? Tu veux dire : avec Marlène ?

— Ouais ! Et il ne veut pas te voir. Il est dans un mauvais jour. Allez, file...

Je cherche Marlène du regard. Elle se tient devant ses chevaux, bavarde avec une famille nombreuse. Son regard se pose un instant sur moi et, voyant mon expression, y revient régulièrement.

Je tends à Diamond Joe la canne à bout d'argent qui fait office de crochet, ces temps-ci, et enjambe la corde. Voyant le haut-de-forme d'August approcher sur ma gauche, je vais sur la droite, passe devant les zèbres et m'arrête auprès de Marlène.

— Tu sais que tu es censée passer avec Rosie, ce soir ?

— Excusez-moi, dit-elle en souriant à ses interlocuteurs.

Elle se retourne et se rapproche de moi.

— Oui. Oncle Al m'a convoquée. Il m'a dit qu'on était au bord de la faillite.

— Mais... tu t'en sens capable ? Enfin, je veux dire dans ton... état...

— Pas de problème. Ça n'a rien de harassant.

— Et si tu tombais ?

— Ça n'arrivera pas. D'ailleurs, je n'ai pas le choix. Oncle Al a également dit... Oh, zut, voilà August ! Va-t-en.

— Je ne veux pas.

— Tout ira bien. Il ne fera rien en présence du public. Tu dois partir. *Je t'en prie...*

Je regarde par-dessus mon épaule. August s'approche, tête basse comme un taureau qui charge.

— *Je t'en prie !* répète Marlène sur le ton du désespoir.

Je traverse le grand chapiteau pour aller au fond. Et là, je me glisse sous les gradins.

J'assiste au début du spectacle entre une paire de godillots. Bientôt, je réalise que je ne suis pas seul. Un tchéco d'un certain âge est là lui aussi, mais, lui, il regarde sous une jupe.

— Hé, là ! Arrête !

La foule pousse un rugissement de joie au moment où une grande masse grise frôle les contremarches. C'est Rosie. Je me tourne de nouveau vers le tchéco. Dressé sur la pointe des pieds, il se tient du bout des doigts à une planche et regarde en l'air. Il se pourlèche.

C'est plus fort que moi. J'ai beau m'être rendu coupable de choses terribles, terribles – des choses qui me vaudront d'aller en enfer –, ce genre de voyeurisme m'est insupportable, et alors même que Marlène et Rosie gagnent la piste centrale, je saisis ce type par le col et l'entraîne.

– Lâche-moi, toi ! glapit-il. Qu'est-ce que t'as ?

Je ne le lâche pas, mais mon attention se porte sur la piste centrale.

Marlène s'est bien juchée sur son ballon, mais Rosie a les quatre pattes au sol et ne bouge pas. Les bras d'August se lèvent et s'abaissent. Il brandit sa canne, secoue le poing. Sa bouche s'ouvre et se referme. Les oreilles de Rosie se plaquent en arrière et son expression est clairement belliqueuse.

– Oh, Seigneur ! Rosie, non... Pas ça.

– Hé là ! râle le vilain nabot. On n'est pas au catéchisme, ici. Je fais de mal à personne. Lâche-moi !

Je le toise. Il halète, l'haleine fétide, les dents jaunes. Dégoûté, je le laisse aller.

Il regarde autour de lui et, réalisant que personne n'a rien vu, redresse son col avec une vertueuse indignation et s'en va en faisant l'important. Juste avant de quitter le chapiteau, il me lance un coup d'œil mauvais, mais son regard, sans s'arrêter sur ma personne, fixe quelque chose au-delà. Épouvanté. Terrorisé, il décampe.

Je fais volte-face et vois Rosie en train de foncer sur moi, la trompe en l'air et la gueule ouverte. Je me plaque contre les contremarches et elle passe, barrissant et martelant la sciure si lourdement qu'un gros nuage de poussière se forme. August la suit en agitant sa canne.

La foule pousse une clameur ravie – elle croit que ça fait partie du numéro. Oncle Al, lui, se tient au milieu de la piste, ahuri. Il considère la sortie pendant un moment, bouche bée, puis se reprend et annonce le numéro de Lottie.

Je cherche Marlène du regard. Elle passe devant moi en courant.

– Marlène !

Au loin, August est déjà en train de battre l'éléphante. Elle rugit, crie, secoue la tête et recule, mais lui est comme une machine : il brandit sa maudite canne et l'abat, mécaniquement. Quand Marlène arrive sur place, il lui fait face. La canne tombe à terre. Il la fixe d'un regard brûlant, sans plus se soucier de Rosie.

Je connais ce regard-là.

Je fonce. Mais je n'ai pas fait dix pas que mes pieds décollent et que je me retrouve plaqué, face contre terre. J'ai la joue écrasée par un genou, et l'un de mes bras est tordu dans mon dos.

— Foutez-moi la paix ! Qu'est-ce qui vous prend ? Lâchez-moi !

— La ferme ! fait Blackie au-dessus de moi. Pas bouger.

August se penche et se redresse avec Marlène sur son épaule. Elle le bourre de coups de poing, bat des jambes, hurle. Elle parvient à glisser de son épaule, mais il la reprend et s'éloigne à grandes enjambées.

— Marlène ! *Marlène !*

J'ai réussi à me dégager, et je suis presque debout quand je reçois un coup à la nuque. Mon cerveau explose, mes yeux jaillissent de leurs orbites. Je ne vois plus que du noir, un noir parsemé d'étincelles et il me semble que je suis devenu sourd. Au bout d'un moment, mes yeux recommencent à voir. Des visages paraissent, des bouches remuent, mais je n'entends plus qu'un bourdonnement assourdissant. Je rampe à genoux, tâchant de comprendre, mais à présent le sol fond sur moi. Incapable de résister, je m'arc-boute, mais c'est inutile car le noir m'engloutit avant que je ne heurte le sol.

22

— CHUTE... BOUGE PAS.
Je ne bouge pas, mais ma tête remue et tressaute en même temps que le train. La sirène pousse son cri lugubre, un son lointain qui me parvient malgré mes persistants bourdonnements d'oreilles. Mon corps est lourd comme du plomb.

Une chose froide et mouillée touche mon front. J'ouvre les yeux sur un jeu de formes et de couleurs changeantes. Quatre bras flous passent devant mon visage, puis se concentrent pour n'en former plus qu'un. J'ai un hoquet, les lèvres en O. Je tourne la tête, mais rien ne sort.

— Garde les yeux fermés, dit Walter. Reste couché.

— Hum...

Je laisse ma tête rouler sur le côté, et le linge en tombe. Un instant plus tard, il est remis en place.

— T'as pris un bon coup sur la tête. Je suis content de te revoir parmi nous.

— L'est plus dans les pommes ? demande Camel. Hé, Jacob, t'es là ?

C'est comme si je m'extrayais d'une mine, j'ai du mal à me situer. Il me semble être sur le sac de couchage. Le train est déjà reparti, mais comment ai-je fait pour revenir ici, et pourquoi m'étais-je assoupi ?

— Marlène !

Mes yeux s'ouvrent. Je m'efforce de me redresser.

— Qu'est-ce que j'ai dit ? fait Walter, sur le ton de la réprimande.

— Marlène ! Où est Marlène ?

Je retombe sur l'oreiller. Mon cerveau roule dans ma tête. Il a dû s'en détacher. C'est pire quand j'ai les yeux ouverts, alors je les referme. Tous les stimuli visuels étant supprimés, le noir semble encore plus immense.

Walter est là, à genoux. Il ôte le chiffon de mon front, le plonge dans l'eau, l'essore. L'eau dégouline dans la cuvette, un son clair, net, familier. Les bourdonnements commencent à s'estomper, remplacés par un mal de crâne lancinant.

Walter remet le linge sur ma figure. Il m'essuie le front, les joues et le menton, laissant ma peau humide. La fraîcheur m'aide à me concentrer.

— Où est-elle ? Il lui a fait du mal ?

— J'en sais rien.

J'ouvre de nouveau les yeux, et le monde tangue violemment. Je me hisse sur mes coudes et, cette fois, Walter ne me repousse pas, mais se penche pour m'examiner.

— Mince, tes pupilles sont plus de la même taille... T'as soif ?

— Euh... oui.

C'est dur de trouver mes mots. Je sais ce que je veux dire, mais la voie de communication entre mon cerveau et ma bouche est comme obstruée.

Walter traverse la pièce, et une capsule de bouteille tinte contre le sol. Il revient et porte la bouteille à mes lèvres. De la salsepareille.

— C'est ce que j'ai trouvé de mieux, dit-il avec tristesse.

— Foutus flics ! grommelle Camel. Ça va, Jacob ?

J'aimerais bien répondre, mais me tenir droit réclame toute mon attention.

— Walter, il va s'en sortir ?

Cette fois, Camel a l'air nettement plus inquiet.

– Je crois, dit Walter.

Il pose la bouteille.

– Tu veux t'asseoir, ou tu préfères attendre encore un peu ?

– Je dois aller voir Marlène.

– Laisse tomber. Tu ne peux rien faire pour le moment.

– Je dois y aller. Et si...

Ma voix se brise. Je ne peux même pas finir ma phrase. Walter m'aide à m'asseoir.

– Pour le moment, tu ne peux rien faire.

– Si !

Walter se met en colère.

– Pour l'amour du ciel, et si tu m'écoutais, pour une fois ?

Son coup de gueule me réduit au silence. J'arrange mes genoux et me penche en avant, de façon à reposer ma tête sur mes bras. Elle me semble lourde, énorme – au moins aussi grosse que mon corps.

– Passe encore que le train roule et que t'aies reçu un choc... mais on est dans un merdier géant ! Et la moindre intervention de ta part ne ferait qu'aggraver la situation. D'ailleurs, si t'avais pas été assommé et s'il y avait pas eu Camel, je serais jamais remonté dans ce train, ce soir !

Je fixe le sac de couchage entre mes genoux, tâchant de me concentrer sur le plus gros pli. Mon environnement se stabilise à présent, ça bouge moins. À chaque minute qui passe, des parties de mon cerveau reprennent du service.

– Écoute, dit Walter, d'une voix radoucie. Dans seulement trois jours, on débarquera Camel. Et il va falloir se débrouiller jusque-là. Ce qui veut dire : surveiller ses arrières et ne pas faire de conneries...

– « Débarquer Camel » ? proteste l'intéressé. C'est comme ça que tu parles de moi ?

– En ce moment, oui ! aboie Walter, et tu devrais m'en

être reconnaissant. Que deviendrais-tu, à ton avis, si on te débarquait maintenant ? Hein ?

Pas de réponse.

Walter marque une pause et soupire :

– Écoute, c'est moche, pour Marlène. Mais bon sang ! Si on se barre avant Providence, Camel est foutu... Elle va devoir se débrouiller toute seule pendant ces trois jours. Après tout, c'est bien ce qu'elle fait depuis quatre ans. Elle peut attendre encore trois jours...

– Elle est enceinte, Walter.

– Quoi ?

Long silence. Je relève la tête.

Le front de Walter est creusé de rides.

– T'en es sûr ?

– C'est ce qu'elle m'a dit.

Il me regarde droit dans les yeux, longuement. J'essaie de soutenir son regard, mais mes yeux sont agités de spasmes.

– Raison de plus pour être prudent. Jacob, regarde-moi !

– J'essaie !

– On va s'en sortir. Mais pour cela, il va falloir jouer serré. On ne peut rien – rien ! – tant que Camel est là. Il faut te faire une raison.

Un sanglot monte du lit de camp. Walter tourne la tête.

– La ferme, Camel ! Ils ne voudraient pas de toi, s'ils ne t'avaient pas pardonné ! À moins que tu préfères être viré du train ?

– J'sais pas..., gémit-il.

Walter se tourne de nouveau vers moi.

– Regarde-moi, Jacob, regarde-moi... Elle sait le prendre, crois-moi. Elle seule sait le prendre... Elle connaît l'enjeu. C'est l'affaire de trois jours.

– Et ensuite ? Comme tu n'as pas cessé de le dire, on n'a nulle part où aller.

Il détourne brièvement la tête, en colère.

— Est-ce que, vraiment, tu comprends la situation, Jacob ? Parfois, j'ai des doutes !

— Bien sûr ! Seulement, je ne sais pas ce qui est le pire...

— Moi non plus. Mais, je te l'ai dit, on verra ça plus tard. Pour le moment, essayons seulement de sauver notre peau.

Camel sanglote et renifle, malgré les affirmations de Walter selon lesquelles sa famille l'accueillera à bras ouverts.

Finalement, il s'endort. Après être allé le voir une dernière fois, Walter éteint la lampe et se retire avec Queenie sur la couverture de paddock. Quelques minutes plus tard, il se met à ronfler.

Je me lève avec prudence, non sans tester mon équilibre à chaque étape. Ayant réussi à me tenir debout, je fais un pas timide en avant. La tête me tourne, mais je semble capable de compenser. Je fais plusieurs pas d'affilée, et, n'étant pas tombé, je vais jusqu'à la malle.

Six minutes plus tard, je suis en train de ramper sur le toit du wagon, le coutelas de Walter entre les dents.

Le bruit, là-haut, est infernal. Les wagons penchent et tressautent dans un virage et je m'immobilise, me cramponnant jusqu'à la prochaine ligne droite.

À l'autre bout du wagon, je prends le temps de considérer mes options. En théorie, je pourrais redescendre par l'échelle, sauter sur la plate-forme et traverser les diverses voitures jusqu'à celle où je désire aller. Mais je ne dois pas risquer d'être vu.

Bon.

Je me lève, le couteau entre les dents. Mes jambes sont écartées, mes genoux fléchis, mes bras bougent de façon saccadée, comme ceux d'un funambule.

L'espace entre les deux voitures semble immense, abyssal. Je me prépare, pressant ma langue contre le métal froid du couteau. Puis, je saute, tous mes muscles bandés dans l'effort.

J'agite bras et jambes, prêt à m'agripper à n'importe quoi – n'importe quoi – si jamais je loupais mon coup.

J'atterris sur le toit. Je me cramponne à la barre, haletant comme un chien. Quelque chose de tiède dégouline de la commissure de mes lèvres. Toujours à genoux, j'ôte le couteau de ma bouche et lèche mes lèvres ensanglantées. Puis je l'y remets, tâchant de garder les lèvres rétractées.

C'est ainsi que je passe cinq voitures-couchettes. À chaque fois, je me reçois mieux, plus souplement. Au sixième saut, je dois m'exhorter à la prudence.

Arrivé à la voiture-privilège, je m'assois sur le toit et fais le point. J'ai mal aux muscles, la tête me tourne et je suis essoufflé.

Le train aborde une autre courbe et je m'agrippe à la barre, regardant du côté de la locomotive. Nous gravissons le flanc d'une colline boisée, en direction d'un pont. D'après ce que je peux voir dans l'obscurité, ce pont enjambe une rivière. Le train a une nouvelle secousse, et je prends ma décision. Je ferai le reste du trajet jusqu'à la voiture 48 par l'intérieur.

Le couteau toujours entre les dents, je me laisse glisser jusqu'à la plate-forme. Les voitures hébergeant artistes et personnel d'encadrement étant reliées par des plaques en métal, il me suffit de regarder où je mets les pieds. Je suis suspendu par le bout des doigts quand le train fait encore une brusque embardée, déportant mes jambes. Je m'agrippe désespérément, mes doigts moites glissent sur le métal.

Lorsque le train se remet droit, je me laisse tomber sur la plaque. La plate-forme est pourvue d'une rambarde à laquelle je m'appuie un moment, le temps de reprendre mes esprits.

Les doigts douloureux, tremblant, je sors ma montre de ma poche. Presque trois heures du matin. Le risque de croiser quelqu'un est faible, mais réel.

Le couteau pose problème. Trop long pour tenir dans une poche, trop coupant pour être glissé dans ma ceinture. Finalement, je le fourre sous mon bras, emmailloté dans ma veste.

Puis je passe la main dans mes cheveux, j'essuie le sang sur mes lèvres, et je fais coulisser la porte.

Le couloir est désert, éclairé par la lune. Je regarde à l'extérieur. Nous sommes à présent sur le pont. J'avais sous-estimé son altitude – nous sommes bien quarante mètres au-dessus des gros rochers de la berge, face au néant. Le train est secoué et je me félicite de ne plus être sur le toit.

Bientôt, me voici face à la porte de la cabine 3. Je déballe le couteau et le pose par terre, le temps de remettre ma veste. Puis je le ramasse et contemple encore un moment la poignée de la porte.

Un gros clic se fait entendre à l'instant où je tourne cette poignée et je m'arrête, guettant une réaction. Après quelques secondes, je continue et pousse le battant.

Je laisse la porte ouverte, de peur de le réveiller en la refermant.

S'il est sur le dos, il suffira de lui trancher la gorge. S'il est sur le ventre ou sur le côté, je devrai donner un coup de couteau profond, pour être sûr de sectionner la trachée. Dans tous les cas, c'est au cou qu'il convient de frapper. Je ne dois pas flancher, car la blessure devra être assez profonde pour qu'il meure rapidement, sans un cri.

J'avance à pas de loup vers la chambre, serrant mon couteau. Le rideau de velours est tiré. Je l'écarte pour regarder. Constatant qu'il est seul, je pousse un soupir de soulagement. Marlène est à l'abri, sans doute dans la voiture des filles. En fait, j'ai dû passer sans le savoir au-dessus de sa tête, en venant.

J'approche et je me tiens près du lit. Il a laissé une grande place pour Marlène. Les rideaux de la fenêtre sont attachés, et le clair de lune brille entre les arbres, illuminant sa face par intermittence.

Je le dévisage. Il porte un pyjama rayé et a l'air paisible, très jeune. Il est décoiffé et ses lèvres esquissent un demi-sourire. Il rêve ; soudain, il bouge, se pourlèche et roule sur le côté ; sa main se tend vers la place de Marlène et tapote plusieurs fois le vide. Puis, il touche son oreiller, s'en empare et le presse contre sa poitrine, le pétrit, y enfouit sa figure.

Je brandis le couteau à deux mains, pointe au-dessus de la gorge. Il ne faudrait pas manquer mon coup. Je calcule l'angle de façon à maximiser les dégâts. Le train sort du couvert des arbres, et un fin rayon de lune éclaire la lame. Elle miroite, tandis que j'hésite encore. August bouge de nouveau, ronfle et se remet violemment sur le dos. Sa main gauche tombe du lit et s'arrête à quelques centimètres de ma cuisse. Le couteau brille encore, mais les mouvements ne sont plus seulement le fruit de mes efforts pour ajuster mon coup : mes mains tremblent. August ouvre la bouche et inspire avec un bruit caverneux. Sa main près de ma cuisse est toute molle. Les doigts de l'autre tressaillent.

Je me penche au-dessus de lui et dépose soigneusement mon arme sur l'oreiller de Marlène. L'ayant considéré un moment, je m'en vais.

Mon taux d'adrénaline est retombé et ma tête semble de nouveau plus grosse que mon corps tandis que je retraverse en titubant les couloirs, jusqu'à la dernière cabine.

Il faut choisir : soit repasser par le toit, soit continuer à travers la voiture-privilège — au risque de rencontrer quelqu'un, par exemple un joueur de poker — et les voitures-couchettes, après quoi il me faudra de toute façon remonter pour atteindre mon wagon. Je décide de remonter plutôt maintenant que plus tard.

C'est presque au-dessus de mes forces. J'ai mal au crâne et mon équilibre est sérieusement compromis. Je grimpe sur la rambarde d'une plate-forme et parviens, Dieu sait comment, à accéder au toit. Une fois là-haut, je m'allonge, écœuré et inerte. Je passe dix minutes à me remettre, puis rampe en avant. Je me repose à l'autre extrémité du wagon, prostré entre les barres. Je suis vidé. J'ignore comment je vais continuer, mais il le faut, car si jamais je m'endors ici, je tomberai au prochain virage.

Mes bourdonnements d'oreilles ont repris, et mes yeux sont agités de spasmes. Je me jette quatre fois à travers le vide, certain de ne pas m'en tirer. La cinquième fois, je manque bien tomber. Mes mains touchent les fines barres d'acier, mais le bord du wagon me heurte au ventre. Je reste pendu là, sonné, si las que je me dis qu'il serait bien plus simple de tout lâcher. C'est ce que ceux qui se noient doivent ressentir pendant les dernières secondes, quand ils cessent de lutter pour s'abandonner à la caresse des flots. Sauf que, ce qui me guette, ce n'est pas un engloutissement par les flots, mais un brutal démembrement.

Je reprends mes esprits, me démène pour prendre appui sur le haut de la voiture. Ensuite, il m'est assez facile de me relever et, une seconde plus tard, je suis de nouveau couché sur la barre, tout essoufflé.

La sirène mugit, et je soulève mon énorme tête. Je suis au-dessus de mon wagon. Il n'y a plus qu'à aller jusqu'à la trappe et à me laisser choir. Ce que je fais, non sans mal. La trappe est ouverte, chose bizarre car je croyais l'avoir refermée. Je me glisse par le trou et dégringole. Un cheval hennit et continue de piaffer et renâcler, contrarié par quelque chose.

Je tourne la tête. La porte sur l'extérieur est ouverte.

J'ai un sursaut et je me tourne vers l'autre. Elle aussi est ouverte.

– Walter ! Camel !

Rien que le bruit de cette porte qui bat doucement contre la cloison, gardant la cadence avec le cliquetis des traverses.

Je fonce vers la porte. Plié en deux et me soutenant d'une main au chambranle, l'autre appuyée sur ma cuisse, je survole l'intérieur sans rien voir. Tout le sang s'est retiré de ma tête, et ma vue est de nouveau remplie de fusées noires et blanches.

– Camel ! Walter !

Ma vue commence à revenir. La seule lumière est celle qui filtre à travers les lattes, et elle révèle que le lit de camp est vide. Le sac de couchage aussi, de même que la couverture de paddock.

Je titube jusqu'à la rangée de malles contre le mur du fond et me penche par-dessus.

– Walter ?

Il n'y a que Queenie qui tremble, pelotonnée. Son regard terrorisé m'ôte jusqu'à mes derniers doutes.

Je m'effondre sur place, submergé par la peine et les remords. Je jette un livre contre le mur. Je boxe les planches. Je lève le poing contre Dieu et quand, enfin, je m'abandonne à des pleurs convulsifs, Queenie sort de sa cachette et se glisse sur mes genoux. Je tiens son corps chaud et finis par la bercer en silence.

J'aimerais croire que le fait d'avoir pris à Walter son couteau n'a pas fait de différence. Mais tout de même, sans ce couteau, il n'avait pas une chance...

J'aimerais croire qu'ils ont survécu. J'essaie de les imaginer, roulant sur le sol tapissé de mousse de la forêt en poussant des jurons indignés. En ce moment même, Walter est sans doute allé chercher de l'aide. Il a calé Camel contre un tronc d'arbre pour aller chercher de l'aide.

OK. OK. C'est moins grave que je ne le pensais. J'irai les chercher. Demain matin, je passerai prendre Marlène et nous irons jusqu'à la prochaine petite ville, à l'hôpital. Peut-être même à la prison locale, si on les a pris pour des vagabonds. Ça ne devrait pas être trop difficile de trouver quelle est la plus proche. En se repérant d'après...

Non. Ils n'ont pas pu faire ça. Personne ne balance un vieillard infirme et un nain au-dessus d'un pont. Pas même August. Pas même Oncle Al.

Je passe le reste de la nuit à imaginer mille moyens de les tuer, roulant ces idées dans ma tête, les soupesant comme des galets polis.

Le grincement des freins m'arrache à mes rêveries. Avant même l'arrêt du train, je saute à terre et me dirige à grandes enjambées vers les voitures-couchettes. Je gravis les marches de celle qui est assez minable pour héberger des ouvriers et j'ouvre la porte si brutalement qu'elle se referme aussitôt. Je la rouvre et entre.

— Earl ! Earl ! Où t'es ?

Ma voix est grosse de haine et de colère.

— Earl !

Je remonte l'allée, fouille du regard les couchettes. Aucun des visages surpris que je vois n'est celui d'Earl.

Voiture suivante.

— Earl ? T'es là ?

Je m'arrête et me tourne vers un bonhomme ahuri sur son grabat.

— Où est-il, bon sang ?

— Earl... celui de la sécurité ?

— Ouais. Lui...

Il donne un coup de pouce par-dessus son épaule.

— Troisième voiture après celle-là...

Je traverse la voiture suivante, tâchant d'éviter les membres qui débordent des couchettes – par-dessus ou par-dessous.

J'ouvre brutalement la porte.

— Earl ! T'es où ? Merde ! Je sais que t'es là.

Silence stupéfait. De chaque côté, des hommes bougent de leur lit pour regarder l'intrus. Et puis, je l'aperçois. Je me précipite.

— Fumier ! dis-je en faisant mine de l'attraper par le col. Comment t'as pu faire ça ? Comment t'as pu ?

Earl bondit de sa couchette et me saisit les bras.

— Quoi... du calme, Jacob ! Qu'est-ce qu'il y a ?

— Tu sais très bien ce qu'il y a ! dis-je en me débattant.

Je réussis à me libérer et me jette sur lui, mais une fois de plus il me devance.

— Comment t'as pu faire ça ?

Des larmes roulent sur mon visage.

— Comment ? Tu te disais l'ami de Camel. Et qu'est-ce qu'il t'avait fait, Walter ?

Earl pâlit. Il s'immobilise, sans me lâcher les poignets. Son innocence est si flagrante que je cesse de lutter.

Nous nous mesurons du regard. Les secondes passent. Un vent de panique parcourt le wagon.

— Suis-moi...

Nous descendons du train, et, à une dizaine de mètres de là, il se tourne vers moi.

— Ils ont disparu ?

Je le dévisage, cherchant une réponse sur son visage. Rien.

— Oui.

Earl a un soupir. Ses yeux se ferment. Pendant un instant, on dirait qu'il va pleurer.

— Tu veux dire que tu n'es pas au courant ?

— Évidemment ! Pour qui tu me prends ? Je ferais jamais un truc pareil. Ah, merde ! Merde ! Les pauvres vieux... Hé, minute..., dit-il, méfiant. Toi, t'étais où ?

— Ailleurs...

Earl soutient mon regard, puis contemple le sol. Il met les mains à sa taille et soupire, réfléchit.

— OK, je vais essayer de savoir combien d'autres pauvres types ont été balancés, mais je peux t'assurer d'une chose : les artistes ne se font jamais jeter d'un train, pas même les mauvais. Si Walter s'est fait avoir, c'est qu'on en avait après toi. À ta place, je m'en irais tout de suite, et sans me retourner.

— Et si je ne peux pas ?

Il me jette un regard aigu. Sa mâchoire travaille.

— Tu ne risqueras rien en plein jour, sur la terre ferme. Mais si tu remontes dans le train ce soir, évite ce wagon-là. Va du côté des wagons plats et repose-toi sous des chariots... Te fais pas prendre, et ne baisse pas la garde... Et tire-toi dès que tu le pourras !

– C'est bien mon intention, crois-moi. Mais j'ai encore quelques comptes à régler.

Earl me lance un long regard.

– J'essaierai de te revoir plus tard, dit-il.

Puis, il se dirige vers la cantine où les hommes de l'Escadron Volant se sont réunis en petits groupes, l'air apeuré.

Outre Camel et Walter, huit autres hommes manquent à l'appel, trois du train principal et cinq de l'Escadron Volant, ce qui signifie que Blackie et son groupe s'étaient organisés en plusieurs commandos pour parcourir les différentes sections du convoi. Le cirque étant au bord de la faillite, ces hommes auraient sans doute été balancés, de toute façon, mais pas du haut d'un pont. C'était bien après moi qu'on en avait.

Ainsi, au moment même où ma conscience m'interdisait de tuer August, quelqu'un était sur le point de m'assassiner, sur son ordre.

Je me demande ce qu'il a ressenti, en découvrant à son réveil le couteau. J'espère qu'il a compris que, plus qu'une menace, c'est à présent une promesse : je suis redevable à chacun de ces hommes.

Je rôde dans les parages toute la journée, cherchant désespérément Marlène. Elle reste invisible.

Oncle Al se balade dans son pantalon à carreaux noirs et blancs et son gilet rouge, frappant sur la tête quiconque se trouve sur son chemin. À un moment donné, il m'aperçoit et s'arrête net. Nous nous faisons face, à quatre-vingts mètres l'un de l'autre. Je le fixe, tâchant de lui communiquer toute ma haine par mes yeux. Au bout de quelques secondes, ses lèvres ébauchent un sourire froid, puis il se détourne sèchement et poursuit son chemin, suivi par ses laquais.

Je reste à distance quand le drapeau est hissé au-dessus de la cantine, à midi. Marlène est là, en vêtements de ville, dans la queue. Son regard survole la foule ; je sais qu'elle me cherche, et j'espère qu'elle sait que je n'ai rien. Elle ne s'est pas plutôt attablée que August surgit de nulle part et s'installe en face d'elle. Il n'a pas de plateau. Il dit quelque chose, puis se penche et l'attrape par le poignet. Elle résiste, renverse son café. Les gens se retournent sur eux. Il la lâche et se lève si vivement que le banc bascule dans l'herbe. Puis il part comme un ouragan. Dès qu'il a disparu, j'accours.

Marlène relève la tête, me voit, et pâlit.

— Jacob !

Je redresse le banc et m'assieds sur le bout des fesses.

— Il t'a fait du mal ? Ça va ?

— Ça va. Mais... toi ? J'ai entendu dire...

Sa voix s'étrangle, et elle met la main devant sa bouche.

— Aujourd'hui, on se tire. Je te guetterai. Quitte le campement dès que tu peux et je te suivrai.

Elle me contemple, toute pâle.

— Et Walter... Camel ?

— On reviendra plus tard...

— J'ai besoin de quelques heures.

— Pour quoi faire ?

Oncle Al, qui se tient non loin de la cantine, claque des doigts. Venant de l'autre extrémité de la tente, Earl s'approche.

— Il y a de l'argent dans notre chambre. J'irai là-bas quand il n'y sera pas, dit-elle.

— Non, le risque est trop grand.

— Je ferai attention...

— Non !

— Viens, Jacob, dit Earl en me prenant l'avant-bras. Le patron veut que tu dégages.

— Une seconde, Earl.

Il pousse un profond soupir.

— D'accord, résiste un peu. Mais pas trop, et ensuite je t'emmène...

— Marlène, dis-je désespérément. Promets-moi que tu n'iras pas là-bas !

— Il le faut. L'argent m'appartient pour moitié, et si je ne mets pas la main dessus, nous n'aurons pas un sou sur nous...

Je me libère de l'étreinte d'Earl et me lève pour l'affronter – lui, ou du moins, sa poitrine.

— Dis-moi où c'est et j'irai..., dis-je d'une voix sourde, tout en pointant le doigt sur cette poitrine.

— Sous la banquette, chuchote Marlène.

Elle se lève et contourne la table de façon à se tenir à mon côté.

— Le dessus s'ouvre. C'est dans une boîte en métal. Mais ce serait sans doute plus facile si, moi, j'y...

— Bon, ça suffit maintenant, dit Earl.

Il me fait pivoter sur moi-même et me tord le bras dans le dos, avant de me pousser en avant.

Plié en deux, je tourne la tête vers Marlène.

— J'irai ! Ne t'approche pas de ce train. Promets-le-moi.

Je me tortille un peu, et Earl me laisse faire.

— Promets-le-moi !

— C'est promis, dit Marlène. Sois prudent !

— Lâche-moi, ordure ! dis-je à Earl d'une voix sonore.

Pour la galerie, bien sûr.

Lui et moi soignons notre sortie. Je me demande si on voit qu'il ne me tord pas assez le bras pour me faire mal. Mais il se rattrape en m'envoyant dinguer dans l'herbe.

Je passe tout l'après-midi à regarder furtivement dans les coins, à me planquer derrière des tentes, ou des wagons. Mais impossible de m'approcher de la voiture 48 sans être vu – et, de plus, comme je n'ai pas revu August depuis ce midi, il est fort possible qu'il soit là-dedans. Donc, je ronge mon frein.

Il n'y a pas de représentation dans l'après-midi. À environ quinze heures, Oncle Al monte sur une caisse, au milieu du campement, pour nous informer qu'on aura intérêt à se surpasser, ce soir. Il ne dit pas ce qui arrivera, sinon, et personne ne souhaite le savoir.

Ainsi, une parade impromptue a-t-elle lieu, après quoi les bêtes sont ramenées à la ménagerie, tandis que vendeurs de bonbons et autres commerçants installent leur étalage. Les citadins qui ont suivi la parade se rassemblent dans l'allée principale, et bientôt Cecil baratine les gogos devant la tente des phénomènes.

Plaqué contre la tente de la ménagerie, j'écarte deux pans de toile afin de pouvoir jeter un coup d'œil à l'intérieur.

August est là, et il amène Rosie. Il balance sa canne à bout d'argent sous son ventre et derrière ses pattes en guise de menace. Elle le suit docilement, mais ses yeux sont chargés d'animosité. Il la conduit jusqu'à sa place attitrée et l'enchaîne au pieu. Elle contemple son dos courbé d'un regard fixe, les oreilles plaquées, puis son attitude change, elle balance sa trompe et inspecte le sol devant elle. Là, elle trouve quelque chose qu'elle ramasse. Sa trompe s'enroule, elle y frotte l'objet, teste sa texture, puis l'engloutit.

Les chevaux de Marlène sont prêts, mais elle-même n'est pas encore là. La plupart des spectateurs sont déjà sous le grand chapiteau. Elle devrait être là. *Allons, allons, où es-tu...*

Et si, en dépit de sa promesse, elle était retournée à sa cabine ? *Merde, merde, merde.* August est toujours en train de batailler avec la chaîne de Rosie, mais il va bientôt s'apercevoir de son absence...

On me tire par la manche. Je fais volte-face, les poings serrés.

Grady lève les deux mains dans un geste de reddition.

– Hé là ! Du calme.

Je laisse retomber mes poings.

— Je suis un peu nerveux. Pardon.

— Ah... ouais. T'as tes raisons, dit-il en regardant autour de lui. T'as bouffé ? J'ai vu que tu t'étais fait éjecter de la cantine.

— Non.

— Allez, je t'emmène grailler...

— Non, je ne peux pas. Je suis fauché, dis-je, en priant pour qu'il parte.

Je me retourne vers la bâche et écarte les bords. Marlène n'est toujours pas là.

— Je t'avance le fric...

— Non, merci, ça va.

Je continue à lui tourner le dos, dans l'espoir qu'il va comprendre et partir.

— Écoute, faut qu'on parle, dit-il à voix basse. C'est plus sûr là-bas...

Je tourne la tête et nos regards se croisent.

Je l'accompagne jusqu'à l'allée principale. Sous le grand chapiteau, l'orchestre commence à jouer.

Nous rejoignons ceux qui font la queue à la friterie. L'homme au comptoir prépare des hamburgers à la vitesse de la lumière pour les quelques retardataires pressés.

C'est notre tour.

— Deux burgers, Sammy, dit mon compagnon. Te presse pas...

Quelques secondes plus tard, on nous donne deux assiettes en fer-blanc. Chacun prend la sienne. Grady tend un billet.

— Tu plaisantes ? dit le cuistot, en agitant la main. Garde ton fric...

— Merci, Sammy, dit Grady, qui rempoche son billet. Je te revaudrai ça.

Il s'approche d'une vieille table branlante et enjambe le banc. Je vais de l'autre côté.

— Alors, qu'y a-t-il ? dis-je en palpant un nœud du bois.

Grady jette des regards en coin.

– Certains des types qui se sont fait balancer l'autre nuit ont refait surface..., dit-il.

Il prend son burger et marque une pause, tandis que trois gouttes de graisse tombent dans son assiette.

– Quoi... ils sont revenus ? dis-je en me redressant et je survole l'allée centrale.

Hormis une poignée d'hommes devant la tente des phéno-mènes – ils doivent attendre d'aller voir Barbara –, tous les spectateurs sont sous le grand chapiteau.

– Moins fort, dit Grady. Ouais, cinq d'entre eux.

– Walter... ?

Mon cœur bat très vite. Mais dès qu'il entend son nom, Grady prend une expression qui vaut toutes les réponses.

– Oh, Seigneur, dis-je en détournant la tête.

Je refoule mes larmes, déglutis. Il me faut un moment pour me ressaisir.

– Que s'est-il passé ?

Grady pose son burger dans sa gamelle. Il s'écoule cinq secondes avant qu'il ne réponde, et alors, très doucement, d'une voix neutre :

– Ils ont été balancés du haut du pont. La tête de Camel a heurté un rocher. Il est mort sur le coup. Les jambes de Walter ont été écrabouillées. Ils ont dû le laisser sur place.

Il déglutit et ajoute :

– D'après eux, il a dû trépasser dans la nuit.

Je regarde au loin. Une mouche se pose sur ma main. Je la chasse.

– Et les autres ?

– Ils ont survécu. Deux d'entre eux se sont tirés, les autres sont revenus.

Ses yeux me fuient.

– Bill est parmi eux.

– Qu'est-ce qu'ils vont faire ?

– Il ne me l'a pas dit, mais d'une façon ou d'une autre, Oncle Al va morfler... Je les aiderai, au besoin.

– Pourquoi me dire cela ?

– Pour te donner une chance de rester à l'écart. T'étais un pote à Camel, on l'a pas oublié.

Il se penche en avant, pressant sa poitrine contre la table.

– De plus, dit-il doucement, il me semble que t'as gros à perdre en ce moment.

Je lève les yeux vivement.

Oh, Seigneur ! Il sait. Et s'il sait, alors c'est que tout le monde sait. Il faut partir maintenant, à la minute.

Un tonnerre d'applaudissements retentit sous le grand chapiteau, et l'orchestre enchaîne aussitôt sur la *Valse* de Gounod. Je me tourne vers la ménagerie. C'est un réflexe, car soit Marlène se prépare à monter, soit elle est déjà juchée sur la tête de Rosie.

– Je dois y aller..., dis-je.

– Reste. Mange. Si t'as l'intention de te tirer, t'es peut-être pas près de revoir de la bouffe avant longtemps...

Il plante ses coudes sur le bois rugueux et reprend son burger.

Je considère le mien, en me demandant si je pourrai l'avaler.

Je fais mine de m'en emparer, quand l'orchestre s'arrête en catastrophe. C'est un tintamarre de cuivres qui s'achève sur un coup de cymbales. Le son flotte au-dessus du grand chapiteau et du campement, sans rien laisser dans son sillage.

Grady se tétanise, penché au-dessus de son burger.

Je regarde dans les coins. Personne ne bouge – tous les regards sont pointés vers le chapiteau. Des brins de paille tourbillonnent paresseusement au-dessus de la terre battue.

– Quoi ? Qu'est-ce qu'il y a ?

– Chut ! dit sèchement Grady.

L'orchestre se remet à jouer, cette fois l'hymne national.

– Oh, merde ! Oh, merde !

Grady se lève d'un bond et recule, renversant le banc.

– Quoi ? Quoi ?

– C'est « La Marche de la Catastrophe » ! dit-il en faisant demi-tour, et il part en courant.

Tout ce que le cirque compte d'employés fonce vers le chapiteau. Je quitte ma place et reste planté derrière le banc, ahuri. Le cuistot se bat avec son tablier. Je lui hurle :

– C'est quoi, ça ?

– « La Marche de la Catastrophe » ! dit-il en passant le tablier par-dessus sa tête. Ça veut dire qu'il s'est passé un truc grave – très grave.

Quelqu'un me tape lourdement sur l'épaule au passage. C'est Diamond Joe.

– Jacob... c'est la ménagerie, crie-t-il par-dessus son épaule. Les bêtes sont lâchées ! Cours là-bas !

Il n'a pas à me le dire deux fois. Aux abords de la ménagerie, le sol gronde sous mes pas et j'en suis épouvanté, car ce n'est pas du bruit : ce sont les trépidations provoquées par des galopades.

Je me jette à l'intérieur et aussitôt me plaque contre la bâche tandis que le yak passe au grand galop, manquant m'encorner. Une hyène est cramponnée à son dos, les yeux révulsés.

C'est un sauve-qui-peut général. Toutes les cages sont ouvertes, et au milieu de la ménagerie règne la plus grande confusion : j'entrevois des chimpanzés, des orangs-outans, des lamas, des zèbres, des lions, des girafes, des chameaux, des hyènes et des chevaux – des douzaines de chevaux, parmi lesquels ceux de Marlène, et chacun d'eux est fou de terreur. Des bêtes de toutes espèces zigzaguent, foncent, crient, font volte-face, galopent, grognent, hennissent : elles sont partout, à se balancer après des cordes ou à grimper en haut des mâts, à se cacher sous des chariots, à se plaquer contre la toile, ou à patiner au milieu de la tente.

Cherchant Marlène du regard, je vois une panthère se faufiler par le tunnel qui mène au chapiteau. En voyant son corps souple et noir disparaître, je me crispe. Ça met quelques secondes à venir, mais ça vient – un long cri, suivi d'un second, puis d'un troisième, et puis c'est l'explosion ; le grondement des corps se bousculant pour quitter les gradins.

Seigneur, laissez-les partir par l'autre côté ! Ne les laissez pas essayer de passer par là !

Par-delà cette marée houleuse, j'aperçois deux types. Ils balancent des cordes, cherchant à augmenter encore la confusion. L'un d'eux est Bill. Croisant mon regard, il le soutient un moment, puis s'introduit sous le grand chapiteau avec son comparse. Une fois de plus, l'orchestre s'interrompt brutalement, et cette fois demeure silencieux.

Mon regard balaie la tente, paniqué.

Où es-tu ? Où es-tu ? Mais où es-tu donc passée ?

J'aperçois des paillettes roses et, voyant Marlène auprès de Rosie, je pousse un cri de soulagement.

August est devant elles – évidemment, où pourrait-il être ? Marlène a les mains sur sa bouche. Elle ne m'a pas encore vu, mais Rosie, si. Elle me jette un long regard, et son expression me glace les sangs. August, lui, ne voit rien – tout rouge, il agite ses bras, balance sa canne en s'époumonant. Son haut-de-forme est posé dans la paille, crevé, comme s'il avait marché dessus.

Rosie tend sa trompe, à la recherche de quelque chose. Une girafe passe entre nous, balançant son long cou avec grâce malgré les circonstances, et quand elle n'est plus là je constate que Rosie a déterré son pieu. Elle le tient mollement, presque posé au sol. La chaîne est toujours à son pied. Elle me regarde ; puis son regard se reporte sur la tête d'August.

— Oh, Seigneur ! dis-je, comprenant soudain.

Je trébuche en avant et évite de justesse la croupe d'un cheval.

— Pas ça ! Ne fais pas ça !

Elle brandit le pieu comme un rien et lui fend le crâne

374

d'un coup net et sans bavure – *ponk* – comme on casse la coquille d'un œuf dur. Elle maintient le pieu en l'air le temps que sa victime bascule en avant, puis le repose presque paresseusement à terre. Elle fait un pas en arrière, révélant Marlène qui a pu, ou pas, voir cette scène.

Presque aussitôt, une bande de zèbres passe devant moi. Des membres humains volent entre ce déferlement de pattes noires et blanches. Une main, un pied, tourbillonnent et rebondissent, comme dépourvus d'os. Après le passage de la meute, il ne reste plus d'August qu'une bouillie de chair mêlée de paille.

Marlène contemple la scène, les yeux écarquillés. Puis elle s'effondre. Rosie met ses oreilles en éventail, ouvre la gueule et fait un pas de côté de façon à la protéger de son corps.

La débandade a beau continuer comme avant, au moins je sais que Marlène ne sera pas piétinée avant que je n'aie fait le tour de la tente.

Fatalement, des gens tentent de sortir du grand chapiteau par le chemin qu'ils avaient emprunté à l'aller – c'est-à-dire en passant par la ménagerie. Je suis agenouillé auprès de Marlène, lui tenant la tête, quand des malheureux surgissent du tunnel. Lorsqu'ils comprennent la situation, c'est trop tard.

Les premiers s'arrêtent net et sont renversés par les suivants. Ils seraient piétinés si ceux qui les suivent n'avaient vu, eux aussi, les bêtes.

La masse soudain change de direction – toutes les espèces sont mêlées : lions, lamas et zèbres courent côte à côte avec des orangs-outans et des chimpanzés ; une hyène côtoie un tigre. Douze chevaux et une girafe avec un petit singe pendu à son cou. L'ours polaire, marchant pesamment sur ses quatre pattes. Tous se dirigent vers le groupe d'êtres humains.

La foule se retourne, criant, et tente de regagner le chapiteau. Ceux à l'arrière, qui s'étaient retrouvés projetés au sol, trépignent, bourrent de coups de poing le dos et les épaules de ceux qui les suivaient. Soudain, le canal se désengorge ; humains et bêtes s'enfuient en ne formant plus qu'une seule masse hurlante. Difficile de dire qui est le plus terrifié – en tout cas, les bêtes ne pensent qu'à sauver leur peau. Un tigre du Bengale se force un passage entre les jambes d'une femme, la soulevant du sol. Elle s'évanouit. Son mari l'attrape par les aisselles, l'arrache de sa monture, et la traîne jusque sous le chapiteau.

Bientôt, il n'y a plus que trois créatures en vie dans la ménagerie, à part moi : Rosie, Marlène et Rex. Le vieux lion squelettique a réintégré sa cage et tremble, blotti dans un coin. Marlène gémit. Sa main se soulève, retombe. Je jette un coup d'œil rapide aux restes d'August et décide de la soustraire à ce lamentable spectacle. Je l'emporte dans mes bras et sors en passant par la caisse.

Le campement est quasi désert. Bêtes et gens s'enfuient aussi vite qu'ils le peuvent ; cela forme un cercle qui s'élargit et s'estompe tel un rond à la surface de l'eau.

23

UN JOUR APRÈS LE DRAME.

Nous sommes toujours à la recherche de certaines bêtes. On en a attrapé beaucoup, mais celles qui se laissent prendre ne sont pas celles qui inquiètent la population. La plupart des fauves n'ont pas été retrouvés, de même que l'ours.

Un peu après midi, nous sommes appelés par un restaurateur. À notre arrivée, nous trouvons Léo, caché sous l'évier, tremblant de terreur. Coincé à côté, un plongeur, tout aussi terrifié. Homme et lion, côte à côte.

Oncle Al a disparu lui aussi, mais cela n'étonne personne. Il y a des policiers partout. Le cadavre d'August a été découvert hier soir, et une enquête est ouverte. Pour la forme, puisqu'il est clair qu'il a été piétiné. On prétend qu'Oncle Al préfère rester caché en attendant de voir s'il est inculpé de quelque chose.

Deux jours après le drame.

Petit à petit, la ménagerie se remplit. Le shérif revient avec les autorités ferroviaires et évoque une loi sur le vagabondage. Il veut qu'on s'en aille. Il veut parler à la direction.

Le soir venu, il n'y a plus rien à manger à la cantine.

Trois jours après le drame.

En fin de matinée, le Cirque des Frères Nesci s'arrête sur une voie de garage parallèle. Le shérif et les autorités ferroviaires viennent accueillir le directeur comme une altesse royale. Ensemble, ils visitent le campement et prennent congé sur des poignées de main chaleureuses et des rires sonores.

Quand les hommes de ce cirque commencent à embarquer nos bêtes et notre matériel, même les plus optimistes d'entre nous ne peuvent plus nier l'évidence.

Oncle Al a pris la fuite. Nous sommes tous au chômage.

Réfléchis, Jacob. *Réfléchis*.

Nous avons assez d'argent pour partir, mais pour aller où ? Marlène attend un enfant. Il faut trouver une solution. Je dois trouver du travail.

Je me rends au bureau de poste pour téléphoner au doyen de la fac, M. Wilkins. J'avais peur qu'il m'ait oublié, mais il semble soulagé d'avoir de mes nouvelles. Il déclare s'être souvent demandé ce que j'étais devenu — eh bien, justement, qu'est-ce que j'étais devenu pendant ces trois mois et demi ?

Je prends une profonde inspiration, et alors même que je croyais qu'il serait difficile de tout expliquer, les mots commencent à affluer. Ils se bousculent et c'est parfois si embrouillé que je dois revenir en arrière et prendre un nouveau départ. Quand enfin je m'interromps, mon interlocuteur garde le silence si longtemps que je me demande si la communication n'a pas été coupée.

— Monsieur Wilkins, vous êtes là... ?

J'éloigne l'écouteur de mon oreille et le considère. Je le balancerais bien contre le mur, mais la demoiselle du guichet m'observe. Avec une certaine impatience, même, car elle n'a rien perdu de cette conversation. Je me tourne contre le mur et ramène l'écouteur à mon oreille.

M. Wilkins s'éclaircit la voix, bredouille, puis dit que oui, certainement, je peux venir repasser les examens.

À mon retour, je remarque que Rosie se tient à une certaine distance de la ménagerie en compagnie du directeur des Frères Nesci, du shérif et d'un représentant des chemins de fer. J'accours.

— Que se passe-t-il ?

Le shérif se tourne vers moi.

— C'est vous le directeur ?

— Non.

— Alors, ça ne vous regarde pas.

— Cet éléphant m'appartient. Donc, ça me regarde...

— Cet animal appartient au cirque des Frères Benzini, et en tant que shérif, pouvoir m'est donné de...

— Du vent, tout ça ! Cet éléphant m'appartient.

Un attroupement se forme, surtout constitué de tchécos réduits au chômage. Le shérif et le représentant des chemins de fer échangent des regards nerveux.

Greg fait un pas en avant. Nos regards se croisent. Puis il s'adresse au shérif :

— C'est vrai, elle lui appartient. Il a voyagé avec nous, mais c'est un indépendant.

— Je suppose que vous pouvez le prouver ?

J'ai le feu aux joues. Greg considère le shérif avec une hostilité non dissimulée. Puis il se met à grincer des dents.

— En ce cas, dit le shérif avec un sourire pincé, laissez-nous régler cette affaire, je vous prie.

Je me tourne vers le directeur des Frères Nesci. Il accuse la surprise.

— Qu'en ferez-vous ? Elle est bornée. Je peux lui faire faire certaines choses, mais vous, vous n'arriverez à rien avec elle.

— Ah ?

— Allez-y, essayez !

Il me regarde comme s'il venait de me pousser des cornes.

— Je ne plaisante pas. Vous avez un cornac ? Essayez de lui faire faire quelque chose. Elle est idiote.

Il continue à ouvrir de grands yeux pendant un moment, puis tourne la tête.

— Dick ! aboie-t-il. Fais-lui faire quelque chose.

Un homme muni d'un crochet s'avance.

Je regarde Rosie. Je t'en prie, Rosie. Comprends ce qui se passe. *Je t'en supplie.*

— Comment qu'elle s'appelle ? demande Dick, en me regardant par-dessus son épaule.

— Gertrude.

Il se tourne vers elle.

— Gertrude, avance vers moi. Viens vers moi !

Sa voix est aiguë, perçante.

— Gertrude, viens à moi !

Rosie cille. Elle balaie le sol de sa trompe, s'arrête, en enroule l'extrémité et ramène de la poussière dessus avec son pied. Puis elle balance sa trompe, jette cette poussière sur son dos ainsi que sur l'assistance. Certains se mettent à rire.

— Gertrude, lève ta patte, fait Dick qui s'approche tout près de son épaule.

Il tapote l'arrière de sa jambe avec le crochet.

— Lève ! dit-il en la frappant plus fort.

Rosie sourit et inspecte ses poches. Ses quatre pieds restent inamovibles.

L'homme repousse la trompe et se tourne vers son patron.

— Il a raison. Elle sait rien. Comment la faire bouger d'ici ?

— Ce type-là l'a amené, dit le directeur, désignant Greg.

Il se tourne vers moi.

— Alors, qu'est-ce qu'elle sait faire ?

— Elle reste dans la ménagerie et accepte les bonbons.

— C'est tout ? fait-il, incrédule.

— Oui...

— Pas étonnant que vous ayez fait faillite, dit-il en secouant la tête. Vous avez quoi d'autre ? ajoute-t-il à l'adresse du shérif.

Je n'entends plus rien car mes oreilles bourdonnent.

Mon Dieu, qu'ai-je fait ?

Je contemple tristement les fenêtres de la voiture 48 en me demandant comment je vais annoncer à Marlène que nous avons dorénavant un éléphant, quand je la vois soudain surgir par la porte, sauter de la plate-forme telle une gazelle et s'élancer, coudes au corps.

Je me retourne pour suivre sa trajectoire et tout s'explique : le shérif et le directeur des Frères Nesci sont en train de se serrer la main en souriant, devant la ménagerie ; ses chevaux sont alignés derrière eux, tenus par des étrangers.

Les deux hommes font volte-face quand elle arrive là-bas. Je suis trop loin pour tout comprendre, mais des bribes de son discours – exprimé dans le registre de l'aigu – me parviennent. « Comment osez-vous », « fieffé toupet », et « culot monstre ». Elle gesticule. « Vol qualifié », « suites judiciaires » flottent au-dessus du campement.

Les hommes ouvrent de grands yeux, ébahis.

Finalement, elle s'arrête, croise les bras, leur jette un regard noir et tape du pied ; les hommes se regardent, éberlués. Le shérif se tourne et ouvre la bouche, mais il n'a pas prononcé un mot que Marlène explose de nouveau, criant comme une furie et le menaçant du doigt. Il recule mais elle le suit. Il s'arrête et se blinde, poitrine gonflée et les yeux clos. Ayant cessé d'agiter le doigt, elle croise de nouveau les bras, tapant du pied, hochant la tête.

Les yeux du shérif se rouvrent, et il considère le directeur. Après un silence éloquent, il hausse timidement les épaules. Le directeur fronce les sourcils et se tourne vers Marlène.

Il tient environ cinq secondes avant de devoir reculer, mains levées dans un geste de reddition. C'est le double d'Oncle Al. Marlène met les mains à sa taille et attend, furibonde. Finalement, il se tourne, tout rouge, et lance un ordre aux hommes qui retiennent les chevaux.

Marlène attend qu'ils aient réintégré tous les onze la ménagerie. Puis elle revient à grands pas vers la voiture 48.

Seigneur ! Non seulement je suis sans emploi et sans logis, mais j'ai également à charge une femme enceinte, une petite chienne endeuillée, une éléphante et onze chevaux.

Je retourne au bureau de poste et rappelle M. Wilkins. Cette fois, son silence dure encore plus longtemps. Enfin, il bredouille des excuses. Il est désolé – il aimerait bien m'aider – mais, si je suis toujours le bienvenu pour passer mes examens, il ne saurait vraiment pas quoi faire d'une éléphante.

Je retourne au campement complètement paniqué. Je ne peux pas laisser Marlène et les bêtes pour aller passer mes examens à Ithaca. Et si le shérif vendait la ménagerie en mon absence ? Les chevaux, on pourrait les mettre en pension ; Marlène pourrait m'attendre dans un hôtel avec Queenie... Mais Rosie... ?

Je traverse le campement en contournant les tas de bâches. Des hommes des Frères Nesci sont en train de dérouler des morceaux du grand chapiteau sous l'œil vigilant de leur chef. Ils doivent chercher des accrocs avant de faire une offre.

En montant dans la voiture 48, mon cœur bat très fort, je suis essoufflé. Il faut me calmer. Dans mon esprit passent et repassent toujours les mêmes questions. Ça ne va pas, ça ne va pas du tout.

Je pousse la porte. Queenie vient me regarder avec une pathétique combinaison de gratitude et d'ahurissement. Sa toute petite queue frétille timidement. Je me baisse pour lui gratter la tête.

— Marlène ?

Le rideau vert s'écarte et elle apparaît. Elle a l'air craintive, se tord les doigts et évite mon regard.

— Jacob... Oh, Jacob, j'ai fait une grosse bêtise...

— Quoi ? Tu veux dire : les chevaux ? C'est bon. Je suis au courant.

Elle me jette un regard.

— Ah bon ?

— J'ai tout vu de loin.

Elle rougit.

— Je suis désolée. Je n'ai pas pu m'en empêcher... Je n'ai pas réfléchi aux conséquences. Je les aime tant que je n'ai pas supporté qu'on les prenne. Ce directeur ne vaut pas mieux qu'Oncle Al.

— C'est bon, je comprends... Marlène, j'ai quelque chose à te dire, à mon tour.

— Ah... ?

Ma bouche s'ouvre.

Elle semble inquiète.

— Quoi, c'est grave ?

— J'ai appelé le doyen de la fac, et il est d'accord pour que je repasse mes examens.

Son visage s'éclaire.

— C'est merveilleux !

— Et nous avons Rosie...

— Quoi ?

— C'est comme toi avec les chevaux, dis-je en me hâtant de m'expliquer. Je n'aime pas la tête de leur cornac et je n'ai pas pu la lui laisser... Dieu sait ce qu'elle deviendrait ! Je l'aime, cette éléphante. Je n'ai pas pu la laisser partir... alors, j'ai prétendu qu'elle était à moi. Et voilà...

Marlène, à mon grand soulagement, hoche la tête.

– Tu as raison. Moi aussi, je l'aime. Elle mérite une vie meilleure. Mais ça complique la situation...

Elle regarde vers la fenêtre, perdue dans ses pensées.

– Il va falloir intégrer un autre cirque, dit-elle enfin. Je ne vois pas d'autre solution.

– Comment ? Personne n'embauche...

– Chez Barnum, on embauche toujours les gens de valeur.

– Tu crois qu'on a nos chances ?

– Et comment ! On a un très bon numéro avec un éléphant, et toi, tu es un vétérinaire d'élite. Bien sûr qu'on a nos chances ! Mais il faudra être mariés. Ils sont très stricts...

– Chérie, j'ai l'intention de t'épouser dès que l'encre aura séché sur le certificat de décès.

Le sang reflue de son visage.

– Oh, Marlène ! Excuse-moi. Je n'ai pas voulu dire ça... Ce que je veux dire, c'est que j'ai toujours eu l'intention de t'épouser.

Au bout d'un moment, elle tend le bras et m'effleure la joue. Puis elle attrape et son sac et son chapeau.

– Où vas-tu ?

Elle se dresse sur la pointe des pieds et m'embrasse.

– Passer un coup de téléphone. Souhaite-moi bonne chance !

– Bonne chance...

Je la suis à l'extérieur et m'assieds sur la plate-forme en regardant décroître sa silhouette. Elle marche avec assurance, les épaules bien droites. Sur son passage, tous les hommes se retournent. Je la regarde jusqu'à ce qu'elle ait disparu au coin d'un bâtiment.

Comme je me relève pour rentrer, un cri de surprise s'élève parmi les travailleurs affairés autour de la bâche. L'un d'eux fait un grand pas en arrière en se tenant le ventre. Puis il se plie en deux pour vomir dans l'herbe. Les autres continuent à fixer leur découverte. Leur chef ôte son chapeau et le tient contre sa poitrine. L'un après l'autre, ses hommes en font autant.

Je m'approche en regardant la forme emmaillotée. C'est quelque chose d'assez volumineux, et en me rapprochant j'aperçois du rouge, du jaune, des carreaux blancs et noirs.

C'est Oncle Al. Il y a un foulard serré autour de son cou noirci.

Plus tard, ce soir-là, je m'introduis dans la ménagerie avec Marlène pour kidnapper Bobo.

Nous ne sommes plus à cela près...

24

ALORS, voilà à quoi j'en suis réduit ? À poireauter dans un hall d'accueil en attendant une famille qui ne viendra pas ?

Je ne peux pas croire que Simon ait oublié. Surtout aujourd'hui. Surtout Simon – ce garçon a quand même passé les sept premières années de sa vie chez Barnum !

Pour être juste, il faut préciser qu'il doit avoir soixante et onze ans. Ou bien soixante-neuf ? Flûte, quel ennui de ne pas savoir... Quand Rosemary reviendra, je lui demanderai en quelle année on est et ce sera réglé une bonne fois pour toutes. Elle est très gentille avec moi, cette Rosemary. Elle ne se moque jamais de moi, même quand il y aurait de quoi. C'est insupportable, de ne pas savoir son âge.

Je me rappelle tant de choses avec acuité. Le jour où Simon est né, par exemple. Mon Dieu, quelle joie ! Quel soulagement ! Mon vertige quand je me suis approché du lit, mon émoi. Et mon ange, ma Marlène qui me souriait, fatiguée, radieuse, avec son petit fardeau emmailloté au creux du bras. La figure de Simon était si rouge et fripée qu'il ne ressemblait guère à un être humain, mais quand elle m'a montré ses cheveux, et que j'ai vu qu'il était roux, j'ai bien cru m'évanouir de joie. Je n'ai jamais eu de doutes – de doutes sérieux, et je l'aurais aimé et élevé tout de même – mais enfin... En voyant ses cheveux roux, j'ai failli en tomber par terre.

Je jette un coup d'œil à la pendule, désespéré. Le spectacle a bien commencé, assurément. Oh, ce n'est pas juste ! Tous ces vieux débris qui ne sauront pas apprécier pendant que moi, je suis enfermé dans ce hall !

« Enfermé » ?

Au fait, qui a dit que j'étais enfermé ?

Je jette des regards furtifs alentour. Personne. Je me tourne vers le couloir. Une aide-soignante passe en vitesse, serrant ses fiches et regardant par terre.

Je me glisse jusqu'au bord de mon siège et tends les bras vers mon déambulateur. À vue de nez, je ne suis qu'à six mètres de la liberté. Certes, il y aura tout un quartier à traverser ensuite, mais si j'y vais à pied, je pourrai sûrement voir les derniers numéros. Et le finale – évidemment, j'aurai raté le début, mais ce sera déjà quelque chose. Une chaleur se répand dans ma carcasse et je réprime un petit rire. J'ai peut-être quatre-vingt-dix ans, mais qui a dit que j'étais incapable de rien faire ?

Les portes vitrées s'écartent devant moi. Dieu merci – je n'aurais sûrement pas pu ouvrir une porte traditionnelle avec mon déambulateur.

J'atteins le trottoir et m'arrête, aveuglé par le soleil.

J'ai été coupé du monde extérieur pendant si longtemps que le bruit des moteurs, les aboiements, les klaxons me nouent la gorge. Les passants me contournent comme si j'étais une pierre dans un torrent. Personne ne semble s'étonner de voir un vieillard se tenir en chaussons sur le trottoir, juste devant un hospice. Mais je réalise que je suis toujours susceptible d'être vu par une infirmière qui arriverait dans le hall.

Je soulève mon déambulateur, le place un peu sur la gauche, le repose. Ses roues en plastique raclent le ciment, et ce bruit me tourne la tête. C'est un bruit franc, un bruit désagréable, pas un couinement ou tapotement de caoutchouc. J'avance à petits pas, savourant le léger frottement de mes pantoufles. Encore deux manipulations, et je serai dans le bon sens. Le parfait virage en trois étapes. Je serre les poignées, concentré sur mes pieds.

Ne pas aller trop vite. Tomber serait une catastrophe, à tous points de vue. En l'absence de carreaux au sol, je mesure mes progrès autrement. Chaque fois que j'ai accompli un pas, je ramène le talon de l'autre pied à la hauteur des orteils du premier. Et ainsi de suite, vingt-cinq centimètres par vingt-cinq centimètres. Allure lente, mais constante. Chaque fois que je regarde, le chapiteau rouge et blanc me semble un peu plus grand.

Cela me prend une demi-heure et j'ai dû m'arrêter deux fois, mais j'y suis quasiment et déjà j'exulte. Je suis un peu essoufflé, mais mes jambes sont fermes. Il y a bien une femme qui a failli me poser des problèmes, mais j'ai réussi à m'en débarrasser. Je ne suis pas fier de moi – d'ordinaire, je ne parle pas ainsi aux gens, surtout aux femmes – mais je n'avais pas l'intention de me laisser gâcher ma sortie par cette charitable personne. Je ne remettrai pas les pieds dans cet hospice avant d'avoir vu la fin du spectacle, et malheur à qui voudrait m'y forcer. Même si les aides-soignantes me rattrapaient maintenant, je ferais un scandale. Du boucan. Elles seraient gênées et iraient chercher Rosemary. Quand celle-ci réaliserait à quel point je suis déterminé, elle m'emmènerait au specta-cle. Quitte à abandonner son poste, elle m'y emmènerait – de toute façon, elle est sur le départ...

Oh, Seigneur ! Comment vais-je tenir, après ? Me rappeler son départ imminent est une douleur, mais la joie prend bientôt le dessus – je suis assez près du chapiteau pour enten-dre les flonflons. Oh, la réjouissante musique de cirque ! Je me presse en tirant un peu la langue. J'y suis presque. Encore quelques mètres...

– Hé, grand-père ? Vous allez où comme ça ?

Je m'arrête, ahuri, relève les yeux. Un jeune est assis à la caisse, au milieu des sachets de barbe à papa rose et bleue. Des joujoux lumineux clignotent dans la vitrine qui se trouve sous ses bras. Il a un anneau au sourcil, un clou à la lèvre, un gros tatouage sur chaque épaule. Ses ongles sont en deuil.

— À votre avis ? dis-je, bougon.

Je n'ai pas de temps à perdre. J'ai déjà raté la plus grande partie du spectacle.

— L'entrée, c'est douze dollars.

— Je n'ai pas d'argent.

— Alors vous n'entrez pas.

Je suis estomaqué, et cherche encore mes mots, quand un homme arrive à ma hauteur. Il est plus âgé, rasé de frais, bien habillé. Le directeur, je parie.

— Que se passe-t-il, Russ ?

Le gamin me désigne.

— Il essayait de resquiller...

— Resquiller, moi !

L'homme me lance un coup d'œil et s'adresse au gamin.

— T'es pas fou, toi... ?

Russ boude et baisse les yeux.

Le directeur se campe devant moi, avec un sourire aimable.

— Cher monsieur, je suis ravi de vous accueillir. Souhaitez-vous un fauteuil roulant ? Cela nous épargnerait la peine de vous trouver une bonne place...

— Volontiers, merci, dis-je, prêt à pleurer de soulagement.

Je tremble encore d'émotion — à l'idée que j'aurais pu être refoulé par un gamin aux lèvres trouées après avoir fait tout ce chemin... Mais tout s'arrange. Non seulement je peux entrer, mais, en plus, je vais être très bien placé.

Le directeur disparaît et revient avec un fauteuil roulant d'hôpital. Je le laisse m'installer et détends mes muscles douloureux tandis qu'il me pousse vers l'entrée.

— Ne lui en voulez pas, dit-il. C'est un brave gamin malgré

390

ses trous, même si je me demande toujours comment il fait pour ne pas fuir de partout quand il boit...

— Autrefois, c'étaient les vieux qu'on mettait à la caisse. Quand ils n'étaient plus bons à rien...

— Vous avez travaillé dans un cirque ? Lequel ?

— Deux cirques. Le premier, c'était celui des Frères Benzini, dis-je en me rengorgeant. Le second, Barnum.

Le fauteuil s'immobilise. Soudain, l'homme me fait face.

— Les Frères Benzini ? Quelle année ?

— 1931.

— Vous étiez là quand les animaux ont été pris de folie ?

— Et comment ! J'étais même aux premières loges. Dans la ménagerie. J'étais le vétérinaire...

Il ouvre de grands yeux, incrédule.

— Incroyable ! Après l'incendie du chapiteau Hartford et la collision du train Hagenbeck-Wallace, c'est sans doute la plus célèbre catastrophe de tous les temps concernant un cirque !

— C'était quelque chose, oui. Je m'en souviens comme si c'était hier. En fait, je m'en souviens *mieux* que si c'était hier !

L'homme cille et me tend la main.

— Charlie O'Brien, troisième du nom.

— Jacob Jankowsky, premier du nom...

Charlie O'Brien me fixe pendant très longtemps, la main sur le cœur, comme s'il était sur le point de prêter serment.

— Monsieur Jankowsky, je vais vous montrer le spectacle tant qu'il y a encore quelque chose à voir, mais je serais fort honoré si vous acceptiez de venir prendre un verre dans ma caravane ensuite. Vous êtes un morceau d'histoire, et j'aimerais avoir des détails de première main sur cette catastrophe. Je serai heureux de vous raccompagner chez vous par la suite.

— J'accepte avec joie, dis-je.

Là, il repasse derrière moi.

– Bon, parfait. J'espère que vous allez apprécier le spectacle...

Fort honoré.

Je souris béatement en me laissant amener juste au bord de la piste.

25

C'EST APRÈS LE SPECTACLE – un sacré bon spectacle, d'ailleurs, même s'il n'a pas l'ampleur de ceux d'autrefois, mais quoi d'étonnant ? Les cirques d'autrefois étaient ce qu'ils étaient parce qu'ils se déplaçaient en train.

Je suis assis à une table en Formica, à l'arrière d'une impressionnante caravane, à boire un whisky tout aussi impressionnant – Laphroaig, si je ne m'abuse – et à débiter mon histoire. Je parle de mes parents, de mon idylle avec Marlène, de la mort de Camel et Walter. Je raconte la fois où j'ai rampé sur le toit du train, la nuit, avec un couteau entre les dents et des intentions meurtrières. Je lui parle des hommes balancés du haut du pont, des animaux lâchés dans la nature, d'Oncle Al étranglé. Et enfin, je lui dis ce que Rosie avait fait. Sans l'avoir voulu. J'ai ouvert la bouche et les mots ont jailli.

Le soulagement est sensible et instantané. Pendant toutes ces années, j'avais gardé cela en moi. Je croyais que je me sentirais coupable, comme si je l'avais trahie, mais ce que je ressens – peut-être grâce à l'écoute chaleureuse de Charlie –, c'est plutôt une absolution. Et même une rédemption.

Je n'ai jamais vraiment su si Marlène avait compris – il y avait un tel tumulte dans la ménagerie, sur le moment, que je ne savais pas ce qu'elle avait vu, et je ne lui ai jamais posé la question. Cela m'était impossible, car je ne pouvais prendre le risque de modifier ses sentiments envers Rosie – ou même, envers moi. Rosie avait beau être le véritable meurtrier, moi aussi j'avais souhaité la mort d'August.

Au début, j'avais gardé le silence pour la protéger – car elle avait besoin de l'être ; à cette époque, les exécutions d'éléphants n'étaient pas rares – mais ce n'était pas une raison pour mentir à Marlène. Même si son attitude s'était durcie envers Rosie, elle ne lui aurait jamais fait de mal. En toutes ces années de mariage, c'est le seul secret que j'aie jamais eu, et le temps passant, je n'ai pas pu rectifier le tir. C'était trop lourd.

Ayant entendu mon histoire, Charlie ne semble nullement choqué, et mon soulagement est tel que je continue sur ma lancée. Je lui parle de mes années chez Barnum, que nous avons quitté après la naissance de notre troisième enfant. Marlène en avait assez d'être toujours sur les routes et, d'ailleurs, Rosie prenait de l'âge. Heureusement, le vétérinaire du zoo de Chicago décéda fort opportunément pour moi et je fus engagé – non seulement j'avais l'expérience des animaux exotiques et un diplôme, mais j'apportais dans mes bagages une éléphante.

Nous avons acheté une petite ferme à l'extérieur de la ville où nous pouvions garder nos chevaux. Ils y coulèrent une retraite heureuse, montés occasionnellement par Marlène et les enfants. Ils engraissèrent – les chevaux, pas les enfants, ni Marlène, d'ailleurs. Bobo nous avait accompagnés, bien sûr. Avec les années, il fit plus de bêtises que tous les gosses réunis, mais nous ne l'avons pas moins aimé pour autant.

Oh, les beaux jours ! Les nuits blanches, les bébés braillards, les jours où la maison semblait dévastée par un ouragan ; les fois où j'avais cinq gosses, un chimpanzé, et une femme grippée au lit. Même quand le quatrième verre de lait était renversé dans la même nuit, qu'un cri me transperçait les tympans, ou que j'allais rechercher un fils – voire, moment mémorable, Bobo – pour une peccadille au commissariat, je n'ai jamais rien regretté.

Mais tout a passé si vite. Nous n'avions pas plus tôt commencé à souffler, Marlène et moi, que les gosses empruntaient la voiture et nous quittaient pour aller à la fac. Et me voilà, aujourd'hui... J'ai quatre-vingt-dix ans, et je suis seul.

Charlie, heureusement, est réellement intéressé par mon cas. Il prend la bouteille et se penche en avant. Comme je pousse mon verre dans sa direction, on frappe à la porte. J'ai un recul, comme si je m'étais brûlé.

Charlie glisse sur le banc et se penche par la fenêtre, écartant le rideau à carreaux avec deux doigts.

– Merde, les flics. Je me demande ce qu'il y a...

– C'est moi qu'ils cherchent...

Il me jette un coup d'œil dur, incisif.

– Quoi ?

– C'est moi qu'ils cherchent, dis-je en tâchant de soutenir son regard.

Difficile. Je souffre d'un nystagmus, conséquence d'un vieux coup sur la tête. Plus j'essaie de regarder en face quelqu'un, plus mes yeux ont des petits mouvements involontaires.

Charlie laisse retomber le rideau et va à la porte.

– Bonsoir, dit une voix bien timbrée. Je cherche un certain Charlie O'Brien. On m'a dit que je pourrais le trouver ici... ?

– C'est moi. Que puis-je pour vous, monsieur l'agent ?

– J'espère que vous pourrez nous aider. Un homme âgé a quitté sa maison de retraite qui est juste au bout de la rue. Le personnel pense qu'il pourrait être ici.

– Ça ne serait pas étonnant. Les gens de tous âges adorent le cirque.

– Oui, bien sûr, mais... C'est un homme de quatre-vingt-treize ans et il est très fragile. Ils espéraient son retour après le spectacle, mais deux heures se sont écoulées depuis, et il n'est toujours pas rentré. Ils se font un sang d'encre.

Charlie lui sourit avec affabilité.

— À supposer qu'il soit venu effectivement, il n'a pas dû rester. Nous allons bientôt reprendre la route.

— Avez-vous vu quelqu'un correspondant à ce signalement, ce soir ?

— Bien sûr. Plein de gens. Toutes sortes de familles amènent leurs parents âgés.

— Pas d'homme âgé et seul ?

— Je n'ai pas remarqué, mais je vous le répète, il y a toutes sortes de gens. On finit par ne plus faire attention.

Le flic passe la tête à l'intérieur. Ses yeux se posent sur moi avec un intérêt manifeste.

— Qui est-ce ?

— Qui... lui ? dit Charlie.

— Oui.

— Mon père.

— Je peux entrer un moment ?

Après une très légère hésitation, Charlie s'efface.

— Bien sûr, faites...

Le flic monte. Il est si grand qu'il doit se voûter. Il a un menton en galoche et le nez busqué. Ses yeux sont trop rapprochés, comme ceux d'un orang-outan.

— Comment allez-vous, monsieur ? dit-il en s'approchant.

Il m'examine attentivement.

Charlie me jette un coup d'œil.

— Papa ne peut plus parler. Il a eu une attaque, il y a quelques années.

— Il ne serait pas mieux chez lui ?

— C'est ici, chez lui !

J'ouvre la bouche et laisse pendre ma mâchoire. Je cherche mon verre d'une main tremblante et manque le renverser. « Manque », car ce serait dommage de perdre un si bon whisky.

— Hé, p'pa, laisse-moi faire ! dit Charlie en se précipitant.

Il se glisse sur le banc auprès de moi et attrape mon verre, qu'il porte à mes lèvres.

Je tire la langue comme un perroquet ; elle touche les glaçons qui dégringolent vers ma bouche.

Le flic nous étudie. Je ne le regarde pas directement, mais je le vois du coin de l'œil.

Charlie repose mon verre et l'observe placidement.

Le policier nous considère encore un moment, puis embrasse la pièce d'un regard méfiant. Le visage de Charlie est dénué d'expression, et je fais de mon mieux pour baver.

Enfin, le flic effleure sa casquette.

— Merci, messieurs. Si vous voyez ou entendez quelque chose, ayez l'obligeance de nous contacter. Ce type n'est pas en état de s'occuper de lui-même.

— Je n'y manquerai pas, dit Charlie. Vous pouvez visiter le cirque, si vous voulez. Je vais demander à mes gars d'ouvrir l'œil. Ce serait triste qu'il lui arrive malheur...

— Voici mon numéro, dit le flic en tendant sa carte. Appelez-moi, au besoin.

— Entendu.

L'homme regarde une dernière fois les lieux, puis se dirige vers la porte.

— Alors, bonsoir...

— Bonsoir, dit Charlie en l'accompagnant.

Une fois la porte refermée, il revient s'asseoir et nous sert un autre whisky. Chacun sirote en silence.

— Vous avez bien réfléchi ? me demande-t-il enfin.

— Oui.

— Et votre santé ? Vous n'avez pas besoin de médicaments ?

— Non. Ma seule maladie, c'est la vieillesse. Et ça ne se soigne pas.

— Et votre famille ?

Je prends une autre gorgée, fais tourner le fond, avant de l'avaler.

— Je leur enverrai des cartes postales.

En voyant son air, je comprends que je me suis mal exprimé.

— Enfin, je les aime et c'est réciproque, mais je ne fais plus partie de leurs existences. Je suis devenu un boulet. C'est la raison pour laquelle j'ai dû venir ici par moi-même. Ils m'avaient oublié.

Le front de Charlie est plissé. Il semble dubitatif.

J'insiste, désespéré :

— J'ai quatre-vingt-treize ans. Qu'ai-je à perdre ? Je suis encore autonome. J'ai besoin d'aide pour certaines choses, mais pas les plus gênantes...

Je sens mes yeux s'humecter et tente de donner à ma vieille figure délabrée un air vaillant. Je ne suis pas une femmelette, bon sang !

— Laissez-moi venir avec vous. Je peux tenir la caisse. Russ pourrait faire plein de choses, il est jeune. Donnez-moi son boulot. Je sais encore compter, et je rends la monnaie comme il faut... Je sais que vous n'êtes pas un filou.

Les yeux de Charlie s'embrument. Ma parole !

Je continue sur ma lancée :

— S'ils m'attrapent, tant pis. Sinon, à la fin de la saison, je retournerai là-bas. Et s'il se passe quelque chose entre-temps, vous n'aurez qu'à les contacter et ils viendront me chercher. Où est le problème ?

Charlie me dévisage. Je n'ai jamais vu un homme aussi sérieux.

Un, deux, trois, quatre, cinq, six — il ne va pas répondre — *sept, huit, neuf* — il va me renvoyer, c'est normal, il ne me connaît pas — *dix, onze, douze...*

— D'accord, dit-il.

— D'accord ?

— D'accord. Vous allez avoir quelque chose à raconter à vos petits-enfants. Ou arrière-petits-enfants. Ou arrière-arrière-petits-enfants.

Je pousse un cri de joie, ravi. Charlie m'adresse un clin d'œil et me sert un autre doigt de whisky. Puis, se ravisant, il penche de nouveau la bouteille.

J'attrape le goulot.

– Non, il vaut mieux arrêter. Ce n'est pas le moment de me casser quelque chose.

Et là, je glousse, parce que c'est à la fois grotesque et fantastique et j'ai déjà du mal à ne pas me tordre de rire. Quelle importance, si j'ai quatre-vingt-treize ans, et si je suis vieux, grincheux, et complètement décati ? Si on veut bien de moi, qu'est-ce qui m'empêche de m'enfuir avec ce cirque ?

Charlie l'a bien dit au flic, non ? C'est *ici* mon foyer.

L'idée de ce livre m'est venue par hasard : au début de l'année 2003, je m'apprêtais à écrire un ouvrage tout différent, quand le *Chicago Tribune* publia un article sur Edward J. Kelty, un photographe qui suivit des cirques itinérants à travers l'Amérique dans les années 20 et 30. Les photos illustrant cet article me fascinèrent à telle enseigne que j'achetai deux albums de photos sur les cirques d'autrefois : *Step Right This Way : The Photographs of Edward J. Kelty* et *Wild, Weird, and Wonderful : The American Circus as Seen by F.W. Glasier*. Je ne les avais pas plus tôt feuilletés que j'étais passionnée et abandonnais mon projet initial pour me plonger dans cet univers.

J'ai commencé par solliciter des conseils de lecture auprès de l'archiviste du Monde du Cirque à Baraboo, Wisconsin, endroit où les Ringling Brothers avaient leurs quartiers d'hiver. Beaucoup de ces livres étaient indisponibles, mais je suis parvenue à me les procurer chez des bouquinistes. Quelques semaines plus tard, j'allais à Sarasota, en Floride, pour visiter le Ringling Circus Museum, qui vendait des fac-similés des livres figurant dans sa précieuse collection. J'en revins plus pauvre de quelques centaines de dollars, mais riche de plus de livres que je ne pouvais en transporter.

Pendant quatre mois et demi, j'ai acquis les connaissances nécessaires pour faire justice à ce sujet, effectuant trois voyages (un second à Sarasota, une visite au Monde du Cirque à Baraboo, et un week-end au zoo de Kansas City avec l'un de ses anciens dresseurs, pour apprendre comment s'expriment et se comportent les éléphants.

L'histoire du cirque américain est si riche que j'ai puisé certaines anecdotes dans la réalité ou la légende (dans le monde du cirque, la frontière est souvent ténue). Parmi elles, l'exhibition de l'hippopotame conservé dans le formol, la morte de deux cents kilos promenée à travers une ville dans une cage à éléphant, l'éléphant qui déterrait son pieu pour aller voler de la citronnade, cet autre éléphant qui s'enfuit et fut retrouvé dans un potager, un lion et un plongeur de restaurant, retrouvés côte à côte sous un évier, un directeur assassiné, son corps roulé dans la toile du grand chapiteau, et ainsi de suite. J'ai également incorporé l'horrible et bien réelle histoire de la paralysie provoquée par du whisky frelaté, qui anéantit l'existence de cent mille Américains entre 1930 et 1931.

Enfin, j'aimerais attirer l'attention sur deux éléphantes, non seulement parce qu'elles ont inspiré deux points principaux de l'intrigue, mais parce qu'elles méritent qu'on évoque leur souvenir.

En 1903, une éléphante nommée Topsy tua son dresseur qui lui avait lancé dans la gueule une cigarette allumée. À cette époque, on pardonnait aux éléphants de faire une ou deux victimes – tant que ce n'était pas un spectateur – mais là, il s'agissait de la troisième. Ses propriétaires, au Luna Park de Coney Island, décidèrent de rendre publique son exécution, mais l'annonce de sa pendaison déclencha un tollé – après tout, la pendaison n'était-elle pas un châtiment cruel et inusité ? Toujours pleins de ressources, les propriétaires contactèrent Thomas Edison. Depuis des années, ce dernier « prouvait » les dangers du courant alternatif de son rival, George Westinghouse, en électrocutant en public des chiens et chats errants, voire des chevaux ou des vaches. Il releva le défi. La chaise électrique ayant remplacé la potence comme mode officiel d'exécution à New York, les protestations cessèrent.

Les avis divergent quant à savoir si on donna à Topsy des carottes au cyanure dans le but – non couronné de succès – de l'exécuter, ou si elle les mangea juste avant d'être électrocutée, mais on s'accorde à dire que Edison, qui avait apporté une caméra, attacha Topsy à des sandales doublées de cuivre, avant de lui envoyer une décharge de six mille six cents volts dans le corps devant mille cinq cents spectateurs, la tuant en une dizaine de secondes. Edison, convaincu que cette prouesse discréditait le courant alternatif, alla ensuite projeter ce film à travers le pays.

Pour conclure sur une note plus gaie : toujours en 1903, des dresseurs de Dallas achetèrent une éléphante nommée Grand-Maman à Carl Hagenbeck, le célèbre marchand d'animaux. Comme il leur avait vanté son intelligence exceptionnelle, ces derniers furent bien déçus en découvrant qu'on ne pouvait rien en tirer. En fait, elle était si nulle qu'il fallait « la tirer et pousser de place en place ». Un jour que Hagenbeck était allé la voir dans son nouveau foyer, il fut chagriné d'apprendre qu'on la disait idiote et n'en fit pas mystère – en allemand. Soudain, tout le monde comprit que Grand-Maman ne comprenait que l'allemand. Ainsi fut-elle rééduquée en anglais, après quoi elle fit ensuite une formidable carrière. Elle mourut en 1933, à l'âge vénérable de quatre-vingts ans, entourée de ses amis et confrères.

Paix à l'âme de Topsy et de Grand-Maman !

REMERCIEMENTS

Merci à tous ceux qui m'ont aidée à écrire ce livre :

À mon époux, Bob – mon amour et mon plus grand supporter.

À mon éditeur, Chuck Adams, dont les critiques, l'attention aux détails et le soutien ont servi la qualité de ce livre.

À ma critique préférée, Kristy Kiernan, et à mes premiers lecteurs, Karen Abbott, Maureen Ogle, Kathryn Puffett (ma mère) et Terence Bailey (mon père) pour leur affection, leur soutien, et pour m'avoir sauvée du désespoir quand il le fallait.

À Gary C. Payne, pour avoir répondu à mes questions sur le cirque, m'avoir narré des anecdotes, et avoir traqué mes erreurs.

À Fred D. Pfening III, Ken Harck et Timothy Tegge, pour m'avoir généreusement permis d'utiliser des photos de leur collection. Remerciements particuliers à Fred pour avoir relu et peaufiné mon texte.

À Heidi Taylor, bibliothécaire au Ringling Museum of Art, pour m'avoir aidée à régler la question des droits, et à Barbara Fox McKellar, pour m'avoir autorisée à utiliser les photos de son père.

À Mark et Carrie Kabak, pour leur hospitalité et pour m'avoir présentée aux pensionnaires du zoo de Kansas City.

À Andrew Walaszek, pour sa traduction en polonais.

À Keith Cronin, pour ses critiques précieuses et pour avoir trouvé le titre.

À Emma Sweeney, un agent formidable.

Et enfin, aux membres de mon groupe d'écriture. Je ne sais pas ce que j'aurais fait sans vous...

Composition Nord Compo
Impression Normandie Roto Impression s.a.s., en avril 2007
Éditions Albin Michel
22, rue Huyghens, 75014 Paris
www.albin-michel.fr

ISBN 978-2-226-17717-9
N° d'édition : 24164 – N° d'impression : 070971
Dépôt légal : mai 2007
Imprimé en France.